# Frison-Roche

# Premier de cordée

Éditions J'ai lu

*À la compagnie des Guides
de Chamonix,
un des leurs*

# PREMIÈRE PARTIE

## NAISSANCE D'UNE VOCATION

### 1

Les deux hommes avaient quitté Courmayeur le matin même, à l'heure où la rosée nocturne s'évapore en fumées bleues des lourds toits de lauzes grises. Marchant à grands pas sur la route d'Entrèves, ils atteignaient et dépassaient le petit bourg montagnard, encore assoupi dans sa conque verdoyante. Le sentier du Col du Géant s'amorce là entre deux murettes de pierres sèches et court à la diable d'un lopin de terre à l'autre, respectueux des fantaisies du cadastre. A cette heure matinale, les étables déversaient sur le chemin leur trop-plein de bétail, cornes hautes et naseaux fumants, carillonnant de toutes leurs sonnailles. Dans les champs minuscules, épaulés de talus pierreux, quelques paysans binaient; au passage des deux étrangers, ils arrêtaient un instant leur tâche, levaient la tête en gardant le buste mi-courbé vers le sol, et, l'outil en main, dévisageaient les voyageurs. Poliment, ces derniers saluaient :

— Bien le bonjour!
— Bonne montée! répondaient les paysans.

Bientôt le damier des champs cultivés cessa pour faire place à la forêt de mélèzes. Déjà la vallée semblait s'élargir, et le grondement de la Doire s'épandait plus librement dans l'air.

Comme le sentier, au premier lacet, heurtait de front la montagne, les marcheurs firent halte. D'abord le jeune, un adolescent robuste qui, jusque-là, montait avec une certaine fantaisie, bondissant d'un bord à l'autre du chemin, sautant avec agilité sur les murettes, fauchant d'un large coup du manche de son piolet les orties qui gênaient sa marche, ou bien s'arrêtant brusquement, pour regarder en contrebas le village coincé entre les deux parois de la montagne, la vallée paisible et les lointains bleutés sous le ciel de saphir. Ensuite le vieux qui, à quelques toises derrière, allait lentement, d'une foulée égale, pliant légèrement le genou comme pour mieux sentir la terre sous ses grosses semelles cloutées.

— Fini de faire le cabri, mon Pierre, dit-il en rejoignant le jeune, posons les sacs et soufflons.

Ils laissèrent glisser à terre leurs grands sacs de guides, taillés dans ce solide cuir du Valais, patinés par le soleil et la pluie, striés et râpés au contact des rochers; puis, bien assis sur le talus du sentier, jambes écartées, coudes sur les cuisses, ils soufflèrent un bon moment sans rien dire. A la fin, le jeune n'y tint plus :

— Combien d'ici au col, oncle Joseph ?

— Six heures. D'ici à la cantine du Mont-Fréty : deux heures — et le vieux comptait sur ses doigts; du Mont-Fréty à la Porte : une heure et trente minutes; de la Porte à la cabane du col, faut bien compter trois heures, le sac est lourd... et va faire chaud, aussi tu vas passer derrière. Laisse-moi mener le train. Tu te casserais les jambes à c't'allure... et j'ai soixante ans... Ah! misère... soixante ans... et on me fout à la retraite... Y devraient tenir compte de la solidité... Regarde ces mains, petit... crois-tu qu'elles ne puissent plus serrer les prises?... Nom de bleu, les mains du Rouge, vois-tu, elles n'ont jamais lâché, jamais, t'entends... même pas à la Sans-Nom, le jour où un bloc de trois cents kilos m'a presque écrabouillé et que j'ai retenu toute la cordée avec cette poigne-là!

— Des poignes comme la vôtre, oncle, il n'y en a pas dans toute la vallée, et pour ça vous êtes solide : je l'ai bien vu ces jours passés. Que voulez-vous, c'est la loi... faut se soumettre au règlement... D'abord, vous ne quitterez pas la montagne, le président du Club Alpin vous offre la gérance du refuge du Couvercle.

— Suffit, gamin, n'y revenons plus... C'est trop triste, vois-tu, d'aller finir ses jours à remonter le réveil dans une cabane et à préparer le thé pour les *monchus* qui vont en course.

— Pardon, oncle, j'avais pas voulu vous peiner.

— Allez, charge la taque et en avant.

Joseph Ravanat, dit le Rouge, grande gloire de la montagne française, celui qu'on avait surnommé « le guide des rois et le roi des guides », terminait sa dernière grande course. A soixante ans, la Compagnie des Guides de Chamonix, observant le règlement, le mettait automatiquement à la retraite et lui supprimait le tour et l'engagement. S'il conservait son titre de guide, il n'avait plus le droit d'exercer, de s'inscrire au Bureau, de prendre son tour de rôle. Inexorable loi de la montagne, qui réclame pour la servir des hommes toujours jeunes, toujours solides! Et Ravanat, en pleine forme, pestait et maugréait, comme le vieux marin qu'on arracherait brutalement à son chalutier. C'est tout juste s'il ne regrettait point de ne pas s'être déroché en pleine action au cours d'une des nombreuses premières qui jalonnaient glorieusement les étapes de sa carrière.

Les deux hommes reprirent leur marche silencieuse. Ravanat allait devant, le dos courbé, bien appuyé sur son piolet, la main gauche passée sous la bretelle du sac à hauteur de l'aisselle pour soulager d'autant les épaules. Pierre Servettaz suivait, calquant son allure sur celle du vieux, sachant qu'à ce train ils arriveraient sans peiner et avant la nuit au refuge. Un novice des choses de l'Alpe eût été surpris de constater la légèreté, contrastant avec la lourdeur générale de leur allure, avec laquelle les deux montagnards posaient le pied sur les cailloux effrités du chemin. Aucune pierre ne roulait et les clous mordaient la terre avec ensemble, donnant l'impression d'une totale adhérence.

Le vieux allait sans mot dire, le regard fixé à quelques mètres devant lui, attentif à ne pas casser le rythme de sa marche. Sa figure brûlée par le soleil, burinée par la tourmente, émaciée par des années de vie rude et ascétique, était sèche de transpiration; il y avait belle lurette qu'il n'avait plus rien à transpirer. Curieuse figure que celle du vieux guide, patinée en brun-rouge, avec des yeux clairs, vifs et malicieux, enfoncés dans les orbites, d'énormes sourcils roux d'une extrême mobilité et qu'un tic remuait sans arrêt de haut en bas comme s'ils eussent été postiches; de belles moustaches de corsaire barbaresque, qu'il lissait d'un geste machinal, ne dépareillaient pas l'ensemble d'une frappante et lointaine ascendance sarrasine.

Son corps long et osseux était taillé à la hache : les mains étaient de véritables battoirs, noueuses, poilues sur le dessus — toujours ces longs poils roux —, tavelées de taches de son, avec les extrémités tout usées et craquelées, pelées par le rocher. Des mains, comme il se plaisait à le répéter, qui ne lâchaient jamais leur prise.

## 2

Ravanat, donc, terminait sa dernière course. Les jours précédents, il avait traversé le Mont-Blanc de Chamonix sur Courmayeur, guidant deux demoiselles laissées la veille dans la station valdôtaine, et secondé par son neveu Pierre Servettaz, grand gars de vingt-deux ans, qu'il avait consenti, sur sa demande, à prendre comme porteur.

Pierre, pour l'instant apprenti hôtelier, aimait la montagne et sa plus grande joie était de se joindre aux cordées de ses amis et de faire des courses dans le massif. Bien découplé, grimpant avec la sûreté que confère une hérédité montagnarde intacte, on l'emmenait volontiers; son père, Jean Servettaz, était, à quarante-cinq ans, considéré comme le meilleur des guides de la nouvelle génération, mais, bien qu'il s'en défendît à l'occasion, il avait jusque-là mis tous ses soins à éloigner son fils de la montagne. « Assez d'un à s'exposer dans la famille, disait-il fréquemment. Pierre sera hôtelier, ça rapporte plus et ça risque moins ! »

En prévision de ce jour, il avait déjà haussé

d'un étage, pendant les loisirs de la morte-saison, le vieux chalet deux fois centenaire qu'il possédait aux Moussoux, juste au-dessus de Chamonix, tout contre le bois Prin, un peu à l'écart pour éviter la grande coulée de printemps de la Roumna Blanche.

Pierre avait donc suivi la route que lui traçait son père. Voulant tout connaître du métier de ceux qu'il aurait un jour à commander, il avait été successivement comptable à Paris, caissier à Lugano, aide-cuisinier à Londres, chasseur à Berlin, réceptionnaire à Innsbruck, allant de stage en stage, apprenant consciencieusement, parlant déjà couramment trois langues étrangères. Il rapportait de ses randonnées à travers l'Europe une précoce maturité et une nostalgie toujours plus grande de son pays natal. Fils obéissant — en Savoie on ne plaisante pas l'autorité paternelle —, il se préparait avec succès à diriger, plus tard, la pension de famille qu'il aurait charge de faire grandir et prospérer. On lui citait souvent en exemple dans la famille le vieux Payette, un guide comme son père, qui avait fait de ses fils les plus puissants hôteliers de Chamonix.

A vrai dire, il pensait sans enthousiasme à ce que serait sa vie future, il enviait les gars du pays qui, d'un bout à l'autre de l'année, mènent la vie libre et périlleuse de guide. Il sentait confusément ce qu'il y avait dans cette profession de noble, d'indéfini, qui échappait à l'entendement des montagnards, mais qui faisait d'eux des hommes différents, appartenant à un monde mystérieux dont ils étaient seuls à connaître les secrets.

Pour l'instant, son amour de la montagne était encore purement physique : un besoin d'action et de détente. Il était attiré vers les monts par un atavisme obscur; son père était guide; son grand-père, son arrière-grand-père avaient conduit des générations de voyageurs, et aussi loin qu'on cherchait en remontant le passé on ne trouvait, dans les archives du Prieuré de Chamouni, que des Servettaz coureurs de cimes, contrebandiers, chasseurs de chamois, cristalliers. Lui seul, pour la première fois, allait s'écarter, à contrecœur il est vrai, du destin de sa race.

Il n'avait pas jusque-là cherché à s'expliquer la joie qu'il ressentait lorsque, dépassant les alpages, il pénétrait dans les solitudes de roc et de glace de la haute montagne. Était-il heureux parce que de cette lutte avec la montagne il retirait un délassement excellent après les longs et monotones séjours dans les hôtels des grandes villes brumeuses ? Était-ce le plaisir de retrouver une fois l'an ses camarades, ses *pays,* gens simples et bons, et de partager avec eux les provisions sur une belle dalle de granit chauffée par le soleil ? Était-ce le bonheur indicible qui suit la conquête d'un sommet alors que, l'esprit encore tendu et les muscles contractés, on goûte la joie de la victoire difficile ?

Il n'aurait su le dire et se sentait incapable de s'analyser. « Je ne pourrais pas vivre dans la plaine, constatait-il, j'ai besoin de la montagne, pourquoi ?... » Il fallait un événement pour se révéler à lui-même et lui dicter ce que serait désormais sa vie.

Cet événement, qui risquait de détruire tous les projets d'avenir formés pour Pierre Servettaz par un père prévoyant, s'était produit l'avant-veille.

# 3

Deux jours auparavant, partis du refuge de l'Aiguille du Goûter une heure avant le jour, Joseph Ravanat et sa cordée avaient atteint sans encombre la cime du Mont-Blanc.

On était au 1er septembre de cette année 1925 qui fut sèche entre toutes dans le massif du Mont-Blanc. Brusquement, un orage se déclencha alors qu'ils entreprenaient la descente du versant italien par la longue et difficile route des rochers du Mont-Blanc, un orage très rapide qui dura une heure à peine, mais qui fut d'une violence extrême. A plusieurs reprises, la foudre tomba tout près de la niche de rocher où ils s'étaient abrités après avoir laissé les piolets à distance respectable pour ne pas attirer le fluide. Neige et grêle s'étaient succédé sans interruption, recouvrant la montagne d'une blancheur nouvelle; puis, en quelques minutes, un coup de vent du nord avait chassé partiellement les brumes, ramenant le soleil et découvrant de larges pans de ciel bleu. Imperturbable, Ravanat, qui en avait vu bien d'autres, avait ordonné la descente. Servettaz, en sa qualité de porteur, allait devant, suivi par les demoiselles, et, en dernier, le vieux guide assurait la caravane, corde tendue, attentif à prévenir tout dérapage.

Il n'eût pas fallu, en effet, déraper; la caravane s'était engagée dans un couloir de glace recouvert de neige fraîche qui plongeait à soixante degrés d'inclinaison vers les précipices du glacier de

Miage, quelque deux mille mètres plus bas. Le danger décuplait les facultés de Pierre, qui taillait lentement à grands coups de pique et de panne des marches pour les clientes. Ravanat l'observait sans mot dire, bien droit sur les marches, et sa physionomie exprimait le contentement. Si son beau-frère l'avait voulu, Pierre Servettaz aurait pu faire un montagnard de classe. « Dommage, soliloquait le vieux, dommage d'en faire un homme de la vallée. »

L'éclaircie fut de courte durée. Un rideau de brume débordant par-dessus le Dôme du Goûter s'effilochait sur les flancs sud du Mont-Blanc; il engloutit la caravane dans un coton glacial et impénétrable, et la neige se mit à tomber fine et serrée, presque du givre. Ravanat dans le brouillard ne distinguait qu'avec peine le jeune Servettaz qui, quarante-cinq mètres plus bas, hésitait de plus en plus sur la direction à suivre; bientôt le guide se rendit compte qu'il devenait nécessaire de descendre en premier, lui seul pouvant s'y reconnaître entre tous ces petits îlots rocheux qui pointaient de-ci, de-là, sur la pente de glace, délimités par de profondes rigoles où bruissaient les coulées de neige.

— Attends, Pierre, ordonna-t-il, tu tires trop à main gauche, laisse-moi passer devant, tous ces petits collus se ressemblent.

Servettaz obéit avec un léger serrement de cœur : descendre en dernier équivalait à prendre la place du guide et ses responsabilités. Tant qu'il allait devant, bien assuré par la corde qui le reliait à travers les deux clientes au solide pilier que constituait Ravanat, il se sentait en pleine sécurité. A diverses reprises, les demoiselles, fatiguées et engourdies par le froid, avaient manqué dans les marches; chaque fois, d'un coup de poignet sec et impératif, Ravanat, prévenant la chute, avait rétabli l'équilibre.

« Droit debout, les demoiselles, disait-il, droit debout dans les pas. »

Le sort de la caravane reposait maintenant entre les mains, robustes certes, mais encore inexpérimentées du porteur. Prenant son temps, il enfonça solidement son piolet jusqu'à la garde dans la neige, et assura la corde derrière le manche de frêne, tandis que Ravanat, doublant la cordée et ayant rectifié la direction suivie, taillait déjà d'une seule main, creusant une marche en trois coups de piolet et filant à longueur de corde. Toutes ses facultés développées et excitées par le combat mené contre les éléments, Servettaz surveillait les deux clientes. Il ne s'inquiétait pas de son oncle, celui-ci n'ayant jamais manqué dans la neige, mais à chaque instant il lui fallait enrayer une glissade des deux jeunes femmes dont la fatigue obnubilait les réflexes. Et toutes les fois, il se demandait si la secousse imprévisible n'allait pas l'arracher des marches où, bien campé sur ses talons ferrés à glace, il se tenait en équilibre instable, pour le projeter sur le vieux guide qui sans relâche taillait la glace. Alors, adieu à tous ! Et Servettaz s'imaginait la quadruple dégringolade et les corps rebondissant d'un bord à l'autre du couloir.

Pour la première fois de son existence, Servettaz tenait entre ses mains des vies humaines dont il était responsable. Peu à peu, l'angoisse qui lui serrait le cœur fit place à un sentiment nouveau fait de force, de confiance en soi-même, de fierté. Les battements précipités de ses artères s'étaient calmés et lorsque son tour vint de descendre, en dernier, moment délicat où il n'est plus question d'être aidé, il planta résolument les talons dans la pente et, face au vide, le piolet appuyé de côté pour maintenir l'équilibre, il rejoignit la caravane.

Pendant six heures qui lui parurent des minutes tant la tension de tout son être était forte, Servettaz assura la cordée; enfin, sur une dernière longueur de corde, il prit pied sur le plateau du glacier où Ravanat et ses clientes, déjà accroupis sur la neige, venaient de le précéder. Le vieux guide était fatigué. Six heures de taille, d'une seule main et à la descente, c'est un effort trop rude pour un homme de soixante ans. Ravanat évoqua la retraite qui sonnait. En bas, dans la vallée, il n'aurait pas voulu en convenir, mais ici, dans ces solitudes bruissantes et mystérieuses, il songeait qu'il faudrait encore près de trois heures pour gagner la cabane, là-bas, sur l'autre rive du glacier. Lorsqu'il jugea que la halte avait assez duré, il se leva et dit simplememt, comme s'il avait désigné déjà son successeur :

— Passe en tête, Pierre, j'ai besoin de me reposer.

Le jeune homme prit alors la direction de la cordée. Il la conduisit à travers le chaos inextricable de crevasses et de séracs sur ce glacier inconnu pour lui, et qui pourtant lui semblait une vieille connaissance, avec une assurance dont il ne se serait jamais cru capable.

Pierre Servettaz venait d'éprouver la satisfaction la plus complète qui puisse être réservée à un alpiniste, celle de marcher en premier de cordée. Il avait cessé de suivre aveuglément, en toute quiétude, en toute sécurité; il était devenu le chef, celui qui commande, qui combat, qui prend ses responsabilités et de qui dépendent les vies qui lui sont confiées. Il se sentit taillé pour remplir ce rôle, et la perspective des luttes futures qu'il aurait à soutenir le combla de joie.

Son avenir paisible d'hôtelier fortuné venait d'être balayé comme un fétu par la tourmente dont la chevelure tourbillonnante s'enfuyait vers l'est, laissant les montagnes toutes blanches, plus énigmatiques encore. Un voile mauve s'appesantit sur le cirque glaciaire où bâillaient, gueules ouvertes, les crevasses aux parois d'améthyste.

## 4

Le soleil était très haut dans le ciel lorsque Ravanat et Servettaz, après plus de deux heures de montée, au-dessus de Courmayeur, débouchèrent de la forêt de mélèzes sur l'alpage supérieur du Mont-Fréty. Leur allure n'avait pas varié au cours de l'ascension : c'était toujours cette longue et souple foulée accompagnée par une flexion du genou, foulée qui paraît lente au débutant impatient d'arriver — comme si la lutte avec la montagne tolérait l'impatience! — et qui est cependant si bien réglée qu'elle permet de marcher des heures et des heures sans sentir la fatigue. Les deux hommes posèrent les sacs sur la table rustique accotée au chalet, appuyèrent les piolets contre le mur crépi à la chaux et pénétrèrent directement dans la salle des guides par une porte de plain-pied.

— Salut à tous, dit Ravanat.

Et Servettaz répéta lui aussi :

— Salut à tous.

Ils s'assirent à la table commune, heureux de faire la pause.

Sans qu'ils aient eu besoin de commander, l'hôtesse, connaissant les usages, leur apportait déjà deux assiettées de soupe fumante, un gros morceau de gruyère, juste arrivé de la montagne de Catogne, et la moitié d'une couronne de pain.

Posément, les hommes coupèrent le pain et le fromage dans la soupe; Ravanat tourna quelques tours de moulin à poivre, saupoudrant le tout d'une grisaille qu'il dilua longuement; Pierre, quoique plus affiné, s'appliquait à reproduire les gestes simples de son parent; lui aussi moulut le poivre et lentement tourna sa cuillère dans la lourde assiette de faïence. Ils aspirèrent le mélange fumant; le fromage coulait en longs fils qui se prenaient aux moustaches du Rouge, mais le vieux continuait à mâcher avec lenteur, son couteau Opinel grand ouvert dans la main droite, le coude posé sur la table, le béret rejeté en arrière du front. D'un brusque coup de lame, il tranchait l'écheveau rebelle, mais dans le cadre vieillot de cette hôtellerie de montagne, le geste n'avait rien de vulgaire; il évoquait, à sa manière, celui des nomades aux pommettes saillantes qui, jadis, aux steppes nues de l'Asie centrale, tranchaient au ras des lèvres le morceau de viande crue accroché à leurs mâchoires.

Dans un coin de la salle, assis sur un tabouret à trois pieds, près de l'âtre où brûlaient des branches résineuses de mélèze, le vieux guide retraité qui gérait le refuge attendait qu'ils finissent leur repas.

Pierre, le premier, termina son écuellée, et racla de la cuillère une dernière croûte de fromage attachée au fond. Enfin, sur une dernière lampée, le

Rouge s'arrêta de manger; d'un revers de ses gros doigts noueux, il essuya ses moustaches, puis rabattant la pointe de son béret sur le front, il interrogea :

— Alors Josêt, c'mi tê chi baille?

— Va toujours, va toujours, répondit le vieux, dans ce français chantant, apanage du Val d'Aoste, et que ni les siècles, ni les hommes, ni les éléments ne détruiront. Hier, la neige a descendu les pentes jusqu'ici, mais ce matin elle a déjà reculé jusqu'à la Porte; il y a bien des chances pour que dans les rochers du col elle tienne. Bah! ça te gênera guère, le Rouge, la neige fraîche.

— Si tu as des commissions pour là-haut, donne-les. Le gamin et moi on trouvera bien la place dans nos taques.

— C'est la première fois qu'il vient par ici, le jeune?

— Oui, c'est mon neveu, le garçon à Jean des Moussoux. Y va faire un hôtelier plus tard.

— Savoir, oncle, savoir si ça ne sera pas plutôt un guide..., repartit d'un air entendu Pierre, qui écoutait respectueusement le dialogue des vieux.

— Si ça tenait qu'à moi, je te dirais bien de continuer le métier : t'es doué. J'ai vu ça dans le collu des Aiguilles Grises. Poser le pied comme tu le fais dans les marches de glace, faut être... — et le Rouge cherchait ses mots — faut être prédestiné; enfin, tout ça c'est affaire entre ton père et toi.

Le gardien leur remit une grosse couronne de pain frais, montée le matin même par le muletier, et une lettre pour son cousin du col. Le Rouge serra la lettre dans la poche intérieure de sa veste de drap; Pierre assujettit la couronne sur la patte extérieure de son sac, et tous deux ayant pris

18

congé, ils s'éloignèrent à grands pas à travers les alpages.

Du Mont-Fréty jusqu'au Col du Géant, on compte deux étapes. La première se déroule par un excellent sentier muletier qui zigzague entre deux précipices creusés par les glaciers de part et d'autre de l'arête qui conduit au Col du Géant. C'est tout d'abord une belle prairie parsemée de gros blocs, couverte de rhododendrons et d'herbes rases, égayée par les clochettes bleues des gentianes et les touffes jaunes de l'arnica; puis, petit à petit, la végétation diminue, fait place aux mousses et aux lichens. Les cailloux prennent ensuite le pas sur les gazons, et les lacets du sentier, de large amplitude au début, oscillent maintenant de droite à gauche presque sans arrêt. On dirait qu'ils cherchent leur voie, ne sachant par où s'échapper de l'étroite croupe qui va s'amenuisant jusqu'à se confondre avec la paroi rocheuse. On gagne ainsi la base de l'arête de schistes et de gneiss brisés par laquelle une vague piste se fraie passage jusqu'au col. Les montagnards nomment cet endroit la Porte : c'est bien, en effet, le portail majestueux par où l'on pénètre dans le monde des cimes.

Au sommet des alpages et tout contre les rochers, s'élève une petite cahute qui sert de relais aux porteurs du refuge. Les mulets s'arrêtent là, à 2 800 mètres d'altitude, et c'est à dos d'homme qu'on ravitaille la cabane, minuscule forteresse, sur l'arête sommitale, à 3 341 mètres d'altitude.

Ravanat et Servettaz firent halte un bon quart d'heure avant d'entreprendre la grimpée de l'arête. Ils soufflèrent longuement, admirant le paysage — familier pour le vieux, tout nouveau pour le jeune — des Alpes Grées. La journée était magnifique et on pouvait discerner à l'infini vers le sud les Alpes se succédant en plans étagés; d'abord, toutes proches, les Alpes Valdotaines : Grivola — *ardua Grivola Bella* — le Grand-Paradis, la cuvette glaciaire du Ruitor; les géants de la frontière franco-italienne avec la Sassière, la Ciamarella — pays du bouquetin —, et plus loin vers le sud-ouest les Alpes de la Vanoise. Vers l'est, on prenait toutes les Alpes suisses en enfilade : le Vélan, au premier plan, écrasé par l'énorme masse du Grand-Combin; puis, très loin, le massif de Zermatt, avec le Cervin et son étrange nez de Zmutt, tout noir au-dessus des nuées, et les étendues glaciaires du Mont-Rôse, aériennes, supraterrestres, confondant l'ivoire de leurs neiges avec l'opale des brumes.

De la vallée montaient des vapeurs qui se groupaient au-dessus des abîmes, se rejoignaient, se mêlaient en remous moutonneux qui bientôt ourlèrent de leurs vagues silencieuses toutes les vallées, du Col Ferret au Col de la Seigne. Vers l'ouest, le paysage, plus proche, était plus inhumain encore. C'était d'abord, sentinelle avancée, la lame de granit de l'Aiguille de la Brenva, flanquée d'une étrange chandelle de roc que les guides de Courmayeur baptisèrent le « Père Éternel », puis le gouffre du glacier de la Brenva, et le glacier lui-même, sale et pierreux, coulant en rampant entre ses moraines, débordant de son énorme saillie frontale, pour aller mourir, par-dessus le Val Veni qu'il déchirait comme une lèpre, dans les mélèzes de Notre-Dame-de-Guérison.

Le torrent issu du lac Combal le traversait de part en part et resurgeait en grondant d'une caverne de glace, au niveau des prairies d'Entrèves. En troisième plan s'allongeait, démesurée, grandiose, sur 3 500 mètres de hauteur, l'arête de Peuterey, avec l'Aiguille Noire, sinistre pyramide balafrée de couloirs endeuillés, puis la dentelure des Dames-Anglaises, irréelle, aérienne, vertigineuse; ensuite la majestueuse élancée de l'Aiguille Blanche, un cimier de glace festonné de corniches menaçantes, se raccordant par une fine crête d'argent à la masse même du géant, le Mont-Blanc, dont les faces himalayennes s'élevaient si haut, si haut dans l'air, qu'elles semblaient, vues de là, jeter comme un défi à l'œil des alpinistes.

Parfois, vers la sentinelle rouge, un sérac craquait. C'était comme un coup de tonnerre qui déchirait l'air des altitudes, et longtemps après que le bruit s'était éteint, on pouvait suivre le nuage de poussière irisée qui précédait le tourbillon de l'avalanche sur les hauts plateaux glaciaires.

## 5

Les deux hommes ne prêtaient au spectacle qu'une attention distraite. Ils ne songaient présentement qu'à se reposer, à récupérer, comme disait Servettaz. D'ici au col, il fallait bien compter trois heures. Ils repartirent en pleine chaleur, Ravanat toujours devant, et en quelques minutes atteignirent le domaine interdit aux gens des plaines. Ils pénétrèrent dans ce monde de glace et de granit avec la sécurité familière aux vieux coureurs de cimes.

Ils rattrapèrent la neige fraîche, qui fondait rapidement, juste avant la grosse pierre qui sert de point de repère aux caravanes. De là on monte en serpentant sur une arête brisée, aérienne et facile, et le vide se creuse de plus en plus sous les pieds. Leurs larges semelles bottaient dans la neige lourde et, lorsqu'ils levaient le pied, on en distinguait la forme, découpée à l'emporte-pièce sur le caillou. Leurs pas se dessinaient ainsi en noir sur la blancheur et la froidure de la montagne. Par moments, d'un bref coup de piolet sur le talon, ils détachaient le sabot de neige qui adhérait. Un vaste couloir fuyait à leur gauche, parcouru par des coulées de neige qui descendaient en bruissant vers la vallée : cela creusait de petites rigoles qui se rejoignaient pour ne plus former qu'une large cannelure, véritable conduite forcée crachant à jet continu sa mitraille de cailloux, de glace et de neige, détachée par le dégel.

Ils n'étaient plus qu'à une heure du col lorsqu'ils croisèrent une caravane descendante : guide et porteur de Courmayeur et leur client. Laissant l'alpiniste sous la surveillance du porteur qui continua sa route, le guide cormayolain s'arrêta au passage de Ravanat et échangea quelques mots de politesse.

— Tu te rentournes, Ravanat?...

— On rentre, comme tu vois... Reste encore à boire là-haut? plaisanta le Rouge.

— Y n'ont pas le cœur à boire, reprit l'Italien. Un de chez vous s'est déroché aux Drus!

— Un de chez nous, Sainte Vierge! (Et le vieux Ravanat fit le signe de la croix.) Et tu sais qui?...

— Pas pu savoir, c'est deux « sans guide » anglais qui l'ont annoncé. Ils l'avaient appris du Montenvers. Paraît qu'on a déjà envoyé deux caravanes de secours...

— Misère du métier! Ils ont dû être pris par

l'orage avant-hier, et dans les rochers ça ne pardonne pas. T'as pas de détails ?

— Ren, mon pauvre vieux. En tout cas, Brocherel est alerté; il nous enverra un message. On ira une délégation de chez nous pour la sépulture; on le fera dire aussi à ceux du Breuil et de Valtournanche. En fin de saison, quand les coups durs sont passés et que le repos vous attend, périr, c'est pas juste !... Vous devriez filer, et moi aussi... fait tard, et la neige ne va pas tarder à geler.

Ravanat et Servettaz reprirent la montée, les jambes coupées par la nouvelle. Le vieux, surtout, dissimulait mal son inquiétude : il comptait trop d'amis, trop de parents en course à l'heure présente, et les guides qui se lancent dans le Petit-Dru ne sont pas légion.

— Sûrement que c'est un des nôtres, mon pauvre Pierre, mais qui ?

Et il tâchait de se rappeler les courses annoncées au bureau avant son départ de Chamonix : Armand à la Bolla Nera était engagé avec deux Américains; il devait être, à l'heure actuelle, quelque part dans les Dolomites. Alfred à la Colaude tentait la face est du Grépon, donc pas lui; Zian des Tines le suivait à deux jours sur la route du Mont-Blanc, pas lui encore; Joseph à Jozon ?... peut-être. Il ne disait jamais où il allait, celui-là, de peur qu'on ne lui souffle les premières.

Ravanat se remémorait tous les noms possibles et Pierre, de son côté, quoique moins au courant, essayait de percer la douloureuse énigme. A mesure qu'il montait, une idée fixe obsédait le vieux, s'ancrait à chaque pas davantage dans sa mémoire... Le beau-frère ? Où allait-il ? Huit jours auparavant il était encore dans l'Oberland, mais son engagement avait dû prendre fin. On est vite rendu de la cabane Hollandia perdue sur la Lotschenlücke jusqu'à Chamonix. On enfile la longue vallée qui conduit à la sortie du tunnel du Lotschberg, de là on continue en train par Brigue et Martigny. Jean Servettaz avait très bien pu rentrer à Chamonix à temps pour repartir sur la Charpoua et les Drus. Il n'était pas homme à perdre une course, et on lui reprochait assez de se surmener.

Tout cela, Ravanat le pensait, sans interrompre sa montée lente et mesurée; seulement, lorsque, au tournant du sentier, il faisait face à son neveu, il dissimulait mal son angoisse et ses craintes.

Pierre marchait sans mot dire, le cœur serré. Il pressentait un immense malheur et s'efforçait à chasser de son esprit une pensée qui, à chaque pas, à chaque foulée, se faisait plus vivace... Le père?

Oser seulement penser que son père pût tomber lui semblait sacrilège; on ne tombe pas quand on est un Servettaz. Mais il se rappelait l'orage qui les avait assaillis, le Rouge et lui, sur les flancs méridionaux du Mont-Blanc; il avait fait assez de courses pour savoir que, dans les rochers et au-dessus de trois mille mètres, l'orage pardonne rarement. Et comme Ravanat, il supputait les chances. Son père n'avait dû revenir à Chamonix que le soir de leur départ : avait-il eu le temps de repartir du même souffle pour les Drus? Vaine question qu'il tournait et retournait dans sa tête. Dans son inquiétude, il se résolut à prendre conseil auprès de son oncle. Il l'appela d'une voix sourde :

— Oncle, dites-moi, si c'était...

— Tais-toi, gamin, tais-toi. Je sais ce que tu penses... Hélas! tout est possible dans notre métier, mais que ton père soit tombé aux Drus, ça, non ! Il les a faits plus de trente fois... Un autre, peut-être, mais pas lui !

— Il y a eu l'orage, oncle, rappelez-vous. Laissez-moi passer devant, j'ai hâte de savoir, je vais monter plus vite. Brocherel a dû recevoir des nouvelles...

— Reste derrière moi. Si jamais il est arrivé quelque chose à ton père... (et pour la deuxième fois Ravanat se signa)... si jamais... ah ! pauvres de nous, alors plus que jamais il faut éviter la fatigue. T'entends, faut te ménager, et moi aussi. On aura besoin de nous là-bas. Continue à suivre mon allure. On a dépassé le collu où l'Anglais s'est déroché en notante-sept, dans trente minutes on sera rendu. Patience ! Tiens, mon petit (et la voix bourrue de Ravanat tâcha de se faire plus douce), tiens, il y a mieux à faire : qui que ça soit, celui qui est étendu à l'heure présente dans la paroi du Dru, c'est un de chez nous. Prions pour lui la bonne Vierge du Dru, et celle du Géant, et celle du Grépon.

Le vieux guide ôta son béret, s'agenouilla à même la neige sur l'étroite corniche qui dominait les abîmes; Pierre en fit autant. Face au soleil couchant qui embrasait l'horizon sur plusieurs centaines de kilomètres, ils récitèrent des *Pater* et des *Ave*. Le gouffre se creusait davantage sous leurs pieds, et les vallées étaient déjà toutes bleues sous leur coupole de brume; un vent glacial montait des couloirs et s'engouffrait en sifflant dans les brèches de l'arête.

Lorsqu'ils se relevèrent, la neige craquait déjà sous les semelles, et leurs traces, toutes noires auparavant, se moulaient maintenant dans la neige dure. Les deux hommes frissonnèrent.

— Marchons, on va se refroidir, dit le Rouge.

Comme ils atteignaient la cabane, un énorme sérac croula à leur droite sous la selle neigeuse du col; cela fit un grand tumulte et le bruit se propagea par ondes décroissantes qui faisaient vibrer les nappes d'air. Le fracas peu à peu s'apaisa comme naissait la nuit, et l'on n'entendit plus que le tintement clair des piolets sur les rochers, suivi bientôt du choc mat des chaussures que les alpinistes heurtaient contre le mur du refuge pour décoller les sabots de neige.

## 6

Dans la salle commune éclairée par un falot fumeux, trois cordées d'alpinistes mangeaient et buvaient ferme; on pouvait deviner, à voir leurs cordes toutes mouillées qui gisaient dans un coin de la pièce, à moitié raidies par le gel, qu'ils arrivaient juste d'une longue randonnée glaciaire. Ravanat traversa la pièce suivi de Pierre; dans la demi-obscurité, ils se dirigèrent vers la cuisine. Au passage, les soupeurs, reconnaissant le Rouge, célèbre de la Bérarde à Cortina d'Ampezzo, lui adressèrent un amical bonjour.

La cuisine était une grande pièce carrée, basse de plafond, entièrement boisée; une étroite ouverture, munie d'une double fenêtre avec guichet mobile, permettait de l'aérer sans trop la refroidir. L'Aiguille Noire et les Dames-Anglaises s'y encadraient, comme par la fantaisie d'un peintre, et, à cette heure tardive, alors qu'il faisait nuit depuis longtemps dans les vallées, les cimes étaient encore faiblement éclairées à contre-jour par une lueur nacrée flottant sur les crêtes et irisant le feston de leurs corniches. Bien que la pièce fût soigneusement close, un vent coulis filtrait dans la cuisine, refroidissant sournoisement l'intérieur du refuge. Du givre, déjà, étoilait les vitres.

Brocherel, le gardien, s'affairait autour du fourneau. A la table commune, quelques guides et porteurs mangeaient en ressassant leurs éternelles histoires de courses. Il y avait là Cretton de Champex, Zermatten fils de Saas Fee, le grand Carrel de Valtournanche, et trois Chamoniards, Joseph à Jozon qui, le matin même, avait traversé les arêtes de Rochefort, son porteur Camille Lourtier, un jeune qui promettait, Zian des Tines, célèbre comme rochassier, qui, après avoir réussi la fameuse face de la Mer de Glace au Grépon, était redescendu par la même voie, bivouaquant avec son Anglais à la Tour-Rouge, et, d'une seule tirée, montant ensuite au Col du Géant. Lorsque Ravanat entra, le silence se fit, les guides s'arrêtèrent de manger. Le Rouge sait déjà, pensèrent-ils; car on connaissait sa façon bruyante et joyeuse d'arriver dans les cabanes. Aujourd'hui, le Rouge ne plaisantait pas; il paraissait soucieux, renfermé, et se taisait.

Brocherel rompit le premier le silence.

— Tu sais la nouvelle? dit-il simplement.

— Qui c'est pour un? interrogea brutalement Ravanat.

Derrière lui, Pierre attendait, angoissé, et, malgré le froid, de grosses gouttes de sueur perlaient sur sa face brûlée par le soleil et la neige. Les guides le regardèrent pitoyablement avant de répondre.

— Jean... Oui, ton beau-frère... son père, reprit

Brocherel en désignant Pierre, plus blanc que neige. Foudroyé au Petit-Dru, tu sais, juste au-dessus du petit mur vertical, presque sous le sommet... C'est Cretton qui a apporté la nouvelle... (Et Brocherel cherchant péniblement ses mots clignait ses yeux tout embués de larmes qu'il retenait.) Sale fourneau, fume encore... Ça s'est passé avant-hier dans l'orage... Le porteur, le gamin à la Clarisse des Bois, a sauvé le client; ils ont bivouaqué au gîte à Straton, et hier matin, de bonne heure, ils étaient au Montenvers. A l'heure qu'il est, la caravane doit être déjà montée à la cabane de la Charpoua (1)... Seulement, pas sûr qu'elle arrive, car c'est tout enneigé et verglacé au-dessus de trois mille quatre. C'est tout juste si ça a dégelé ici en plein midi.

Les guides courbèrent la tête, comme s'ils eussent été écrasés par le destin. Pierre Servettaz se recula dans le coin le plus sombre de la cuisine, laissa glisser son sac à terre, et, réalisant enfin la totalité de son infortune, il laissa couler de grosses larmes qu'il ne cherchait même pas à essuyer.

Ravanat s'approcha de lui, et sa grosse main, si solide lorsqu'elle s'agrippait aux prises, tremblait lorsqu'il la posa sur l'épaule de Pierre... Il ne lui dit rien : entre montagnards, il n'est pas besoin de paroles. Tous ceux qui étaient là étaient de rudes hommes, et Servettaz savait qu'il pouvait compter sur eux, mais il lui sembla que de sentir peser sur son épaule la poigne affectueuse et rude du Rouge le réconfortait bien mieux que tout. Il redressa enfin la tête — et ses yeux étaient rouges comme lorsqu'on a longtemps marché sur les glaces sans

(1) Refuge des Drus.

28

lunettes noires —, pour dire avec une étrange fierté :

— Le père n'est pas tombé, oncle, tu as entendu... foudroyé.

— Ça, tu pouvais en être sûr, déclara Zermatten lentement et avec un rauque accent suisse-allemand. Servettaz n'était pas de ceux qui lâchent.

Cet hommage du grand Zermatten alla droit au cœur du jeune homme. Son père était mort en guide, en pleine action, et le porteur avait sauvé le client. Servettaz aurait voulu l'embrasser, ce Georges à la Clarisse, de quelques années son aîné, pour avoir ramené sain et sauf le voyageur pris en charge par Jean Servettaz.

Un long silence suivit où chacun laissa voltiger ses pensées comme autant de papillons noirs. Puis, la nature reprenant le dessus, les guides se remirent à manger. Pour eux le plus dur était fait : Joseph et Pierre avaient appris la nouvelle. Ils redoutaient tant ce moment, lorsqu'ils les avaient vus entrer dans la cabane.

Brocherel invita du geste les deux arrivants à s'asseoir à la table commune.

— Attablez-vous; le malheur, hélas! ne vous enlèvera pas la fatigue de la montée.

— C'est ça, décida Pierre, mangez, oncle, car, si vous le permettez, nous repartirons dans une heure. Les autres doivent être à la Charpoua en ce moment, et il ne sera pas dit que je n'aurai pas accompagné le père pour son dernier voyage. Tenez, je donne l'exemple.

Pierre, en se forçant, avala trois ou quatre cuillerées de soupe, pas plus; d'un geste las, il repoussa l'assiette.

— Ça ne passe pas, je ne peux pas tenir en place.

— Patience, mon pauvre Pierre, patience! Je veux bien repartir avec toi cette nuit, car notre devoir est là-bas, mais il faudrait être fou pour ne pas se reposer et même dormir un peu. Huit heures de montée, et avec l'émotion en plus, nous n'irions pas loin. Songe à ce qui nous attend. Pauvres de nous!

— Vois-tu, Joseph, intervint Zian des Tines, j'ai pas à te conseiller. T'es mon aîné, t'es plus expérimenté que quiconque ici, et c'est un des tiens qui a péri. Mais tu n'as rien à gagner à partir cette nuit. Ren de ren, les séracs sont mauvais comme jamais on ne les a vus en fin de saison. Il y a trois ponts de neige tout pourris et qui peuvent craquer n'importe quand. Déjà, en plein jour, on a dû tourner et retourner pour franchir le passage, de nuit on coucherait dehors.

— Zian a raison, reprit Jozon. Les séracs sont tellement ouverts qu'on ne voit plus les traces; les marches de la journée ont dû fondre, tout est à retailler. C'est pas un travail à faire de nuit, même pour un homme comme toi.

Les guides suisses renchérirent. Tous s'appliquaient à dissuader les deux hommes d'entreprendre de nuit la descente du Glacier du Géant.

— Écoute, dit encore Jozon, faut pas nous en vouloir si on redescend pas avec vous demain matin. On ne peut pas lâcher nos clients; l'engagement est sacré; mais si tu veux, je te passe Camille, et prendrai un autre porteur à Courmayeur; il ne sera pas de trop pour descendre le corps... surtout si, comme je le crois, il est toujours accroché au sommet du Dru.

— Je partirai ce soir, s'entêta Pierre, je ne peux pas me faire à l'idée que mon pauvre père gît quelque part dans les cheminées, sans sépulture, sous la neige, avec les choucas qui tournent autour...

— Pense pas aux choucas, le corps est trop gelé, ils n'y toucheront pas. Écoute les autres, Pierre. Tu me croiras quand c'est moi, ton oncle, presque ton père maintenant, qui te le dis. Ils ont raison, partir maintenant ça reviendrait à tourner en rond jusqu'au matin dans les séracs. On partira une heure avant le jour, et comme ça on sera juste à temps pour franchir le passage; on y gagnera du temps et on épargnera de la fatigue.

Pierre ne répondit pas. Ses pensées s'entrechoquaient douloureusement dans sa tête. Il se leva et sortit sur le seuil de la cabane. Il avait besoin d'un grand coup d'air pour rafraîchir ses tempes. Les dalles rocheuses, couvertes de neige gelée, brillaient lividement dans la nuit. Au ciel quelques étoiles clignotaient. Un souffle puissant montait des vallées endormies où s'allumaient quelques feux : là-bas, dans le fond du grand trou noir, les lumières du Pré-Saint-Didier; un peu en amont, une rangée lumineuse : la rue centrale de Courmayeur. Le froid était vif; Pierre remonta le col de sa vareuse. Assis au bord du précipice, jambes pendantes dans le gouffre noir, il songea longtemps, la tête appuyée dans ses mains, écoutant la voix grave des torrents, seule note vivante dans ce désert minéral.

Ravanat vint le chercher un peu plus tard. Il se laissa conduire sans mot dire, écrasé de fatigue, et s'étendit tout habillé sur le bat-flanc du dortoir. Déjà le souffle puissant des autres guides troublait le silence du refuge. On ne distinguait dans la pénombre que des corps allongés, enroulés dans des couvertures grises.

Le Rouge s'assit sur le rebord du bat-flanc, et remonta avec précaution sa montre-réveil.

— Réveil à 4 heures, dit-il.

Pierre Servettaz ne répondit pas, il dormait déjà d'un profond sommeil.

Le vieux resta seul éveillé dans le refuge.

Il plia posément sa veste pour s'en faire un oreiller, souffla la bougie et se tourna et retourna sur son bat-flanc, cherchant le sommeil qui ne venait pas, enviant la jeunesse de son neveu, qui lui permettait d'oublier, au moins pendant qu'il dormait, la tristesse de l'heure présente. Dans la nuit calme et froide, il regardait sans la voir la terrible silhouette de la Noire de Peuterey, qui se découpait dans la lucarne toute sombre sur l'écran plus pâle du ciel. Une petite étoile s'accrochait à la cime : on eût dit une flamme mystérieuse allumée par une main pieuse pour veiller le mort. Pour la première fois, Ravanat évoqua un spectacle qu'il ne s'imaginait que trop bien : celui du corps de Jean Servettaz, accroché dans la paroi du Dru et veillé par les étoiles.

Le drame était sur la montagne, mais, impavide et souveraine, elle montait la garde sur les vallées d'alentour, insensible aux pensées des hommes qui gîtaient dans ses flancs, frileusement pelotonnés dans leurs cabanes de pierre.

Sa faction millénaire n'était troublée, de loin en loin, que par le sourd grondement des avalanches ou le fracas plus sec des chutes de pierres qu'un regel trop brusque venait de déclencher.

# 7

A 4 heures du matin, trois fantômes se glissaient hors du refuge, lanternes allumées. Pour éviter de se geler les doigts sur le plateau glaciaire du col, ils s'étaient encordés dans la cabane, et marchaient maintenant rapidement et en silence, veillant à ne pas glisser sur les plaques de verglas. Camille Lourtier allait devant, et se dirigeait avec une sûreté étonnante sur l'étroite piste en corniche. Ravanat fermait la marche, surveillant de très près Pierre, qui s'était réveillé déprimé, abattu, et marchait comme un automate, heurtant parfois du bout du soulier les schistes délités de l'arête, arrachant de ses tricounis des gerbes d'étincelles au rocher.

Sur le col un souffle glacial les accueillit, éteignant la lanterne de Lourtier; le porteur la ralluma et, comme ses oreilles gelaient, il profita de l'arrêt pour enfoncer son béret jusqu'au cou. A grands pas les trois hommes s'élancèrent sur le versant français, immense solitude de glace et de neige, et dévalèrent en ligne directe la côte du Géant : ils allaient à longs pas glissés, éclairés par la flamme oscillante des bougies. Dans la côte de la Vierge, là où la pente se creuse, ils filèrent en ramasse, debout, bien appuyés sur le manche de leur piolet et, emportés par leur élan, franchirent d'un saut la dernière crevasse avant le plateau.

Le jour naissait.

Une lueur très pâle apparut sur les sommets. En face, sur l'autre rive de l'immense cuvette glaciaire, l'Aiguille Verte découpait sa cime pyramidale dans le ciel, épaulée vers l'ouest par un bizarre contrefort, une sorte de chimère bossue à deux cornes, méchante et ridicule, simple ressaut, semblait-il avec l'éloignement, sur une arête de la majestueuse montagne. Tournant le dos au Mont-Blanc du Tacul et aux Aiguilles du Diable qui commençaient à flamber, les alpinistes obliquèrent en direction des Aiguilles de Chamonix, dont le bastion amenuisé par la distance était barré vers l'ouest par la cascade de marbre du glacier d'Envers du Plan. Sans un regard sur l'altière Dent du Géant, trop haute, exhaussée à l'infini au-dessus de leurs têtes, ils continuèrent la longue descente. Ils n'avaient d'yeux que pour la Verte. Pierre Servettaz surtout ne quittait pas du regard le méchant gnome qui montait la garde sur ses flancs. Cette protubérance, il le savait, n'était autre que l'Aiguille du Dru, et il s'acharnait à distinguer, parmi les nombreuses taches de neige qui poudraient le sommet, la petite plate-forme où gisait son père. D'ici, la montagne paraissait facile, bonasse même, apparence trompeuse produite par l'éloignement.

Ils atteignirent rapidement la grande chute du glacier. Les séracs du Géant étaient bien comme on les leur avait décrits, là-haut, à la cabane du col : brisés, enchevêtrés, défendus par une série de larges crevasses parallèles qui obligèrent la caravane à de nombreux détours. Pour aller au plus vite, ils sautaient la plupart des obstacles, franchissant d'un bond ces étroites failles, profondes parfois de plus de quatre-vingts mètres.

Lourtier prit la tête. C'était sa dernière année de porteur, et il n'était que de le voir tailler avec précision, démêler sa route sans une hésitation dans l'impraticable dédale glaciaire pour se convaincre qu'il ferait, l'été suivant, un guide de valeur.

Le Rouge descendait en dernier, surveillant les gestes de ses compagnons et filant, selon les besoins, les anneaux de corde qu'il avait en main.

En deux heures, ils triomphaient du passage, et, utilisant une longue et étroite lame de glace sur laquelle ils marchaient en équilibre, ils prirent pied sur le rognon rocheux du Requin. La future cabane était en construction. Des ouvriers piémontais dressaient les murs, taillant le granit à même les gros blocs de la moraine. Les guides s'arrêtèrent un moment. Pierre obtint confirmation qu'une caravane de secours était montée à la Charpoua, la veille au soir. Selon toute vraisemblance, ils pourraient ce soir la joindre au refuge.

Dévaler les moraines, reprendre pied sur le plateau inférieur du glacier du Géant ne leur prit pas beaucoup de temps. A partir de cet endroit, le glacier est découvert. Toutes les neiges de l'hiver précédent ayant fondu au cours de l'été, il s'étalait gris et sale comme un gigantesque fleuve coulant entre les parois de granit, se cassant au passage des étroits, masse inerte et vivante, avançant inexorablement vers la vallée, poussée par l'afflux des névés supérieurs.

Vers 9 heures du matin, les guides étaient rendus au pied du torrent de la Charpoua. Ils venaient de descendre mille mètres de dénivellation; il leur restait sept cents mètres à grimper dans les éboulis et les pentes gazonnées pour atteindre le refuge, qu'un œil habitué pouvait discerner, suspendu sur un énorme rognon rocheux, tache plus claire dans la grisaille des moraines.

## 8

Lorsqu'il partit pour les Drus ce matin-là, Servettaz, le père, eut le pressentiment de ce qui allait arriver; comme il sortait de la cabane de la Charpoua à 3 heures du matin, il aperçut de lourds éclairs de chaleur qui zébraient la nuit vers l'horizon de l'ouest, silhouettant par intermittence la dentelle plus sombre des montagnes sur le ciel de jade. Il faisait doux, et c'est tout juste si les traces des pas sur la neige, devant le refuge, avaient gelé. Le guide hocha la tête d'un air soucieux.

— Faudra faire vite aujourd'hui si on veut réussir la course; tu te sens en forme, Georges?

— Ça ira, Jean! Ça ira, répondit le porteur qui s'affairait à allumer la lanterne et à ployer régulièrement des anneaux de corde dans sa main. Tu m'as suffisamment fait les jambes cette saison. Bon sang! Pas le temps de souffler, pas le temps de dormir, d'une cabane à l'autre... Dis? je garde cinq mètres entre nous, sur la moraine c'est suffisant et ça évitera de mouiller la corde... Ah oui! Tu m'en as fait voir du pays : l'Oberland, le Valais, l'Oisans... Crois-tu qu'une bougie ce soit suffisant? Ça nous mènera toujours à l'Épaule, surtout qu'avec celui-là je crois que ça ne traînera pas!

Celui-là, c'était le client : Bradford Warfield Junior, de Oahamas, Nebraska, U.S.A., un grand fifre de près de deux mètres, sec comme un coup de trique, qui n'ouvrait jamais la bouche et qui parcourait les Alpes le chronomètre en main, marquant sur son calepin les cimes gravies et l'horaire record établi. Une formidable aubaine, en somme, pour ses guides, car il était volontiers généreux et doublait le prix de la course; en outre, avec sa manie des records il n'était pas gênant, on était toujours de retour à la cabane pour le déjeuner et le porteur n'emportait dans son sac que le strict nécessaire. Son camarade de club, Douglas Willys Slane Sr, lui avait passé guide et porteur sur le quai de la gare de Brigue, au retour d'une course commune dans l'Oberland. Slane avait bondi dans l'Orient-Express, à destination de Bucarest où on l'attendait pour une chasse à l'ours dans les Alpes transylvaines. Warfield et ses deux nouveaux compagnons gagnèrent directement, par Chamonix, le refuge de la Charpoua.

Warfield s'était prononcé pour les Drus sur un simple coup d'œil au tarif des courses du Bureau des Guides. C'était l'ascension la mieux payée, il en concluait qu'elle devait forcément être la plus difficile. A l'époque, en 1925, les Drus étaient encore considérés comme la plus malaisée des courses classiques. Certes, les varappeurs de la nouvelle école ont tendance à sourire aujourd'hui lorsqu'on en parle; à tort cependant, car de temps à autre le Dru se venge, avale un grimpeur, par-ci, par-là, pour bien prouver qu'il est toujours une grande montagne, celle sur laquelle Charlet Straton s'usa les griffes pendant des années avant d'en trouver la voie d'accès.

Les trois alpinistes attaquèrent la moraine qui se perdait dans un amphithéâtre rocheux à peine discernable en plus sombre sur la nappe brillante du ciel; à droite, le glacier de la Charpoua reflétait des moirures d'huile et les lèvres glauques de ses crevasses souriaient à la nuit.

Georges à la Clarisse avait dit vrai : ça ne traîne-rait pas avec un client pareil. Ils avaient à peine atteint le haut du rognon, à l'endroit où l'on descend sur la cuvette supérieure du glacier pour aborder la muraille du Petit-Dru, qu'il réclamait déjà :

— Plus vite, plus vite.

— Montez seulement doucement, dit Jean, on a tout le temps; tout à l'heure on verra.

Effectivement, l'Américain était bon marcheur et pouvait soutenir une allure rapide. Ce début d'escalade dans la nuit fut rapidement mené. Jean connaissait par cœur les cheminées du Dru; il grimpait sans arrêt, sa lanterne à la main, la saisissant entre les dents lorsque la raideur du passage l'obligeait à utiliser ses deux bras, et pour gagner du temps il avait mis Georges en second de cordée. Le guide allait devant, silencieux, décidé, sûr de lui, sans se soucier des deux autres, forçant les passages, aidant parfois d'un rapide coup de corde son second. Georges arrivait à peine sur une plate-forme que Jean attaquait le passage suivant, et le porteur admirait la technique et l'agilité de son aîné qui semblait se jouer des difficultés. A le voir grimper, tout semblait facile; on s'étonnait ensuite de peiner dans les mêmes endroits !

L'Américain, remarquable grimpeur, montait aisément, assuré par le porteur; c'était réellement une cordée homogène où chacun était à sa place et savait ce que les autres attendaient de lui. Les cordes étaient toujours pliées, prêtes à filer sans anicroche, ou encore tendues juste pour soutenir sans tirer. Absorbés par l'escalade, les trois hommes ne se rendaient pas compte de l'heure. Le jour pointait comme ils atteignaient l'Épaule du Dru. Là, commence la véritable lutte avec la montagne : Jean Servettaz se frotta les mains et interrogea la haute paroi dans laquelle ils allaient s'engager.

À cet endroit, la muraille semble, par un effet de perspective, se retourner sur elle-même, se ployer, s'effiler, et, prenant son élan sur ses larges bases bien étayées jusqu'aux vallées glaciaires, elle se redresse d'un jet jusqu'au ciel, qu'elle troue d'un seul coup, semblant vouloir atteindre les au-delà mystérieux; le grimpeur se trouve bien petit, minuscule, tout écrasé qu'il est par les dimensions inhumaines de la montagne. Lorsque au hasard d'une vire il se rapproche de l'effroyable précipice du Nant-Blanc, il ressent, même s'il a l'âme bien trempée, l'atroce sensation du vide sans fond, l'impression plus grisante que le vertige que, s'il venait à tomber, son corps écartelé dans l'air ne ricocherait pas une fois jusqu'à la rimaye béante qui sépare la paroi de roc du glacier tourmenté. Des aiguillettes étranges, acérées, se tordent dans une supplication désespérée sur la crête, en lame de scie; au lever du jour et au coucher du soleil, elles flambent et crépitent, roses à l'aube, pourpres au crépuscule : les gens d'ici les nomment les Flammes de Pierre.

Les alpinistes, se souciant peu du paysage, grimpaient indifférents à la majesté du site et à l'horreur des abîmes. À chaque emplacement de repos, Servettaz jetait un rapide coup d'œil vers l'est; le soleil était encore caché par l'Aiguille Verte, toute proche, mais des rougeurs inquiétantes plaquaient le ciel, auréolant sa calotte de glace, et de longs écheveaux pourpres s'effilochaient entre les 4 et 5 000 mètres. Le ciel fut traversé d'est en ouest par de légers nuages floconneux poussés par un souffle qui n'atteignait pas encore les bas-fonds terrestres; ils s'évanouirent d'un seul coup, à se demander s'ils avaient jamais existé.

— Mauvais! Mauvais! grommela Servettaz. Les *ravoures* du matin mettent l'eau au moulin. C'est un vieux dicton de chez nous, monsieur Warfield, lorsque les *ravoures*... ces longues traînées rouges, apparaissent au lever du soleil, c'est signe de pluie pour l'après-midi. Ne flânons pas!

Les cheminées succédaient aux fissures au cours de l'interminable ascension, et les grimpeurs aux prises avec les plus grosses difficultés atteignirent la fissure du Piton, simple fente entre deux dalles de granit par laquelle on peut s'élever de vingt mètres dans la paroi à pic. Un gros clou rouillé fiché là par quelque ascensionniste de l'époque héroïque aide à l'ascension; au-dessus, c'est la Vire aux Cristaux, une écharpe blanche toute scintillante de ses feux de quartz dans la paroi de granit rouge.

Georges, trop occupé à surveiller son *monchu,* à filer la corde au guide, sans qu'elle s'embrouille, à grimper ensuite, ne prêtait guère attention à autre chose et ces prémices d'un orage imminent lui échappèrent.

Warfield, lui, se contentait de grimper en silence, savourant avec une joie animale cette gymnastique aérienne qu'il qualifiait, de temps à autre, *d'exciting! very exiciting!...* et se confiant entièrement à ses guides.

Servettaz profita de ce qu'il était seul avec Georges sur une plate-forme (il y a des choses qu'il vaut mieux laisser ignorer au client) pour l'avertir :

— As-tu remarqué les ravoures, Georges?... Non, eh bien, il fallait y prêter attention, le temps se gâte : les ravoures tout à l'heure, et maintenant c'est l'âne qui se met sur le Mont-Blanc. Regarde!

Une calotte de nuages chassés par le vent d'ouest venait de coiffer la cime majestueuse : elle s'épandait de minute en minute, envahissant les Bosses et le Mont-Maudit, gagnant le Dôme du Goûter sur lequel elle coulait lentement. Ce nuage isolé dans le ciel et qui heurtait ainsi le roi des montagnes, les guides le connaissaient; dans le pays on l'appelle *l'âne* en raison de sa forme bizarre : il signifie le mauvais temps à brève échéance.

— Continuons! déclara Servettaz, tant que la Verte n'a pas mis son chapeau on ne risque rien; surveillons cependant : gare si elle se couvre!

L'ascension se poursuivit sans trêve ni repos, mais Georges à la Clarisse ne quittait plus des yeux le nuage lointain qui mangeait à chaque minute une nouvelle montagne; l'inquiétude était entrée dans son cœur.

Les grimpeurs approchaient du sommet; l'inclinaison de la montagne diminuait, le profil de la pente devenait convexe. Ils avaient pris pied au-dessus des gros à-pics, et maintenant de larges terrasses en gradins succédaient à de courts ressauts verticaux, dernières défenses avant le sommet.

Comme ils atteignaient le pied d'un petit mur vertical, l'Aiguille Verte se couvrit, mit son chapeau, comme on dit. Un lourd nuage encapuchonna son faîte et se rabattit sur ses faces; coulant silencieusement sur les flancs de la montagne, il effleura bientôt le sommet des pointes Croux et Petitgax, ressauts isolés de l'arête ouest au-dessus du Col des Drus, descendant irrésistiblement, masquant les couloirs vertigineux qui semblaient fuir désespérément jusqu'au glacier. Sur la frontière italienne, les Grandes-Jorasses furent rapidement escamotées et bientôt tous les « quatre mille » disparurent dans le plafond de nuages qui sembla vouloir se stabiliser, hésitant à progresser plus en bas.

Servettaz suivait avec attention la lutte silencieuse des nuages, du vent, du ciel et de la montagne; il n'hésita plus.

— Demi-tour! dit-il, on a juste le temps de fuir. Dans deux heures, le mauvais temps sera sur nous; maintenant ça prend de partout, faut redescendre pendant qu'on peut le faire.

— Ne sommes-nous pas tout proches du sommet, Jean? s'étonna Warfield.

— Une heure à peine, monsieur, et nous avons fait tout le difficile; mais une heure et une heure ça fait deux heures et dans deux heures faut être en dessous des surplombs, croyez-moi.

Warfield n'était pas convaincu, il insista.

— Je désire continuer, dit-il avec une pointe de sécheresse dans la voix, je paie pour aller au sommet.

— C'est entendu, vous payez, monsieur Warfield, s'impatienta Servettaz, mais moi j'ai charge de vous ramener; écoutez-moi, croyez-moi; j'ai assez d'expérience pour vous dire qu'il faut s'en retourner; les difficultés sont surmontées, la course est quasiment faite, l'honneur est sauf, à quoi bon s'obstiner?

Warfield s'entêtait de plus en plus.

— J'ai fait des montagnes plus difficiles, guide. (Déjà, dans son obstination, il ne l'appelait plus Jean, lui faisant ainsi sentir qu'il payait pour être obéi et que Servettaz était à son service.) J'ai fait des courses plus dures et j'ai été pris par la tourmente; je suis toujours allé au sommet. Est-ce que les guides de Chamonix seraient moins...

— Suffit, monsieur, trancha impérativement le guide, vous voulez y aller, on ira. Je dégage ma responsabilité. Je n'ai jamais été soupçonné de lâcheté.

— Je ne voulais pas dire cela, concéda War-field, sentant qu'il avait été trop loin, mais le danger n'est pas immédiat, montons encore.

— C'est ça, montons, et je vous jure qu'on ira au sommet, hurla Servettaz, dans le vent des cimes. Va, Georges, en route ! Ne perdons pas notre temps... J'ai comme idée que ça va barder... T'as tes mitaines ? tu peux les mettre dans la poche...

## 9

Ils grimpaient à toute allure dans les rochers brisés du sommet lorsque, subitement, ils furent encerclés par les brumes. Au même instant, quelque part vers la Dent du Géant, le tonnerre gronda.

— Plus vite, Georges, plus vite ! Tant pis s'il boelle !

*Boeller,* en patois savoyard, signifie abandonner, renoncer, littéralement vider les boyaux.

Warfield montait, insouciant, ne pensant qu'à une chose : arriver au sommet.

Ils devinèrent que l'ascension était terminée à l'énorme rafale de vent qui faillit les coucher sur le pierrier de la cime. Puis le calme revint, accompagné d'une zone de silence, et dans le brouillard, ils distinguèrent une forme humaine aux contours flous qui se penchait sur eux; l'étrange silhouette drapée flambait tout doucement, de légères flammes bleues la caressaient en tous sens, disparaissant, revenant, et la tête apparaissait auréolée de feu sur le fond gris :

— La foudre est sur la Vierge! murmura Georges.

La vision fantasmagorique, agrandie par l'écran de brouillard, s'amenuisait à mesure que les alpinistes avançaient. Lorsqu'ils en furent tout près, elle avait repris ses dimensions normales : il ne restait plus qu'une modeste statue de la Madone; en métal léger, scellée sur son pinacle de granit à trois mille sept cents et quelques mètres au-dessus des plaines, percée et défigurée par les coups de foudre, mais sur sa robe couraient toujours les petites lucioles bleues et toute la statue chargée d'électricité crépitait sans arrêt. L'orage électrique s'annonçait comme devant être d'une ampleur inaccoutumée; la tourmente gagnait toutes les hautes cimes sur lesquelles alternaient les fugitives lueurs des éclairs, si proches les uns des autres que le tonnerre grondait sans interruption.

Bientôt le Dru serait à l'épicentre du combat. Les feux follets crépitaient sans discontinuer sur la robe de la Vierge : on eût dit qu'un poste invisible émettait des messages avec l'espace; d'étranges bruits emplirent l'air; cela arrivait comme un bourdonnement aux oreilles des grimpeurs et en même temps il leur semblait qu'une invisible main tirait, tirait leur chevelure.

— Entends-tu, Georges ? Les abeilles... entends-tu, les abeilles bourdonnent! Vite! partons! la foudre est sur nous.

Jean Servettaz reconnaissait tous ces signes avant-coureurs d'un coup de foudre. Les autres

44

obéirent, comprenant que le danger était proche, et les trois hommes se jetèrent dans l'abîme par où ils étaient montés, dévalant les gros blocs avec frénésie; lorsqu'ils furent un peu en retrait du sommet, Jean poussa ses deux compagnons sous l'abri d'un surplomb. Il était temps : dans un fracas titanesque, la foudre s'abattit sur le sommet qu'ils venaient de quitter. La montagne parut vaciller sur sa base, et il sembla aux alpinistes que le Dru venait d'éclater comme sous un formidable coup de bélier. Le bruit du tonnerre se répercuta longuement, renvoyant sa canonnade d'une paroi à l'autre des gorges, au hasard de l'écho. Le silence se fit ensuite, plus étrange encore que le tumulte. Dans le jour laiteux, la figure du guide apparut à Warfield empreinte d'une extraordinaire gravité, ses traits étaient tirés, et il fixait sur son client un regard chargé de reproches. Warfield voulut faire des excuses, Jean ne lui en laissa pas le temps.

— On y a échappé ce coup-ci, dit-il, fuyons! Ça devient malsain! Georges, passe en tête! Tu poseras les rappels. Vous, monsieur Warfield, tâchez de descendre aussi bien que vous êtes monté. On pourra peut-être regagner la vallée, peut-être! car ceci n'est qu'un début.

Un deuxième coup de foudre déchaîna à nouveau une invisible artillerie.

— C'est tombé sur la Sans-Nom, déclara Georges tout en sortant du sac la corde de rappel.

— Si seulement ça pouvait neiger, dit le guide. J'aime encore mieux ça que la foudre.

Le brouillard cloisonnait l'étroite plate-forme entre ciel et terre sur laquelle se trouvaient les trois hommes. Ils se sentaient prisonniers de la montagne, et l'Américain, qui ne disait plus rien, attendait, ne voulant pas s'attirer par une parole malheureuse des reproches qu'il n'avait que trop mérités. Georges prépara le rappel; les restants d'un vieil anneau de corde blanchi et effiloché pourrissaient autour d'un bloc de granit; il le remplaça par une boucle de corde neuve, dans laquelle il fit passer à double les cinquante mètres de sa corde. Debout au bord du vide et cherchant à percer le mystère de la paroi, le porteur projeta bien horizontalement le rappel pour que les deux brins ne s'emmêlent pas; la corde se déroula en sifflant dans l'air comme un lasso, puis retomba le long de la paroi à l'endroit précis choisi par le jeune homme. Par ce fil ténu, les trois alpinistes descendirent.

Ils allaient farouchement dans la demi-obscurité laiteuse, répétant inlassablement la même manœuvre : plier la corde, fixer le rappel, le lancer, le dégager..., cherchant leur itinéraire, reconnaissant la route à suivre au moindre détail : une plate-forme, un piton rouillé dans une fissure, un bout de corde effiloché, déjà tout givré.

Le calme était revenu et les quelques rares paroles qu'ils échangeaient, amplifiées par le brouillard, semblaient sortir d'un haut-parleur. Encore deux ou trois longueurs de corde et ils aborderaient les grandes difficultés; déjà les plates-formes s'amenuisaient, il fallait souvent se glisser de l'une à l'autre par des traversées à flanc de paroi très hasardeuses.

Comme ils atteignaient un petit mur vertical de huit à dix mètres, l'air vibra très doucement, comme au passage d'un fluide; les vibrations s'amplifièrent et ce fut à nouveau le bourdonnement d'un essaim, le chant des abeilles ! En entendant pour la seconde fois le bruissement mortel, les deux guides pâlirent sous le hâle; ce bruissement, ce bourdonnement, c'était à nouveau l'indice formel d'une extraordinaire teneur en électricité statique. Le brouillard, la montagne, eux-mêmes étaient à ce point imprégnés de fluide qu'une décharge de la foudre était inévitable.

— Vite! Vite! hurla Servettaz. Georges, file le rappel! Laisse-toi glisser! Et vous, monsieur Warfield, n'attendez pas, empoignez la corde à pleines mains, sautez dans le vide, dépêchez-vous... Ça y est, j'ai les cheveux qui tirent... Activez, mais activez donc, bon sang!

Warfield tomba plutôt qu'il ne glissa sur la plate-forme inférieure où le reçut le porteur. Au-dessus de leur tête, la corde se perdait dans le brouillard et ils attendaient la venue du guide, lorsqu'une formidable lueur les aveugla. Une force inconnue les souleva de terre et les laissa retomber lourdement sur la dalle de granit où ils s'affalèrent, pantins meurtris et inanimés. Personne n'entendit le fracas épouvantable qui accompagna la décharge électrique, ni les grondements sourds de l'écho dans les gorges.

Lorsqu'ils reprirent connaissance, hébétés, hagards, la neige tombait régulièrement, recouvrant les rochers, glaçant les fissures; les flocons fondaient sur leurs figures terreuses, et cette fraîcheur les ranima petit à petit. Alors Georges chercha son camarade. La corde de rappel pendait toujours le long de la paroi; le porteur se dressa, l'empoigna, la secoua en criant:

— Jean... Jean... réponds! As-tu du mal?

La complainte du vent fut l'unique réponse.

Un choucas qui planait jeta son cri aigrelet, et cette note vivante peupla les solitudes.

— Le client n'a rien..., hurla encore Georges, comme si cette chance pouvait inciter Servettaz à lui répondre...

« Faut monter, pensa-t-il, il a dû être commotionné. » Il se détacha avec· peine, car la corde était déjà mouillée; puis, donnant plusieurs secousses au rappel, il constata qu'il tenait solidement. Alors il grimpa le mur lisse, jambes en équerre, pieds à plat sur la paroi, accompagnant ses efforts de gros han! han! qui semblaient sortir du plus profond de lui-même. Quand sa tête fut au niveau de la plate-forme supérieure, Georges eut un recul de tout son être qui faillit lui faire lâcher prise. Une exclamation douloureuse vint mourir sur ses lèvres et il resta accroché à la corde, figé, ne se sentant plus la force de terminer le rétablissement final; la corde mouillée glissait lentement entre ses doigts gourds. Il réagit enfin, et prenant appui du bout du soulier sur une prise, il réussit à se jeter à plat ventre sur la petite terrasse où Jean Servettaz, de la Compagnie des Guides de Chamonix, venait de terminer sa carrière.

Le guide avait été touché par la foudre à l'instant où il s'apprêtait à enjamber la corde de rappel. Il avait été foudroyé debout, le bras droit levé saisissant une prise à pleine main, la main gauche à plat le long du corps, cherchant la corde, le visage légèrement tourné vers le bas. Toute son attitude exprimait encore le mouvement, la vie. On eût dit qu'il continuait à monter, surveillant la progression de sa caravane. Les doigts de sa main droite étaient crispés sur la roche; le fluide, pénétrant par le poignet où il avait laissé une petite tache noirâtre, était ressorti par le pied gauche, dont la chaussure était à moitié carbonisée. Le corps était intact, paralysé dans cette ·attitude

48

familière aux grimpeurs; seuls les yeux avaient pris une teinte vitreuse et leur fixité étrange épouvanta Georges à la Clarisse. Il s'approcha du cadavre, l'interpellant douloureusement :

— Jean, mon pauvre Jean... c'est pas possible, avoir fait tant de courses ensemble, me quitter ainsi, c'est pas vrai, dis! réponds-moi...

Et le porteur secouait l'étrange statue, toute givrée, ne pouvant croire pareille chose. Le vent faisait flotter les pointes du mouchoir rouge que Servettaz avait noué autour de son cou, et cela contribuait à donner au mort une inexprimable apparence de vie, comme ces figures de cire du musée Grévin que l'on est obligé de toucher pour se convaincre de leur insensibilité. Un cri, venu d'en bas, ramena le porteur à la réalité des faits. C'était l'Américain qui, d'une voix faible, appelait. Dédaignant de répondre, Georges essaya de coucher le cadavre sur la plate-forme. Après un corps à corps tragique, il dut y renoncer. Le cadavre semblait soudé au rocher; il ne se sentit pas le courage de briser la résistance de ces doigts crispés et abandonna cette lutte trop inégale entre un mort et un vivant. Coupant quelques mètres de corde, il attacha solidement le corps à la montagne pour que le vent ne le précipitât pas dans les abîmes; puis, se découvrant, il resta de longues minutes, silencieux, à contempler son compagnon de cordée.

Pauvre Jean! En avaient-ils gravi des sommets et encore des sommets, depuis cinq ans qu'ils faisaient cordée commune! Ils se connaissaient si bien l'un l'autre qu'ils se complétaient miraculeusement. Jean Servettaz avait coutume de dire de son porteur : « Il me devine si bien qu'il est toujours là pour me tenir le pied quand ça dérape, ou pour assurer le client quand je ne peux plus le faire. Je n'en changerai jamais! » Il ne croyait pas si bien dire. Déjà il s'était demandé comment il ferait la saison prochaine, puisque Georges allait être guide. Bien sûr il ne pouvait pas, par égoïsme personnel, empêcher le porteur de marcher en premier de cordée; il était capable de conduire n'importe qui n'importe où, et Jean était fier d'avoir formé un tel élève. Georges lui rendait en amitié et en dévouement l'inestimable cadeau qu'il lui avait fait en lui apprenant aussi bien le métier. Souvent le porteur, pensant au jour où il faudrait rompre l'équipe, avait proposé à Servettaz de choisir son propre fils. Le guide s'était récrié : « Pierre! Surtout ne lui mets pas de telles idées en tête! J'en ferai un hôtelier, et toi, je te remplacerai par un tout jeune que je pourrai former à ma guise. »

Il n'aurait plus désormais besoin de chercher un remplaçant. Le fil qui nouait solidement l'équipe avait été coupé, et la mort en atteignant Jean venait de faire de Georges un chef, qui prenait son commandement en plein danger, en pleine action, comme ces simples soldats qui, voyant tomber leurs gradés, assument immédiatement leurs nouvelles responsabilités et tous leurs devoirs.

Le porteur frissonna. Certes, il n'avait pas peur de la mort! Tous deux étaient de vieilles connaissances. On ne court pas la montagne depuis l'âge de seize ans comme il le faisait, sans se trouver presque quotidiennement en contact avec cette gueuse; jusqu'ici il avait eu le dessus, comme Jean Servettaz d'ailleurs qui, si souvent, avait joué avec elle; mais comme tous les guides, comme tous les aviateurs, comme les marins qui ne croient pas au naufrage, comme tous ceux qui risquent journellement leur vie, il écartait volontiers de ses pensées l'idée d'un accident pouvant trancher sans appel. Et voilà qu'en quelques secondes la mort avait frappé le plus expérimenté d'entre eux, celui qui précisément aurait dû être à l'abri de ses coups et de ses roueries.

— Misère de misère! soupira-t-il, on n'est pas grand-chose...

Un appel plus faible du client le tira de sa rêverie. Il secoua la neige qui s'accrochait à ses vêtements, et s'apprêta à descendre; il vérifia longuement l'état de la corde de rappel : la foudre l'avait épargnée, elle était intacte; alors, passant la corde sous la cuisse et sur le bras pour faire frein, il se laissa glisser lentement dans le vide. La corde mouillée se refusait à coulisser et l'obligeait à de gros efforts. Il songea non sans amertume qu'il leur restait six cents mètres de paroi à descendre dans le mauvais temps; la partie n'était pas finie. La mort avait eu la première manche, il fallait à toute force gagner la seconde et la belle. Maintenant qu'il neigeait, Georges à la Clarisse le savait, ils ne risqueraient plus rien de la foudre, seulement une insidieuse ennemie les guettait : la neige. Déjà les terrasses étaient toutes tapissées d'une couche soyeuse, et dans les cheminées les coulées de verglas commençaient à luire dangereusement.

Georges rejoignit l'Américain, qui avait assisté sans mot dire à sa descente aérienne au bout de son fil. Warfield claquait des dents, prostré dans un coin de l'étroite vire, mal remis de sa commotion. Les deux hommes se regardèrent longuement. Georges articula d'une voix sourde :

— Du beau travail, monsieur Warfield, du beau travail ! Vous l'avez vu, votre Dru !

L'autre baissa la tête, puis comme sortant d'un rêve interrogea :

— Jean ?... Mort ?...

— Foudroyé, et nous n'en valons guère mieux.

— Ah !

— Vous sentez-vous mieux ? On a été drôlement secoués, je crois; déjà une fois, à la cabane Vallot, j'avais été projeté du bat-flanc par une décharge électrique, mais ici il n'y a pas de parapet et nous avons bien risqué de basculer dans le vide.

Le porteur, se penchant sur l'abîme, hocha la tête gravement.

— Si nous attendions, Georges, proposa Warfield, manifestement exténué, la neige finira bien par s'arrêter, ou alors on viendra nous chercher...

— La neige s'arrêtera !... La neige s'arrêtera !... Ah, çà ! êtes-vous fou ? Plaise à Dieu qu'elle ne s'arrête pas tout de suite : tant qu'elle est fraîche et qu'elle coule, il y a encore possibilité de s'en sortir, mais si le beau temps revient nous serons coincés dans la muraille, le gel durcira les cordes comme des barres de fer, et nous gèlerons proprement nous aussi. S'agit plus de se lamenter, maintenant faut passer à l'action, assez d'un mort aujourd'hui... et c'est moi qui ai charge de vous ramener. Allons ! remontez-vous, on aura besoin de toutes nos forces. Vous l'avez voulue votre tourmente ? vous l'avez eue ! Alors, maintenant, il faut en accepter les conséquences, vous descendrez. Debout ; empoignez-moi cette corde ; faites bien attention, le rappel est mouillé.

Georges commandait, décidait, et devant cette volonté qui s'affirmait, Warfield obéit.

La neige tourbillonnait maintenant sur les parois et à la voix profonde du vent se mêla une plainte monotone, lancinante, comme si on froissait sans arrêt du papier ou que la montagne tout entière se mît à gémir ! De la muraille de rocher toute plaquée d'ivoire se détachaient des pans de neige qui coulaient sans arrêt, produisant ce bruit étrange ; bientôt les cheminées servirent d'exutoires naturels aux avalanches et des cascades ininterrompues sillonnèrent les rochers. La neige s'amassait en cônes sur les petites terrasses, couvrant les aspérités, noyant tout dans sa masse.

Le porteur fut bientôt aux prises avec les plus grosses difficultés. A la contexture des roches, il devina qu'ils approchaient de la veine de quartz ; en dessous, il le savait, c'était le gros surplomb de la cheminée au piton.

La cordée obliqua sur la droite par une étroite vire si enneigée que Georges ne pouvait progresser qu'en dégageant la neige à la main. Ses mitaines de laine étaient ganguées de glace, mais il continuait farouchement, poursuivi par une idée fixe : « Il faut sauver le voyageur ! Jean me l'a confié, je dois le ramener en bas : y arriverai-je ? »

Et le jeune homme évoquait le bivouac inévitable et l'atroce nuit qui se préparait. Il n'avait aucune idée de l'heure, leurs montres s'étant arrêtées; au jugé, il présumait qu'il pouvait bien être 2 heures de relevée; à 7 heures, il ferait nuit.

Il chercha longtemps de vire en vire la petite plate-forme où, il le savait, devait se trouver un anneau de corde. La montagne était toute pareille maintenant : une gigantesque muraille de neige et de verglas qui se perdait dans le brouillard, et la moindre erreur pouvait être fatale. Il creusait la neige de ses mains, fouillant dans les fissures, déjà obstruées par le gel, à la recherche du bout de filin dont il avait besoin pour assurer sa descente. Debout à ses côtés, Warfield grelottait, hagard, marmonnant un refrain qui revenait sans cesse comme une rengaine et s'échappait bizarrement de ses lèvres embuées :

*If you like an ukelele lady...*

La neige tombait, effaçant déjà leurs traces sur l'étroite vire.

Enfin Georges dégagea l'anneau, le secoua, le pétrit dans ses mains pour l'assouplir; il y passa une corde de rappel, déjà toute raide de gel, et la laissa tomber dans le vide. On ne voyait rien en dessous qu'un abîme cotonneux et mouvant. Il expliqua la manœuvre au client.

— Allons, monsieur Warfield, du courage! Prenez le rappel, n'ayez pas peur. D'ici quinze mètres vous tournerez dans le vide, vous reprendrez pied au bas de la cheminée. Attention! Faudra faire un pendule sur votre droite pour atterrir sur la brèche, autrement vous fileriez à bout de corde dans les abîmes... Faites seulement, je vous assure.

Il passa lui-même la corde sur l'épaule du client

qui se laissait faire comme un petit enfant, indifférent, hébété, chantonnant tout doucement l'obsédant refrain :

— *Ukelele lady like you !*

— Finissez de chanter, monsieur, vous voulez me rendre fou !

— *If you like an ukelele lady...* reprenait l'Américain.

Enfin, Warfield coula lourdement sur la corde et commença de descendre. Georges, arc-bouté contre le mur de roc, surveillait la corde d'attache qui le reliait à Warfield; au début tout se passa bien, l'Américain descendait lentement comme un automate, puis il disparut à sa vue, comme happé par le surplomb. Des minutes passèrent, la corde filait régulièrement lorsque le porteur encaissa un choc plus dur : l'attache venait de coulisser de plus de deux mètres.

— Attention, hurla-t-il, descendez régulièrement, n'emmêlez pas les cordes.

Peine perdue d'ailleurs, car le vent s'était remis à souffler en rafale et hurlait comme un damné à travers la montagne. Georges, toujours paré pour prévenir un choc, estimait à la corde la longueur descendue : encore quinze mètres, songeait-il, encore dix. Tout à coup, la corde fila rapidement entre ses doigts, en même temps qu'une secousse terrible faillit l'arracher de son poste; les mains crispées sur la corde il serrait, serrait, essayant de freiner, supposant bien que là-bas dessous Warfield avait lâché le rappel et pendait comme un pantin cassé au bout de sa ficelle. Il réussit, après quelques secondes, à arrêter la chute.

— Warfield, Warfield, rattrapez le rappel !... Faites vite, bon sang ! faites vite, je ne peux pas tenir comme ça éternellement.

Une voix lointaine, assourdie, lui parvint comme si elle s'échappait du fonds d'un puits.

— J'ai repris la corde !

Immédiatement, il se sentit soulagé de tout le poids de l'Américain.

Un peu plus tard, la même voix annonça :

— Arrivé, suis en sûreté !

Alors Georges desserra son étreinte. Une brûlure atroce crispait, dans les moufles gelées, ses pauvres mains meurtries. Les paumes de ses gants se teintèrent de rouge, une traînée pourpre souillait la corde sur plusieurs mètres.

Ce n'était pas le moment de songer à soi-même ; là-bas dessous, Warfield, dont la raison sombrait, pouvait faire des bêtises. A son tour, Georges descendit par la corde. Il faillit crier de douleur, lorsque, suspendu dans le vide, il dut étreindre à pleines mains les cordes gelées. Il tournoya quelques instants comme une araignée au bout de son fil, puis, par un grand saut de côté, il rejoignit le client.

— C'est pas des choses à faire, monsieur Warfield, reprocha-t-il. Faut plus lâcher en cours de route, car, maintenant — et il lui montra ses mains —, je ne pourrais plus vous retenir.

Warfield examina sans les voir les mains brûlées et sanglantes du porteur, puis, gardant son air absent, il éclata de rire, d'un rire qui donnait envie de pleurer :

— *Ukelele lady like you !...* chantonnait-il, et sans plus prêter attention au porteur il s'amusa à jeter des boules de neige dans l'abîme.

Georges à la Clarisse, désormais seul être pensant et raisonnable, avait un ennemi de plus à combattre que la neige et la foudre : la folie !

« Manquait plus que ça ! (Il parlait tout seul

pour se rassurer.) Ma parole, il devient fou... pourvu que je ne le devienne pas aussi... seul avec un fou dans les Drus! Quel métier de chien!... Allons, mon garçon, réagis. Fou ou non, tu le ramèneras en bas. T'entends! tu le ramèneras! »

Il lui fallait rappeler la corde double. Au début, elle coulissa assez bien : en tirant sur un brin, l'autre moitié montait régulièrement, mais bientôt elle se refusa à venir. Une exclamation désappointée s'échappa de la bouche du porteur.

— Coincée! la voilà coincée!... nous sommes frais.

La situation était en effet dramatique : cette corde de rappel était nécessaire pour continuer la descente; encore si Warfield avait été normal on aurait pu se décorder, utiliser tour à tour la corde d'attache pour faire le rappel. Mais l'Américain faiblissait, inconscient, et c'eût été l'envoyer à la mort que de le laisser descendre sans l'assurer solidement d'en haut. Il fallait cette corde qui s'obstinait à ne pas venir, il fallait la conserver. Le salut de la retraite en dépendait.

Georges fit une nouvelle tentative.

Il se suspendit de tout son poids à la corde, mais rien ne venait. Il chercha à secouer la torpeur de Warfield qui, accroupi dans la neige, le regardait sans comprendre.

— Allons, monsieur Warfield, un coup de main, suppliait-il. Faut absolument ravoir la corde, faut absolument... Mais vous ne comprenez donc plus rien à rien!

Warfield ne comprenait pas, on eût dit même qu'il était possédé par le malin, car il ricanait sourdement. Georges fit un dernier essai, il se pendit au mince filin de chanvre, et il ressemblait ainsi à un sonneur de cathédrale; on eût dit qu'il ébranlait à lui tout seul les gros bourdons de la tourmente. Aux rafales succédaient des accalmies et brusquement c'était le silence, comme si un tacite accord liait les éléments. Pendant ces rares instants de calme, seul le froufrou soyeux de la neige coulant sur les rochers couvrait la voix chevrotante de l'Américain qui reprenait comme un leitmotiv sa chanson des îles :

— *Ukelele lady like you...*

La neige tombait implacablement sur l'étrange cordée.

— Venez tirer avec moi, supplia Georges qui s'épuisait.

Les crampes lui écartaient douloureusement les doigts, ses bras étaient de plomb. Warfield chantait toujours.

— Oh! yes, fit tout à coup l'Américain, le visage illuminé par une idée subite... Sonnons les cloches. *Ringing the bells!* Ding! Dong! Ding! Dong!

Et il éclata de rire, trouvant l'idée amusante. Alors il joignit ses efforts à ceux de Georges.

Pendant plusieurs minutes, les deux hommes — l'un, traits crispés, mains rougies; l'autre, riant à perdre haleine — unirent leurs efforts, suspendus à la corde, dansant au-dessus du vide.

Comme la corde restait résolument coincée, Georges arrêta les efforts.

Il repoussa l'inutile Warfield qui s'affala dans la neige, chantonnant au rythme même de son souffle en haletant un peu. Ce refrain des filles chaudes d'Haïti et des nuits parfumées des îles le laissait souriant, tout entier à son rêve, tandis que la buée qui s'échappait de ses lèvres toutes damasquinées de givre se condensait en larmes de cristal.

Pour le porteur une seule solution se

présentait : remonter la haute fissure de vingt mètres, tout encombrée de neige et de glace, dégager la corde et redescendre. Le salut était à ce prix, mais aurait-il la force de triompher du passage ?

Cette courte escalade fut atroce. La protogine rugueuse, humide et gelée, était recouverte comme d'un enduit huilé, une sorte de verglas sur lequel les clous glissaient sans mordre. Georges, abruti de fatigue, se hissa péniblement, centimètre par centimètre, haletant, à bout de souffle, étreignant la corde avec désespoir; la neige qui coulait dans la cheminée pénétrait par les manches de sa veste par l'encolure, glaçait son corps, l'aveuglait. Il atteignit l'endroit où la fissure se resserre jusqu'à ne plus permettre que le coincement précaire d'un genou et d'un bras. Il crut qu'il ne pourrait jamais franchir le passage; il apercevait à hauteur de sa main, dans un renflement de la paroi, le gros clou de fer sur lequel il pourrait enfin se reposer, mais ses chaussures enduites de verglas dérapaient et il devait se propulser par la seule force des bras. Pendant des minutes et des minutes il gigota ainsi, désespérant d'atteindre le clou sauveteur. Comment y parvint-il ? Il avoua par la suite être incapable de le dire. A l'instant où, vaincu par la fatigue, il abandonnait et se laissait glisser, il sentit que son pied gauche, en râpant désespérément la plaque lisse, venait de rencontrer une petite prise. Un clou de soulier venait de mordre, faible appui certes, mais qui lui permit d'empoigner le piton et de se rétablir ensuite dessus. Il reprit haleine. Sa position était précaire. Les coulées de neige glissaient sans arrêt sur les plaques de rocher; ses doigts gelés et sanglants manquaient de la souplesse nécessaire pour assurer la montée; il claquait convulsivement des dents, et son cœur soumis à un effort trop grand battait la chamade. On eût dit qu'à chaque pulsation il allait éclater. Par moments, des rafales de neige secouaient dangereusement le porteur. Il songeait alors à ce qu'avait d'étrange sa position, accroché en pleine paroi, tenant par miracle en équilibre du bout des ongles et sur quelques clous de soulier au-dessus de sept cents mètres de vide, avec la nuit qui venait rapidement. La cheminée se terminait à une dizaine de mètres au-dessus de sa tête : aurait-il la force de la gravir ? Ses genoux lui faisaient mal et ses vêtements durcis par le gel l'entravaient, plus rigides qu'une armature de fer.

Alors Georges pensa à redescendre. Une idée tenace l'animait. Rien n'était perdu ! Mais oui, rien n'était perdu, il pouvait encore se sauver ! Tant pis pour le client. Il n'y avait qu'à l'attacher sur une plate-forme et l'abandonner à son sort. Tout seul, le porteur savait qu'il gagnerait des heures et des heures de manœuvre de corde; peut-être même pourrait-il éviter le bivouac dangereux et gagner le refuge de la Charpoua. Oui, c'était bien ça. Il n'y avait qu'à se laisser glisser doucement, attacher le fou, lui laisser le contenu du sac et fuir ! Fuir le mauvais temps, cette montagne maudite; fuir le cadavre de Jean Servettaz qui, là-haut, fixait ses yeux vitreux sur des horizons inconnus des vivants.

Georges, à cette pensée, sentit un immense espoir renaître.

Fuir, c'était retrouver la moraine, l'alpage, la forêt, la vallée, et le chalet de bois au milieu des vergers. Fuir, c'était vivre. Continuer, c'était presque infailliblement périr, risquer de se décrocher dans cette infernale cheminée, ou, s'il en réchappait, crever de froid en compagnie de l'Américain. Ah! oui! l'Américain... Il n'y pensait plus : il fallait le ramener. Ramener le client? Bien sûr! c'était le devoir, mais ce n'était pas juste, pour ça non, pas juste du tout! Par la faute de cet entêté, Jean se pétrifiait sur sa vire de neige; était-il nécessaire qu'il pérît lui aussi, à vouloir à toute force ramener un fou?

Georges ruminait toutes ces pensées tumultueuses, accroché à sa fissure et jaugeant de l'œil les quelques mètres terriblement exposés qui lui restaient à gravir. Cette défaillance ne dura qu'un instant. Une honte épouvantable l'envahit. Il en trembla nerveusement. Abandonner, lui le responsable! Lui à qui Jean, en entrant dans la mort, avait tacitement confié son voyageur! Était-il devenu fou comme l'Américain pour perdre ainsi toute dignité, tout amour-propre? Non, il dégagerait la corde au risque de se dérocher, ensuite il tâcherait de ramener le client. Ils mourraient tous deux ou tous deux se sauveraient.

Ayant accepté l'idée du sacrifice, Georges se sentit soudain plus fort. Il oublia qu'il n'était qu'un pauvre petit d'homme accroché en pleine paroi d'une montagne inhumaine, et à haute voix il jura :

— T'inquiète pas, Jean, on le ramènera.

Il examina longuement le haut de la fissure par où dégoulinait un torrent de grésil et de neige. Il s'empoigna avec la montagne, et lutta dans un corps à corps terrible qui dura de longues minutes; ses pieds parfois lâchaient prise, mais de son bras droit enfoncé dans la fissure il se raccrochait, pesant de tout son poids sur le coude coincé comme un verrou, mordant la neige à pleine bouche, balayant le rocher de son corps, oscillant au-dessus du vide, mais gagnant à chaque mouvement de reptation quelques décimètres en hauteur.

Enfin il atteignit le rebord supérieur de la cheminée; la neige le recouvrait et il dut s'y creuser un passage, enfonçant jusqu'à mi-corps, pour trouver en dessous l'assise solide de la plateforme sur laquelle il put se redresser péniblement. Une énorme rafale de neige faillit l'enlever de son piédestal et le précipiter dans le vide; il se retint de justesse à une prise. Des glaçons pendaient de ses sourcils, ourlaient sa bouche, et les mèches de cheveux qui s'échappaient de son béret pointaient drues et blanches, transformées en lancettes de diamant.

Sans perdre de temps, Georges remonta la corde de rappel qui était restée coincée par le gel dans une anfractuosité. Il dégagea complètement l'anneau, fit coulisser longuement les deux brins de la corde pour s'assurer qu'il pourrait la rappeler facilement. Il n'était plus question de freiner sa descente selon le procédé classique, en enroulant la corde autour de sa jambe et de son épaule; le rappel était trop mouillé, trop raide pour coulisser ainsi. Il fallait courir le risque de descendre à la force des poignets les vingt-cinq mètres du passage. Georges envisagea le moment où il pendrait au bout du filin de chanvre et trembla à la seule idée que ses doigts gelés pourraient le trahir, mais cette faiblesse ne dura pas. Une volonté surhumaine l'animait, le poussait, l'affermissait dans cette idée : ramener le client. Il frémit et se maudit d'avoir pu, un instant, songer à enfreindre son devoir. Qu'importe, désormais, qu'il lâchât prise : personne ne pourrait lui reprocher quoi que ce soit. Dans ces sortes d'histoires, on rentre tous ou on ne rentre pas.

Le début de la descente fut acceptable. Il pouvait encore prendre appui des jambes sur la paroi, mais rapidement il sentit le vide s'ouvrir tout grand sous lui, et son propre poids lui arrachait les bras, le forçait à accélérer sa vitesse; il se crispa sur la corde, freinant inefficacement avec ses grosses chaussures à clous bien serrées l'une contre l'autre et étreignant le double filin.

La chute brutale rouvrit les plaies saignantes de ses mains.

Georges prit pied sur la plate-forme et, sans jeter un regard à Warfield qui chantonnait toujours mi-enseveli dans la neige, son premier soin fut de s'assurer que les deux brins de la corde n'étaient pas, cette fois, emmêlés. Il donna une légère secousse, un large soupir détendit sa poitrine : la corde venait! Lentement, avec des gestes précautionneux, il la sollicita, tremblant lorsqu'elle se refusait à venir, exultant lorsqu'elle coulissait régulièrement. Puis, lorsqu'il ne resta plus que quelques mètres, il donna une violente secousse pour faire, là-haut, sauter de son anneau l'extrémité du rappel. La corde s'abattit en sifflant sur la plate-forme. Après un soupir de soulagement, le porteur la replia avec soin, puis songea à reprendre la descente.

Warfield maintenant somnolait. Georges le secoua rudement, époussetant la neige qui l'avait recouvert et le transformait en un fantoche informe, véritable bonhomme de neige, qui n'avait plus de vivant que les deux trous sombres des yeux et un petit rond ourlé de glace à l'emplacement de la bouche par où s'échappaient en buée les vapeurs de la respiration.

— En route, monsieur, fit Georges. J'ai décroché le rappel.

Il avait dit ça simplement comme s'il avait accompli quelque chose de banal, et c'est tout juste s'il n'ajouta pas : « Excusez-moi de vous avoir fait attendre. » Du double combat mené par le montagnard, de sa lutte contre les éléments déchaînés et contre lui-même, il ne fut pas question. Ces choses-là se gardent pour soi.

## 11

Les deux alpinistes repartirent. Warfield marchait comme un somnambule, obéissant machinalement aux ordres du porteur, se laissant guider, le regard absent, le cerveau vide. Son allure se faisait de plus en plus pesante et il dégringolait plutôt qu'il ne descendait les étroites cheminées enneigées.

A chaque instant, Georges le retenait à bout de corde, enrayait sa chute, le plaquait brutalement dans une niche de la paroi, tandis que lui vérifiait sa ligne de descente.

La neige devint plus compacte, plus froide, et Georges en conclut que la nuit approchait. Où était-il ? Il n'eût pu le dire exactement. Il se sentait extrêmement las; depuis 5 heures du matin il n'avait rien mangé, rien bu. Subitement, sur un coup de vent plus frais, le brouillard se déchira. Georges aperçut la paroi entière du Dru qui se découvrait, offrant un spectacle fantasmagorique. Toute plaquée de neige fraîche, elle semblait caparaçonnée d'ivoire et ses colonnes gigantesques, qui s'effilaient vers le haut dans une perspective irréelle et se perdaient dans un moutonnement de nuées argentées, semblaient taillées dans un marbre très pur.

Les coulées de neige se faisaient de plus en plus rares et croulaient déjà en poussière avant d'atteindre le glacier. Une éclaircie vers l'est découvrit la calotte de l'Aiguille Verte, toute rose dans le soleil couchant; le vent du nord, qui avait repris, y chassait une comète de neige irisée. Le beau temps allait revenir, et aussi le grand froid qui mord âprement.

La nuit venait rapidement; dans une heure, Georges ne pourrait plus progresser. Il repéra, encore bien bas, les premiers couloirs de l'Épaule du Dru qui naissent juste sous les Flammes de Pierre et courent vers le glacier. S'ils pouvaient atteindre ce point, ils seraient peut-être sauvés! Là se trouvait la grotte de rocher connue sous le nom de Gîte à Straton, à cause de son grand-oncle, le célèbre Charlet Straton, qui y bivouaqua plusieurs nuits lorsqu'il fit la première ascension de la montagne.

Désormais, Georges concentra toutes ses forces vers ce but : atteindre le gîte. Il secoua Warfield de sa torpeur, le poussa à nouveau dans le vide, le descendant presque comme un sac à bout de corde. Son énergie était décuplée par la possibilité de salut qui s'offrait. Bien sûr, tout ne serait pas fini. Il y aurait la nuit, le froid. « Bah! pensait-il, on pourra peut-être s'en tirer avec des pieds ou des mains gelés; faut pas être trop exigeant. »

Comme ils atteignaient la dernière cheminée, la montagne s'empourpra; on eût dit qu'elle était fouillée par le pinceau d'un projecteur. Cela dura très peu; les volutes de nuages, qui dansaient des

sarabandes folles au-dessus des abîmes, s'irisè-
rent, bouillonnant tumultueusement au-dessus
des vallées. Un pan de paysage se dégagea vers
l'ouest et l'on aperçut le Mont-Blanc, auréolé de
pourpre, qui trônait au-dessus de l'opale des
nuées. Le crépuscule fut très court. Les alpinistes
eurent juste le temps de traverser un dangereux
couloir où les avalanches se précipitaient en grondant, et de gagner, sous une grosse dalle inclinée,
l'entrée de la grotte tout ourlée de stalactites
qui la faisaient ressembler à la gueule formi-
dablement armée d'un monstre, d'un de ces dra-
gons fantastiques aux dents d'ivoire, peints
avec minutie sur ces paravents laqués de l'époque
des Ming.

Les deux hommes s'engouffrèrent dans la
gueule du monstre.

Georges organisa méthodiquement le bivouac,
construisant une murette de pierres sèches du
côté du vent, calfatant les fentes par où soufflait
la bise avec de la neige mouillée qui gelait aussitôt, mieux que du ciment prompt.

— Voilà qui est fait, monsieur. Il ne reste plus
qu'à attendre le jour, dit-il lorsqu'il eut terminé
ses préparatifs.

Warfield ne répondit pas; affalé dans un coin, il
contemplait son sauveteur d'un air ahuri. Il était
secoué par moments de grands frémissements;
alors il réagissait brutalement, se levait, et mani-
festait l'intention de descendre.

— Calmez-vous, calmez-vous... Maintenant reste
plus qu'à lutter contre le froid. Avez-vous vu le
coucher de soleil? Non, bien sûr, ni le vent du
nord qui soufflait les comètes sur la Verte? Non
plus... Je vous prédis une belle nuit avec des pail-
lettes brillantes sur la neige et la morsure du

froid plus terrible qu'un fer rouge sur la peau.

Mais Warfield ne répondait pas.

« Il a été drôlement secoué quand même ! » songeait Georges pris de pitié, oubliant ses propres souffrances.

Il dénoua les cordons du sac et cela lui prit beaucoup de temps, car ses doigts malhabiles ne pouvaient venir à bout des nœuds. Il songea à manger, mais il en eut vite assez et se contenta de quelques biscuits trempés dans le vin de sa gourde; ça ne descendait pas et il mâchait longuement, longuement, sans parvenir à avaler. Warfield refusa toute nourriture; sa figure était violette et il hoquetait.

— Y va me piquer une congestion, maugréa Georges. Manquerait plus que ça.

Saisissant la neige à pleines mains, il en frotta vigoureusement la figure de l'Américain jusqu'à ce qu'elle devînt rouge crevette. A travers les dents serrées, il réussit à glisser un peu d'alcool. Peu à peu, Warfield revint à lui et ce fut pour se remettre à chantonner :

— *If you like an ukelele lady...*

— Ça vous tient cet air ! dit Georges, pour dire quelque chose.

Au début le porteur n'avait pas senti le froid, mais avec la nuit celui-ci devenait de plus en plus vif, transperçant les vestes de drap raides et gelées, enfonçant ses vrilles dans le corps, crispant les pauvres figures transies des grimpeurs. Par l'ouverture de la petite caverne, on voyait briller quelques étoiles dans le ciel d'une pureté extraordinaire; toute la montagne était silencieuse, la neige retenait partout les pierres dans les couloirs et aucun sérac ne craquait dans le voisinage. Les rafales de vent avaient cessé, mais les filets d'air glacé qui semblaient issus de la nuit venaient caresser les deux hommes.

Bientôt le froid devint intolérable. Georges lui-même, aussi endurci qu'il le fût, ne pouvait plus tenir en place; malgré la fatigue écrasante de cette journée, il se tournait et se retournait, attentif à ne pas s'endormir, frappant parfois le roc à grands coups de poing afin de ramener la circulation dans ses mains engourdies. Warfield s'était laissé aller à une somnolence entrecoupée de gémissements douloureux, et Georges était obligé pour le réveiller de le secouer, de le bourrer de coups. Parfois il assenait de grands coups avec le manche de son piolet sur ses chaussures durcies et recroquevillées, blanches de givre, et cela lui confirmait que Warfield devait avoir déjà les extrémités insensibles.

Georges se rappela qu'il avait une bougie, celle de la lanterne. Il l'alluma et la petite flamme tremblotante éclaira faiblement la grotte, sa pâle lueur se jouant dans les stalactites de glace. Le jeune homme remplit son quart de neige qu'il fit fondre sur la flamme, obtenant ainsi un peu de breuvage tiède : le plus dur était de le faire glisser dans la bouche crispée de son client. Il en fit autant pour lui-même.

Alors commença une veillée terrible.

La grotte s'emplit de la musique barbare des mâchoires qui se heurtaient, claquetaient, et le bruit allait crescendo comme un envol de castagnettes qui crépitait douloureusement aux tempes des grimpeurs, puis diminuait pour faire place au crissement des dents semblable à un menu grignotement de souris dans un placard. Étrange musique, imperceptible du dehors, qui étourdissait et abrutissait. A plusieurs reprises, Georges, vaincu par la fatigue, faillit s'endormir; par un effort surhumain, il réussit à rester éveillé, attendant le jour qui ne venait pas, rampant parfois jusqu'au seuil de la grotte; le vide s'y amorçait immédiatement et l'on apercevait dans le fond la pâleur presque lumineuse du glacier de la Charpoua, plus clair que le ciel de cendre et le mur de nuit.

Peu à peu, la nuit s'éclaircit, une vague lueur s'alluma très loin sur les sommets et s'étendit sur la terre endormie. Georges songeait à son chalet dans la vallée, à sa petite chambre boisée, si chaude l'hiver, à ses collègues qui, à cette heure, partaient en course, puis sa pensée se reporta sur Jean Servettaz. Il frissonna (et cette fois ce n'était pas de froid) en évoquant le fantôme glacé qui montait la garde, là-haut, à quelque six cents mètres au-dessus de leurs têtes. Pauvre Jean! Quelle terrible nouvelle pour sa femme. Dire qu'il faudrait lui annoncer ça, demain... Demain! Est-ce que demain viendrait jamais, est-ce que cette nuit abominable prendrait fin? Aurait-il la force de continuer sa route en traînant après lui le cadavre ambulant qu'était l'Américain?

Un sonore éclat de rire couvrit l'atroce concert de mâchoires heurtées. Warfield riait! Il riait à gorge déployée, avec des contractions brusques, et ce rire était coupé par de nouveaux claquements de dents qui n'en finissaient plus. Georges se recula instinctivement jusque dans le coin le plus éloigné de la caverne...

Le jour vint enfin, lumineux et glacial. Georges, ses facultés de résistance émoussées par le terrible bivouac, se serait volontiers abandonné à une torpeur bienheureuse; l'instinct de conservation fut le plus fort et il se leva, secouant cet engourdissement passager. Oui, il fallait partir, partir tout de suite. Il se glissa dehors et, sur l'étroite vire qui dominait l'à-pic, se força à faire des mouvements de gymnastique. Peu à peu la circulation revint, sauf dans ses pieds qu'il ne sentait plus; quand il se jugea suffisamment assoupli, il traîna Warfield hors du gîte.

Dans ses vêtements gelés, l'Américain se mouvait avec peine. Georges le massait brutalement, le tenant à bras-le-corps, puis le rouant de coups de poing dans le dos, dans la poitrine; cet étrange match de boxe dura longtemps, longtemps, jusqu'à ce qu'ils fussent suffisamment réchauffés.

Ils étaient toujours encordés. Georges tâta la neige du pied, un sourire de satisfaction effleura ses lèvres : elle tenait. La sous-couche, un peu molle, était recouverte de neige poudreuse; on pourrait, dans ces conditions, descendre tout droit dans les couloirs et cela ferait gagner du temps, car les rochers étaient impraticables. Il enroula autour de son buste suffisamment d'anneaux de corde pour ne garder que quelques mètres entre son compagnon et lui-même; ensuite il consulta longuement du regard l'étroit couloir resserré en son milieu qui se perdait dans le vide, quelque cent mètres plus bas, par suite de la convexité de la pente.

— Jusqu'à la barre rocheuse ça ira, dit-il. Après... bon, on verra! Allons, monsieur Warfield, descendez seulement.

L'Américain, bien qu'hébété, comprit le geste du guide et il partit en chancelant dans la pente à cinquante degrés.

— Debout, monsieur, debout, face au vide, conseilla Georges.

Par un surcroît de précautions, il descendait

70

juste derrière son client, le tenant en laisse à deux mètres de distance, prêt à l'attraper au besoin par la ceinture s'il venait à fléchir. La neige était bonne et à chaque coup de pied ils enfonçaient jusqu'aux genoux. Georges encourageait Warfield qui culbutait à tout bout de champ, vacillant comme un homme ivre.

— Allez-y monsieur, on s'en tirera. Tenez! marchez franchement; regardez, on peut même danser.

Et Georges procédait par bonds successifs dans le couloir pour bien montrer qu'il était solide, indéracinable et qu'il se sentait aussi à son aise sur cette pente de neige que sur un sentier muletier. Peu avant la barre rocheuse, Warfield tomba soudain sur les reins et Georges le retint de justesse, car il venait de constater que la sous-couche était maintenant glacée et que la neige poudreuse n'adhérait plus.

— C'est de la glace dessous! Attention, faut remonter.

La veille, le mauvais temps et les avalanches avaient transformé la barre rocheuse en une véritable cataracte de glace. Les deux compagnons de malheur remontèrent de quelques mètres, et Georges attaqua les rochers à main droite du couloir. Dans ces rochers brisés, il n'était plus question de poser un rappel de corde, pas question non plus de descendre par ses propres moyens.

— Tant pis, dit-il, maintenant on peut se le permettre, on va abandonner une corde.

Sortant le rappel, il l'amarra autour d'un gros bloc et le laissa glisser le long de la muraille; s'en servant comme d'une rampe, les deux hommes descendirent ensuite en utilisant les prises et les aspérités de la paroi.

Avant de s'éloigner, Georges jeta un coup d'œil de regret sur la corde.

— Une belle ficelle toute neuve, soupira-t-il, cinquante mètres, et si légère, faudra revenir la chercher. Encore, on a bien de la chance de s'en tirer comme ça.

Le couloir reprenait jusqu'à une deuxième barre rocheuse qui, celle-là, tombait directement sur le glacier. On apercevait déjà, sur l'autre rive, la cabane de la Charpoua, postée en sentinelle sur le rognon et dominant les précipices inférieurs. Tout en bas, la Mer de Glace, vaste fleuve gelé, strié de chevrons plus sombres, ressemblait à un fjord nordique figé par l'hiver polaire. Georges, cessant de descendre, se dirigea à travers des vires tellement enneigées qu'il fallait une bien grande expérience pour y passer sans déclencher l'avalanche.

Le soleil les rattrapa juste comme ils prenaient pied sur le glacier.

Derrière eux, les Flammes de Pierre s'irradiaient et flambaient comme des torches, et sur le Dru lui-même, tout écrasé par sa hauteur, de larges coups de pinceau empourpraient l'ivoire des rochers enneigés et la blancheur des couloirs poudrés à neuf.

Une torpeur étrange s'empara des deux hommes. Maintenant que le danger était écarté, il leur semblait qu'un poids énorme retombait sur leurs épaules, détruisant en eux toute volonté d'effort, alourdissant leurs jambes; ils traînaient leurs corps comme des masses de plomb, soulevant lourdement les pieds dans la neige profonde. Il fallut à Georges redoubler d'attention, car c'est toujours lorsque les difficultés semblent terminées qu'arrive l'accident, alors qu'on s'endort dans la sécurité trompeuse de la moyenne montagne. Il évita les ponts de neige délicats, et lentement atteignit l'éperon rocheux central de la Charpoua. La descente de la moraine leur redonna des forces, ils furent bientôt à la cabane. Elle semblait veiller sur le cirque sauvage avec une bonhomie réconfortante, et Georges caressa de la main les parois de mélèze toutes chaudes de soleil. Un peu d'eau vive coulait sur le granit et ils étanchèrent leur soif. Warfield, peu à peu, renaissait à la vie. Il ne pouvait détacher ses yeux de l'énorme paroi où, pendant trente heures, ils avaient mené un combat infernal. Comme Georges l'arrachait à sa rêverie, il se tourna vers le porteur, et sans se lever, dit simplement :

— Merci, Georges.

Il n'osa pas toutefois tendre la main.

— Descendons en vitesse, dit Georges, maintenant faut aller prévenir...


## 12


Ils retrouvèrent, après une courte descente dans les dalles rocheuses du rognon qui supporte la cabane, la petite piste interminable qui suit le fil de l'arête de la moraine et plonge sur la Mer de Glace. Il leur semblait que cette descente ne finirait jamais; la fatigue ployait leurs genoux et leur maladresse devenait de plus en plus grande. Une souffrance qu'avivait le heurt des souliers sur la piste leur arrachait des cris de douleur vite réprimés. Georges songea : « J'ai sûrement les pieds gelés ! » et trembla rien qu'à l'idée d'enlever ses chaussures.

Le tumulte d'une cascade franchissant la dernière barre rocheuse leur annonça la fin de la moraine. Ils dominaient maintenant d'une cinquantaine de mètres le gigantesque glacier qui dormait entre les hautes murailles enneigées. Tout au nord, là où le fleuve de glace sombre dans la vallée de Chamonix, se dressaient les constructions du Montenvers. Le salut !

Depuis que le soleil les avait rattrapés, une nouvelle souffrance s'ajoutait aux meurtrissures du gel et du froid : les yeux brûlés par la réverbération et le brouillard commençaient à suppurer. Lorsqu'ils furent sur le glacier, la douleur devint intolérable; ils voyaient toutes choses comme dans un songe, et le paysage leur apparaissait à travers une buée moite qui se collait à leurs cornées enflammées, soudait les paupières. Mille aiguilles invisibles transperçaient leurs yeux.

Georges prit Warfield par la main, et le guida comme un petit enfant, butant lui-même à chaque pas contre une pierre, accrochant une aspérité; heureusement, le porteur connaissait chaque crevasse, chaque fente de la Mer de Glace, et il en longeait avec sûreté les ouvertures béantes. Traversant le glacier, il prit pied sur la rive gauche, là où s'amorce le sentier de chèvres, avec ses rampes en fer et ses marches taillées dans le roc, qui conduit à l'hôtel du Montenvers.

Un vibrant coup de sifflet déchira le silence.

— Le train de 8 h 21, annonça Georges.

La raide côte sous l'hôtel leur fut un long calvaire. Ils montaient si lentement que les Perrichons déversés par la crémaillère se retournaient sur leur passage, curieux et indiscrets, ils échangeaient à voix haute leurs réflexions.

— C'est des alpinistes.

— Ils ont l'air éreintés.

— Pauvres gens !

— Vous les plaignez, madame. Pas moi, on ne les force pas à y aller.

Plus courbés encore sous le poids de leur destin, les deux hommes se frayaient passage, leurs pauvres yeux brûlés fixés sur la route droit devant eux. Georges, impatienté, bousculait sans répondre la foule des badauds. Il rageait.

— Assez, assez, nom de nom, on n'est pas des curiosités !

— Quel grossier personnage ! susurra une dame à talons Louis XV qui choisissait des cartes postales au tourniquet du kiosque.

Une petite dame blonde platinée, qui posait pour la photo devant l'immuable et majestueux paysage (moi et la montagne), poussa même l'audace jusqu'à saisir le porteur par la manche.

— Vous venez de là-haut ? demanda-t-elle naïvement.

— Nous revenons de très loin, en effet, daigna répondre Georges.

Sur la plate-forme de la gare, la foule habituelle des beaux étés grouillait. Un groupe de guides, adossés au parapet, là où débute le sentier du glacier, regardait monter les deux hommes. Il y avait le vieux Jules à Benoni des Plans, Paul Boutet, Napoléon Roveyaz, Michel Terraz, Georges et Antoine Lourtier, qui attendaient leur tour de piratage ; ils étaient là pour guider les touristes qui désirent s'aventurer sur le glacier ou bien le traverser jusqu'à l'autre rive, où s'amorce le chemin du Mauvais-Pas. On les appelait les pirates, ou encore les requins de la Mer de Glace. Chaque jour de la belle saison, une équipe était ainsi désignée par le Bureau, qui montait par le premier train et descendait par la dernière crémaillère, assurant ce service sans gloire et sans danger, ça rapporte presque autant qu'une course fatigante.

— En voilà deux qui ont une drôle d'allure! remarqua Roveyaz.

— On dirait Georges à la Clarisse!... Mais c'est lui, et je reconnais son client, le grand Américain. Qu'est-ce qu'ils ont, on dirait qu'ils sont soûls...

— Et Jean Servettaz, tu le vois?

— Non, il n'est pas avec eux.

— Il a dû se passer quelque chose!

Ils firent quelques pas au-devant des hommes.

Rien qu'à voir leurs yeux brûlés, les chaussures encore toutes gelées, les figures ravagées et crevassées, et surtout le regard étrange de Georges et de Warfield, ce regard spécial à tous ceux qui ont frôlé la mort de très près, les guides furent fixés.

Ils s'emparèrent des sacs et escortèrent les deux rescapés, par l'allée qui mène à l'hôtel.

— Qu'est-ce qui s'est passé, Georges? demanda Michel Terraz.

Le porteur ne répondit pas. Le vieux Benoni, coupant la parole à Terraz, lui montra d'un geste la foule qui déjà s'amassait, curieuse, pressentant le drame, friande à l'avance de l'histoire que l'on pourrait raconter au retour : un accident, quelle aubaine!

— Pas ici, pas devant tout ce monde, Michel, conduis-les à la salle des guides.

Le groupe pénétra dans la salle basse aux lourdes colonnes de granit.

Georges et Warfield s'affalèrent sur un banc; les autres firent cercle autour d'eux, et la servante, par habitude, alla préparer les grogs. Pendant un

76

moment le silence fut général, et les vieux, angoissés, laissaient le jeune reprendre son souffle, chercher ses mots qui ne venaient pas.

— Alors, Jean y a eu droit ! dit Lourtier, pour l'aider à sortir ce qu'il savait.

— Il s'est foudroyé au Dru, lâcha Georges.

Puis il fondit en sanglots, la tête dans ses mains, ses larges épaules secouées convulsivement, et de ses yeux brûlés, rouges comme ceux d'un albinos, sortaient tant de larmes que cela faisait des traînées terreuses sur sa figure ravagée.

Ses camarades le laissèrent pleurer en silence.

— C'est la réaction, laisse, ça lui fait du bien, faut rien lui dire, pas l'interroger surtout, conseilla Benoni. Seulement faudrait s'occuper du client.

Par la porte entrouverte qui communiquait avec l'office, il appela :

— Jules, Jules, viens vite.

Le gérant de l'hôtel n'eut pas besoin de se faire expliquer la chose. Il en avait tant vu de ces drames silencieux !

Benoni lui montra Warfield qui restait assis, immobile, le regard lointain, la tête dodelinant légèrement sur les épaules.

— Mène-le coucher, touche pas à ses pieds. Préviens le docteur et le Bureau des Guides. Nous, on s'occupe de Georges.

Le gérant prit Warfield par la main et tous deux montèrent pesamment les escaliers de l'hôtel.

Les guides restèrent seuls avec leur douleur. Et comme par l'huis entrouvert parvenaient encore des chants, des cris, des appels et le brouhaha de la foule, Michel Terraz se leva et alla fermer la porte.

Alors Georges à la Clarisse raconta son histoire.

— Le mauvais temps nous a gagnés de justesse sous le sommet..., commença-t-il.

Mais le vieux Benoni n'écoutait pas; il tranchait de son couteau les lacets gelés des souliers, s'efforçant, sans y parvenir, de déchausser le porteur. Les souliers suintant de givre étaient encore durs comme pierre; il fut obligé d'entailler légèrement l'empeigne. Quand il eut enlevé les gros bas de laine grise, les pieds apparurent enflés, bleuis, avec les orteils tout noirs comme du jais. « Trop tard ! pensa le guide, le gel a fait son œuvre. » Des coulées violettes marbraient déjà tout le cou-de-pied.

Georges continuait son récit sans prêter attention aux reniflements de ses camarades, gagnés par l'émotion et qui essuyaient furtivement leurs larmes d'un large revers de leurs lourdes poignes.

Le train de 9 h 17 siffla longuement, appelant la foule qui s'engouffra en criant et en se querellant dans les wagons. La première fournée était passée.

## 13

Chamonix-Mont-Blanc dort. Ses lourds hôtels sans style et sans grâce, confortables et impersonnels, baignent dans une vapeur ténue qui monte de l'Arve grondante, s'épand sur la station et masque le ciel. Si l'on en juge par cette clarté translucide qui tombe d'en haut en blancheur laiteuse, filtre à travers le brouillard et se diffuse dans les rues auxquelles elle donne des aspects de nefs de cathédrale, si l'on observe la danse ruisselante des atomes sur les rayons de clarté, et les mille cristaux de gelée blanche qui scintillent sur les toits, on peut prédire à coup sûr que le soleil ne tardera pas à percer. Il fait un froid de loup et bien qu'on ne soit qu'aux tout premiers jours de septembre, on se croirait à la Saint-Michel.

Sur la place, tout est calme; l'église sarde avec son clocher bulbeux veille sur la population cosmopolite qui dort dans les palaces. Tous ces grands oisifs de la terre, couchés depuis quelques heures à peine, ne connaîtront jamais l'heure exquise des matins éclatants de pureté. L'horloge du clocher est encore éclairée et son cadran lumineux, entouré d'un halo, transparaît dans le brouillard; mais déjà, par-delà la nappe de brume, le bulbe de cuivre qui s'effile en pointe au sommet du clocher, reflète plus de clarté, commence à se dorer de lumière.

Elle est déserte, ce matin, la place. Gros-Bibi, déjà levé, ouvre son petit café; il est en bras de chemise malgré le froid qui pince. Fabien le cantonnier, bien qu'il ne soit que 6 heures, en est déjà à son deuxième coup de blanc; il maugrée tout en poussant sa brouette, sur laquelle il amasse ses petits tas d'ordures. Cinq ou six vieux guides se sont retrouvés et, sac au dos, piolet à la main, discutent ferme, interpellant familièrement le cantonnier. Ici, tout le monde se connaît, et l'humble balayeur a voix dans la discussion aussi bien que le plus riche propriétaire; à Chamonix, il suffit — mais cette condition est indispensable — d'être enfant du pays pour parler des choses publiques ou aspirer à les diriger. C'est un privilège qui n'est pas accordé à tous.

Le long de l'allée qui conduit au Majestic, et sur la grille de l'hôtel du Mont-Blanc, des serpentins et des cotillons abandonnés par les fêtards jettent des touches vives dans les amas de feuilles roussies.

Fabien rouspète :

— Y me la baillent belle avec leurs sacrés bals ! Double peine ce matin ! Non ! mais regardez-moi ça ! comme si la rue était un dépotoir public ! Bande de noceurs, va, ça ne pense qu'à faire la bombe.

— Pas tous, Fabien, pas tous ! interrompit l'un des pirates. Heureusement qu'il y en a encore pour faire les courses, sans quoi il ne nous resterait plus qu'à émigrer pour vivre. Qu'ils viennent nombreux ! Tu sais bien qu'on retire du profit grâce à tous ces monchus qui laissent leurs sous dans la vallée. Faut bien que jeunesse se passe ! D'abord y sont en vacances, et ça doit pas toujours être drôle pour eux dans les villes. Faut bien leur laisser un peu de bon temps. D'ailleurs, tu sais, bon ou mauvais, ils finissent tous par y venir à la montagne. D'abord par... attends, je me rappelle plus ce mot; par sno... snobisme, c'est ça, somme toute pour crâner et parce que ça fait bien, ensuite par amour, pour épater les petites donzelles le soir autour du bar, et puis ça les prend, mais alors tout de bon... et y lâchent tout ! Mais ceux-là, tu ne les vois pas, Fabien. Ils couchent dans les cabanes, ils rentrent fatigués, ils dorment et ils repartent. Ça, c'est les vrais !

Un tintinnabulement grêle annonça une présence au coin de la rue Joseph-Vallot. On eût dit une chèvre isolée : cela faisait ding... ding... ding...

— V'là le guide-chef. Avec sa sonnaille en guise de timbre, on le reconnaîtrait à cent mètres.

Le guide-chef débouchait sur la place, juché sur un antique vélo haut sur roues, au guidon relevé comme les cornes d'un camarguais. Il s'arrêta le long du trottoir, juste en face du Bureau des Guides, un pied reposant à terre, l'autre encore sur la pédale, et, sans lâcher les freins, il souhaita le bonjour :

— Salut à tous. Déjà au vin blanc de grand matin !

— Adieu, guide-chef, c'mi tè chi baille ?

Ils disaient « adieu », comme tous les gens d'ici qui emploient indistinctement cette formule pour dire bonjour ou au revoir.

— Fait froid; aux Pellerins c'est tout clair, dans une heure le brouillard sera passé. Si vous voyiez la neige ! elle est descendue tout en bas; les aiguilles sont tout emplâtrées. Adieu les courses ! Faudrait huit jours de beau pour tout y sécher, et dans huit jours n'y aura plus un chat dans la station. Dommage ! y avait encore des tas de grosses courses en projet. Enfin, ça fait mé pi pas pi !

*Ça fait mé pi pas pi !* Étrange locution en patois du pays, qu'on emploie à tout bout de champ et qui est presque intraduisible; elle signifie : Évidemment tout n'est pas pour le mieux, ça pourrait être meilleur, mais comme on n'y peut rien, il faut bien s'en contenter. *Ça fait mé pi pas pi !* Toute la philosophie du montagnard est enclose dans cette phrase sonore, et ça dit bien ce que ça veut dire.

Jean-Baptiste Cupelaz ouvrit le bureau qui donnait de plain-pied sur la rue, prit un balai dans l'arrière-boutique et se mit à faire le rapide ménage du local. Ses grosses mains un peu maladroites maniaient difficilement la remasse, après avoir pendant tant d'années serré fortement le manche d'un piolet.

C'était un homme en pleine force qu'un éclat d'obus dans le bassin — souvenir de Verdun — avait pour toujours éloigné des courses. Le Bureau l'avait nommé à ce poste de guide-chef qui consiste précisément à ne pas faire le guide, mais à tenir la comptabilité du Bureau, à veiller à la bonne inscription des demandes, à faire payer les masses (cinq pour cent sur le tarif des courses pour la caisse de secours), à surveiller la marche régulière du tour de rôle et à prévenir les guides demandés à la préférence par un client. Il y fallait beaucoup d'honnêteté, beaucoup de sagesse aussi pour trancher les différends inévitables qui surgissaient au cours de la saison, lorsqu'un guide — généralement un médiocre — se prétendait lésé par un confrère plus heureux en clientèle.

Deux choses, dans son nouveau métier, tracassaient le brave Jean-Baptiste : le téléphone, auquel il ne pouvait pas s'habituer et le vin blanc, auquel il s'habituait trop vite à son gré. C'était toute la journée un défilé ininterrompu — pour le plus grand profit de Gros-Bibi — du bureau au bistrot et vice versa; il n'y avait qu'à traverser la rue. Chaque guide qui rentrait de course tenait à honneur de payer ses masses et sa tournée; chaque guide qui partait pour une *grosse bambée* offrait le coup du départ. Pour ceux qui partaient ou qui revenaient il n'y avait que demi-mal, car les jours d'abstinence et d'efforts et les longues marches éliminaient rapidement les miasmes de l'alcool. Par contre le guide-chef, lui, ne quittait pas son poste sédentaire où il courait des dangers infiniment plus grands que ceux qu'il avait surmontés avant la guerre en faisant les plus périlleuses ascensions et même à Verdun, dans la tourmente de fer et de feu.

— Encore deux ou trois saisons et tu es cuit, lui disait le docteur.

— Bien sûr, bien sûr, mais je ne peux pourtant pas faire le fier avec tous les camarades !

— Méfie-toi ! méfie-toi, Jean-Baptiste, ça te jouera un vilain tour. Refuse !

Jean-Baptiste s'efforçait à suivre les sages conseils du docteur et comme les pirates l'invitaient :

— Oh ! Jean-Baptiste, viens boire trois décis.

— Plus tard, dit-il, maintenant il me faut établir le tour de rôle. Soyez tous là dans une heure, que je vous coure pas après dans tous les cafés du village...

Tout claudicant, il s'assit à la table de travail.

Le Bureau des Guides était une pièce meublée assez misérablement ; on eût dit une antichambre de notaire ou d'huissier. Rectangulaire, profonde, elle était tapissée d'un horrible papier à rayures, tout passé et jauni, et parquetée de sapin large et noueux. Une large table couverte de toile cirée noire, bourrée de papiers et de fiches, comme on en trouve dans les mairies de province, en occupait le centre ; cinq ou six chaises de paille attendaient les visiteurs. Un poêle tout rond enlaidissait la pièce de ses tubulures et l'on avait suspendu un fond de boîte de conserve avec un fil de fer juste sous le coude du haut qui dégoulinait de suie visqueuse. Cependant cette boutique, qui eût pu aussi bien servir à un clerc paperassier, possédait une âme. Sous cette enveloppe anonyme et médiocre, transperçait l'épopée alpestre.

La monotone tapisserie était tout imprégnée de souvenirs, pavée de reliques que les guides, sans y attacher de valeur, avaient fixées au hasard des dons, sur le mur. Un portrait dédicacé de Whymper voisinait avec une photo jaunie relatant la visite de Félix Faure; plus loin, un petit cadre renfermait la photo du roi des Belges, à son retour des Drus. Toutes les célébrités de la montagne avaient laissé, là, trace de leur passage : Cunningham, Freshfield, Mummery, Tuckett, Emile Fontaine, Vallot, Gos, Tricouni, Dunod, Mieulet, Durier, Janssen, etc., et ces photos alternaient avec des cartes, des esquisses, des coupes géologiques, des dessins et de vieilles estampes coloriées de grande valeur qui eussent fait la joie d'un collectionneur. Un plan en relief du Mont-Blanc, dans une caisse vitrée, servait aux explications du guide-chef. Des collections de minéraux, quartz hyalin, cristaux fumés, protogines, micaschistes, gneiss délités, blocs d'amiante, s'empoussiéraient dans un placard. Dans le fond, une énorme bibliothèque vitrée, don d'un sénateur quelconque, étalait la pauvreté de ses volumes, pour la plupart trop abstraits, trop ardus, et qu'aucun guide ne feuilletait jamais.

Mais l'âme même du bureau était l'arrière-boutique : un réduit sans lumière gagné par des cloisons en galandage sur la geôle municipale. Cela sentait à la fois le renfermé et le grand air. Des cordes étaient pendues un peu partout, mêlées à des piolets de tous âges et de toute fabrique, à des crampons, à des lanternes. Tout un matériel entreposé par les guides entre deux courses, et dans le fond, dressé comme un paravent replié, un brancard de grosse toile grise attendait, tout prêt, qu'on eût besoin de ses services. Au plafond un nouveau brancard plus moderne, constitué par un berceau de duralumin suspendu à une poutre métallique, complétait ce matériel de sauvetage qui rappelait, avec une grosse boîte de secours marquée d'une croix rouge, que ce réduit était parfois l'antichambre de la mort.

Un simple couloir étroit, dallé de granit, séparait le Bureau des Guides du Syndicat d'Initiative, déjà plus modernisé, avec sa grande banque séparant le public des bureaux et son faux air d'agence de voyages.

Dans ces deux officines se rassemblaient toute la vie et toute l'activité saisonnière de Chamonix-Mont-Blanc. L'Essi recevait les visiteurs, les dirigeait, les logeait; le Bureau des Guides se chargeait d'encadrer ceux d'entre eux tentés par une ascension.

Jean-Baptiste Cupelaz ouvrit son registre, inscrivit les noms des pirates du jour, puis consulta les demandes de courses. Celles-ci n'étaient pas nombreuses, le mauvais temps avait rebuté les clients. Le guide-chef hocha la tête.

— Avec la neige, finies les grosses !

Les *grosses*... cela signifiait les courses difficiles, les rudes escalades, celles qui ne sont accessibles qu'à une minorité bien entraînée et que tous les guides n'acceptent pas. Faire les grosses !... Cela signifie être prêt à partir n'importe où, que ce soit à la Verte, ou dans les Aiguilles, ou sur les longs itinéraires de glace; faire les grosses, cela veut dire aussi gagner beaucoup d'argent en risquant beaucoup. Les guides de Chamonix n'ont pas adopté le qualificatif de guide de première ou de deuxième classe. Ils se trient d'eux-mêmes en refusant de partir pour les courses qu'ils jugent trop difficiles pour leurs qualités. De ce fait seule une petite élite, une trentaine en tout, se partage les risques et les profits d'un dur métier. Pour les autres, le Mont-Blanc, que l'on a intentionnellement tarifé un peu cher, constitue le maximum; ils s'y abonnent et il n'est pas rare qu'ils l'escaladent une dizaine de fois dans le courant de l'été, les grands guides préférant aborder les grandes escalades.

Le guide-chef ayant terminé sa liste appela les pirates, qui partirent nonchalamment par l'avenue de la Gare, le piolet sous le bras, pour prendre le train du Montenvers.

Peu après, Cretton, le portier du Carlton, vint s'enquérir d'un guide.

— Quelqu'un de sérieux, un peu vieux, qui marche doucement, c'est pour un diplomate qui veut visiter les cabanes; pas besoin d'un aigle, mais donne-moi-z'en un qui ait du bagou, et qui connaisse toutes les histoires, y a gros à gagner.

— Je t'enverrai le vieux Jules Rebat, il lui racontera ses voyages dans les Amériques.

— Ça va! Demain, j'aurai sans doute un jeune homme à entraîner pour les grosses... t'as quelqu'un?

— Attends, je vais voir le tour.

Et Jean-Baptiste épela plusieurs noms inscrits par ordre d'entrée et d'ancienneté.

— C'est toujours la même histoire, maugréat-il, les bons y sont en course, et ils abandonnent leur tour, vu qu'ils sont choisis à la préférence. Écoute, j'attends Jean Servettaz ce soir, y doit redescendre des Drus, ça tombe justement sur lui, je lui laisserai un mot.

Le portier s'en alla.

Deux grands clubistes allemands se présentèrent ensuite.

— Un guide, ja, Bergführer!... pour Mont-Blanc. Combien?

— Cinq cents francs, plus le porteur, trois cent cinquante.

— Nous ne voulons pas de porteur, nous portons nous-mêmes.

— C'est le règlement, monsieur, c'est pour la sécurité de la cordée.

— Ja! Ja! alors rendez-vous demain hôtel Couttet.

— Ja! Ja! fit à son tour Jean-Baptiste, comme s'il parlait allemand.

Les clients partis, le guide-chef se retrouva seul avec deux ou trois vieux qui fumaient silencieusement leur pipe. Il se leva et alla jeter un coup d'œil dans la rue.

— Tiens! c'est maintenant tout clair... Mince d'enneigement, regardez les cheminées des Charmoz : des torrents de glace! On est bon! faudra bientôt fermer.

La brume s'était en effet dissipée, et la chaîne apparaissait toute blanche au-dessus des moraines. La ligne du soleil descendait régulièrement le long des forêts sous le Brévent, et cela faisait un contraste saisissant. Au-dessus, tout semblait chaleur et lumière, cependant qu'en bas les prés et les bois baignaient dans une clarté toute bleue, ténue et vaporeuse, et le soleil descendait lentement, source de lumière invisible, perçant au-dessus des Aiguilles, laissant tout un côté de la vallée dans l'ombre, éclairant crûment les rochers qui sortaient pour ainsi dire du sommeil pour vivre tout à coup et flamboyer dans le ciel. Les énormes coulées de glace du Dôme du Goûter, des Bossons et de Taconnaz étaient à peine léchées, par touches hésitantes, de plaques lumineuses accentuant encore la lividité sinistre des glacières.

Les premiers autocars montaient des basses vallées, amenant leur contingent habituel de touristes d'un jour et ceux-là, au débarquer, se précipitaient sur les magasins de cartes postales et de souvenirs.

Un guide arriva, le sac vide négligemment accroché à l'épaule par une seule bretelle, la figure brûlée par les combats.

— Te voilà rentré, Étienne?

— Depuis hier soir, je viens payer les masses.

— T'as fait bonne course?

— Trop de neige, nous avons boellé sous la rimaye des Charmoz.

Le guide paya, s'apprêta à sortir, puis se retourna.

— Tu viens? On va boire trois décis, pour arroser les masses.

— Allons-y!

Les deux hommes allèrent s'attabler en face, le guide-chef laissant grande ouverte la porte du bureau afin de surveiller les entrées. La place se remplit de monde : touristes, guides, employés d'hôtels remuants et actifs, notabilités du pays parlant avec animation des problèmes du jour, parmi lesquels la politique, mais surtout la politique locale, tenait la plus grande place.

La servante du café apportait déjà la fine petite carafe à long col, marquée à la mesure par un trait et une croix gravés dans le verre; aucun consommateur n'accepterait ici qu'on lui servît du vin dans des bouteilles ne tenant pas la mesure ou dans ces pots trompeurs comme on en use dans le Midi. Le Chamoniard désire avoir exactement ce qu'il demande et son esprit posé s'accommode mal de la fantaisie.

— T'as fini ton engagement, Étienne?

— Avec le monsieur anglais, mais je repars

dans trois jours pour la Corse avec un clubiste de Berne; ici, il y a trop de neige. Vois-tu, Jean-Baptiste, faut savoir voyager quand on est guide; en fouinant bien, il y a toujours un massif de par l'Europe où l'on peut travailler. Le tout est d'avoir de la clientèle.

— Bien sûr, le tout est d'avoir de la clientèle.


## 14


Un gros homme entra dans l'estaminet, salué avec respect et considération par les consommateurs attablés. A vrai dire, il jurait un peu dans ce café de guides, avec son complet veston de fort bonne coupe, son feutre anglais, ses souliers fins impeccablement cirés. Il mâchonnait un cigare et sa figure légèrement couperosée décelait l'homme qui vit bien, mange et boit un peu trop, mais conserve une robuste constitution. Sans façon, il s'attabla avec le guide-chef et Étienne, et, bon vivant, appela la bonne.

— Remets-nous ça, petite. (Puis, engageant la conversation, il s'inquiéta :) Tu as des nouvelles de mon neveu, Jean-Baptiste?

— Ils doivent être sur le chemin du retour, monsieur Dechosalet.

Le guide-chef lui disait monsieur, tout comme à un client; il est vrai que Paul avait bien fait son chemin depuis l'enfance, et qu'il possédait maintenant, à lui tout seul, l'hôtel des Voyageurs, la plus vieille maison de Chamonix, cent dix-sept chambres, cinquante salles de bains, comme annonçait fièrement l'enseigne. Tout ça ne l'avait pas empêché de rester bien chamoniard, c'est-à-dire de ne perdre aucun contact avec ceux de la vallée qui étaient restés tout simplement guides ou cultivateurs et n'avaient pas fait fortune. C'est une qualité qu'il faut reconnaître à tous les montagnards, que, même enrichis, ils restent simples et sans arrogance. Dans cette vallée où le sens de l'égalité est profondément enraciné, on ne juge pas les gens sur leur fortune, mais sur leurs qualités morales, et si on se sert des puissants pour mener les affaires de la commune, c'est bien uniquement parce que eux seuls sont capables de traiter avec les messieurs du dehors qui ont trop souvent tendance à vouloir tout manger, tout englober. Paul Dechosalet portait ainsi avec regret, mais non sans allure, un faux col impeccable et un costume de bon tailleur, mais cela ne durait que pendant la belle saison; dès que les touristes étaient partis, il reprenait avec plaisir sa vieille veste de chasse en drap côtelé, ses gros souliers à clous et se coiffait d'une casquette à oreilles qu'il ne quittait plus, la gardant même à table, ainsi qu'on le fait encore dans les campagnes. Pour fixer un trait de son caractère : il s'était fait construire quelques années auparavant une magnifique villa, dotée de tout le confort moderne, luxueusement meublée. Il l'avait habitée quinze jours et vite était retourné dans le vieux chalet familial, celui des Dechosalet, tout oublié dans un coin du parc de l'hôtel des Voyageurs, qui était naguère le verger. Il préférait les pièces basses, toutes boisées et le grand poêle de faïence, au luxe et au confort de sa nouvelle maison. Il n'aimait pas qu'on l'appelât monsieur, et il ne pouvait supporter de ne plus être tutoyé par ses conscrits.

— Monsieur! monsieur! gronda-t-il, je t'en

ficherai du monsieur! Tu peux pas m'appeler Paul et me tutoyer? On dirait que tu ne te rappelles plus les quatre cents coups de notre jeunesse, et quand on allait aux filles jusqu'à Servoz!

— Bien sûr, Paul, mais un homme de ta condition...

— Allez, vide ton verre! Hé! petite, trois décis.

Les trois hommes burent et se levèrent.

Paul Dechosalet s'en alla flâner par les rues, saluant l'un, plaisantant l'autre, tandis que Jean-Baptiste reprenait sa faction au Bureau des Guides.

Étienne, désœuvré, s'adossa contre la porte et fuma tranquillement sa pipe en contemplant le va-et-vient de la foule.

Un grand jeune homme blond entra et, dans un français assez correct, demanda un guide pour le Mont-Blanc. Il était en costume de voyage, chaussé de petits souliers et coiffé d'un canotier de paille.

— Vous avez déjà fait des courses, monsieur? s'enquit le guide-chef.

— Des quoi?

— Des ascensions!

— Non, jamais, je suis suédois, je rentre de l'université de Boston et je veux monter sur le Mont-Blanc avant de rentrer dans mon pays.

— Vous n'avez jamais fait de montagne?...

— Jamais, mais je suis bon marcheur.

— Il vous faudra un guide et un porteur.

— Je paie, c'est entendu, mais je veux partir aujourd'hui, car il faut que demain soir je reprenne le train de Genève; on m'a dit que je pouvais coucher au refuge des Grands... des Grands... Oh! comment dites-vous?...

— Des Grands-Mulets.

— C'est ça. Alors je voudrais louer des chaussures, un piolet, et tout ce qu'il faut.

« Bonne aubaine », songea le guide-chef. Il appela Étienne.

— Tu repars dans trois jours ?

— Oui.

— Veux-tu essayer le Mont-Blanc avec ce client ? Il n'y connaît rien; je te donnerai un bon porteur.

— Je veux bien essayer, mais avec la neige, pas beaucoup de chances qu'on arrive; il va falloir faire la trace dans la neige fraîche !

— Essayez toujours !

Cinq minutes après, le blond Suédois, équipé de pied en cap par les soins du guide-chef, partait en direction du téléférique de l'Aiguille du Midi.

Jean-Baptiste se replongea dans ses comptes.

Il en fut tiré par la sonnerie du téléphone, un vieil appareil à manivelle, appliqué au mur dans l'arrière-boutique.

Le téléphone était, après le vin blanc, le gros souci du guide-chef. Il ne pouvait s'habituer à parler dans ce petit entonnoir et à engager une conversation normale avec quelqu'un qu'il ne voyait pas. Généralement, il faisait répondre par un des guides présents, spécialement les jeunes qui étaient tout fiers de s'en servir. Quant à lui, il préférait les messages apportés par les cyclistes, pisteurs ou chasseurs des hôtels.

Gauchement, il décrocha l'écouteur :

— Allô, cria-t-il, ici le guide-chef.

— ...

— Ici le Bureau des Guides... oui, monsieur... Ah ! c'est toi, Jules, tu téléphones du Montenvers... Allô, j'entends pas... qu'est-ce que tu dis ?... Ah ! bon sang ! répète, pas possible... Jean... Hein ! foudroyé... vraiment mort... pas possible... Georges, les pieds gelés... et le client?... pas grand-chose... enfin... Oui, bien sûr, je vais aviser, mais laisse-moi le temps de me retourner, ça m'a tout secoué... Dis, demande à Georges comment c'est enneigé les Drus... tout en bas jusqu'au glacier? Alors y pourront pas monter... Fais beau là-haut?... Grand beau temps... et le froid. Bien. Merci, Jules, oui, ça va ici, ça va, merci, ça va bien, merci.

Jean-Baptiste raccrocha l'écouteur. Il lui fallut un grand moment pour se reprendre. Sa figure était toute bouleversée par la stupéfaction et la douleur.

— Quelle histoire! On m'en apprend une belle, dit-il aux autres. Jean s'est fait prendre aux Drus et Georges a les pieds gelés. Faut organiser les secours. Si j'ai bien compris, il est resté tout près du sommet; faut des bons pour aller le décrocher!

— Ceux du Montenvers pourraient peut-être y aller...

— Que non, aujourd'hui c'est le tour des vieux; c'est fini pour eux, ces acrobaties. Le malheur c'est que tous les jeunes, ou presque, sont partis; je viens d'envoyer Étienne Davet au Mont-Blanc. Tu n'irais pas, toi, Maxime?

Maxime Vouilloz pouvait avoir cinquante ans, mais il exerçait toujours et avait été un fameux grimpeur.

— Que si! Et Jacques à Batioret aussi, il creuse les pommes de terre. Je vais passer le prévenir.

— Ça fait deux. Faut au moins être huit. Six pour descendre le corps, deux pour porter les cordes, faire l'assurance, placer les rappels...

Un groupe de jeunes porteurs attirés par la discussion entra dans le bureau et fut mis au courant. Ils pouvaient bien tous avoir entre dix-huit et vingt-deux ans, mais paraissaient davantage, avec leurs visages durement travaillés par les luttes quotidiennes avec la montagne.

— Pourquoi on n'irait pas nous autres ! déclara Fernand Lourtier. Les Drus, j'y ai été trois fois. Boule que voilà a fait toutes les grosses.

— Moi j'en suis, dit simplement Boule, un jeune tout rond, ventripotent, visage imberbe, bas sur pattes et éternellement souriant, qui cachait, sous ces dehors physiques peu en harmonie avec la sécheresse d'allure de ses camarades, une agilité incroyable.

— Moi, dit Paul Mouny, je suis pas un as; ça serait pour passer en premier, je dirais non, mais pour aider, je suis toujours là... et puis, Fernand et moi, on est les copains de Pierre, c'est bien le moins qu'on aille chercher son père.

— Et lui, Pierre, où peut-il être ?

— Descendu sur Courmayeur avec Joseph le Rouge; faudra téléphoner au guide-chef de là-bas pour le faire prévenir.

— Faudrait aussi avertir la Marie, la femme à ce pauvre Jean, dit tout à coup le guide-chef. Qui c'est qui va s'en charger ?

— Si on le faisait dire par son frère ? suggéra Fernand Lourtier.

— Paul Dechosalet ? J'ai trinqué avec lui y a pas une heure, va vite me le chercher.

— En passant par la maison, je dirai à Aline d'y aller aussi. Ça fera plaisir à Pierre de savoir qu'elle a été trouver la maman.

Dehors, déjà, la foule s'amassait, la rumeur courait la ville comme une onde maléfique, jetant l'émotion de tous côtés, et bientôt les gens vinrent aux nouvelles, interrogeant sans discrétion, sincères dans leur pitié, certes, mais bien gênants à une heure où tout doit être consacré aux opérations de sauvetage.

— Ne perdez pas de temps, dit le guide-chef. Alors, c'est entendu; toi, Maxime, tu prendras la direction de la caravane. Inscrivons les noms, veux-tu ? Avec toi, Jacques à Batioret...

— Entendu; je passe le prévenir.

— Ensuite les jeunes : Fernand Lourtier, Boule, Paul Mouny.

— Présents, dirent les porteurs.

— Il en faudrait encore trois.

— J'y vais, déclara un grand rouquin, Armand Rosset, du village du Mont, si vous me voulez vous autres.

Rosset appartenait à un village autre que les trois premiers et les guides ont tendance à se grouper par familles, par villages, par affinités. Rosset n'était pas de leur bande.

— Bien sûr qu'on t'accepte, déclara Maxime, mais m'en faut encore deux.

— Tiens, voilà Michel Lourtier, conseilla Paul Mouny; il est bien jeune, seize ans, mais il grimpe comme un singe, il pourrait porter les cordes.

— Tu veux venir, Michel ?

— Où ça ?

— Un coup dur. Jean Servettaz qui s'est tué aux Drus; y aura de la glace dans les cheminées !

— Pauvre Jean, réfléchit un instant le gamin. (Puis, sans hésitation, il ajouta :) Bien sûr que j'en suis, manquerait plus que ça.

— Je compléterai la caravane, déclara un solide gaillard qui venait d'arriver. Je ne suis pas de chez vous, mais en montagne on est tous frères. Je comptais rentrer à Saint-Gervais ce soir; tu téléphoneras au Bureau qu'on prévienne à la maison.

— Entendu, Jean Blanc, et merci.

Jean Blanc était un guide de Saint-Gervais, dépendant de la section du Club Alpin Français. Un peu de rivalité se glissait comme de juste entre les guides du Club Alpin, plus récent, et les guides de Chamonix, formés en compagnie autonome depuis plus d'un siècle et très jaloux de leurs prérogatives; dans les coups durs on oubliait querelles et rivalités, tout le monde se serrait les coudes.

Jean-Baptiste reprit la parole. Son émotion première était passée; il organisait et commandait en chef.

— Vous les jeunes, allez vite vous préparer; prenez doubles mitaines, car il fait froid; inutile de prendre les crampons, ça vous chargerait et dans la neige poudreuse y sont inutiles. Pour les cordes, ici au Bureau, j'ai cinquante mètres de onze millimètres; ça pourra faire pour descendre le corps; pour l'attache, vous les vieux, prenez sur votre réserve. Faudra au moins trois cordes de rappel, et avec ça, n'oubliez pas des anneaux. Toi, Maxime, tu dois bien avoir de la corde à anneaux de reste dans le grenier?

— Pour sûr. Seulement, c'est la question des lanternes.

— Ici il y a deux grosses lanternes, prenez-les; avec la tienne et celle de Batioret, ça suffit. Maintenant, voyons le brancard. A mon avis, si j'étais vous, je prendrais simplement la perche de six mètres en duralumin, elle se démonte en trois morceaux; c'est plus pratique pour attacher un corps. Et puis, il y a un brancard à la Charpoua, le Club des Sports Alpins en a fait monter un il y a deux ans, après l'accident du couloir Mummery.

— Et les sacs? questionna Maxime.

— Bien sûr, faut penser à tout. Vous prendrez une couverture à la cabane; doit bien y avoir des couvre-pieds usagés, et puis je vais vous donner quatre sacs. Tiens, Michel, cours à la Coopérative des hôteliers, demande quatre gros sacs de balle; quand tu diras pourquoi c'est faire, le gérant te les donnera.

— Allez! maintenant perdez pas de temps. Faut attraper le train de 11 h 30; ça vous mettra vers midi un quart au Montenvers et vous pourrez être rendus assez tôt à la Charpoua pour bien vous reposer. Et même, vois-tu, continua Jean-Baptiste, en s'adressant plus particulièrement au chef de la caravane, à ta place j'irais pousser une reconnaissance jusqu'à la rimaye, la trace serait faite pour le lendemain.

— Bon, bon, Jean-Baptiste, t'inquiète pas, ça marchera.

— Écoute, un dernier conseil, et vous, les jeunes, écoutez aussi. Le pauvre Jean est mort, c'est suffisant; ça fait le deuxième de la compagnie cet été. Sous prétexte d'aller dérocher un mort, je ne voudrais quand même pas que vous fassiez des bêtises. Je vous connais, allez... j'ai été comme vous, je sais bien ce que vous allez me dire. On ne peut laisser le pauvre Jean accroché à son rocher comme un pantin mis là pour effrayer les choucas, ça nous fait mal à tous, et faut penser à sa veuve et à son fils... Je sais ce que c'est... A Verdun, quand un copain tombait dans les lignes, on préférait se faire tuer plutôt que de ne pas aller chercher son corps. C'est humain; moi aussi, j'ai la sensation qu'il a froid là-haut, le pauvre Servettaz... Seulement faut être prudent, ça ne servirait à rien qu'il y ait une nouvelle catastrophe, comme le jour où il y en a trois qui se sont fait geler au

Mont-Blanc pour ramener un corps. Soyez prudents, les rochers sont très enneigés, à ce qu'il paraît. C'est Maxime qui décidera ; au besoin, restez un jour ou deux à la cabane, mais surtout ne vous exposez pas. C'est compris ?

— Compris ! guide-chef, compris.

— Alors filez et rendez-vous à 11 heures. Moi, je vais voir pour prévenir la famille.

Peu après, Dechosalet pénétra dans le Bureau. Il était encore sous le coup de l'émotion et haletait à la suite de la course qui l'avait mené d'un bond de l'hôtel jusqu'ici. Ses yeux étaient tout rouges, comme prêts à éclater.

— Alors, c'est vrai ce qu'on m'a dit ?

— C'est vrai ! Mon pauvre Paul, qui aurait dit ça de Servettaz ! Encore l'autre jour, lorsqu'il est rentré de la Lotschenlücke, y paraissait si sûr de lui. « Quatre heures, à la boussole, sur le glacier « d'Aletsch, qu'il me disait. J'ai cru que je tourne- « rais en rond sur la Concordia Platz, mais j'ai « réussi à trouver la cabane. Pas cinquante « mètres de dérive sur quatre heures de marche ! « La montagne ne m'a pas encore eu ce coup-ci ! » Et voilà qu'il disparaît !

— Sacré métier ! Comme je comprends qu'il ait jamais voulu faire un guide de son fils. Ça va le toucher cette mort, le pauvre Pierre ; enfin je suis là pour m'occuper de leurs affaires.

— Oui, ils ont de la chance de t'avoir, oncle Paul, tu es un peu leur conseil.

— La caravane est-elle partie ?

— Je les attends, y sont allés se préparer.

— Je reviens, faut que je leur donne un peu de *goutte* pour emporter : y va faire froid là-haut. Et puis, je voudrais les voir ; ça ne te paraît pas dangereux, cette expédition, avec la neige fraîche ?

— Que si, que si, mais tu ne voudrais pas qu'on laisse un des nôtres là-haut, sans sépulture, au risque de le voir arraché par le vent, précipité dans les abîmes et enseveli à jamais dans une crevasse. Ses morts, vois-tu, faut les garder chez soi; la plus grande joie de mon père, ça a été lorsqu'il a reconnu, quarante années après l'accident, le corps de mon grand-père presque intact, conservé dans la glace, qui avait déambulé du sommet du Mont-Blanc dans son cercueil de cristal jusqu'en bas sur le plateau inférieur du glacier des Bossons. Le grand-père était tombé jeune, bien plus jeune que mon père, il avait encore tous ses cheveux et la figure toute rose, mais il était si gelé que ses yeux étaient durs comme des billes d'agate. Quarante ans à suivre le mouvement du glacier! Et tous les ans, à la Toussaint, on savait pas où aller prier; alors le père regardait le Mont-Blanc, là-haut vers les Rochers Rouges, là où est arrivé l'accident, et il se lamentait : « Savoir où est passé le père », disait-il. Il y avait sa place marquée au cimetière, on a eu juste besoin de le mettre dedans, c'est comme si la famille s'était retrouvée tout à coup au grand complet. Le père était heureux! « Maintenant, qu'il m'a dit, on s'est tous retrouvés!» Moi, ce qui m'avait le plus frappé, c'était de voir mon grand-père sous l'aspect d'un jeune homme de trente ans. J'étais gosse et je ne pouvais pas concevoir qu'un grand-père, ça ne soit pas un vieil homme avec des cheveux blancs. Tout ça pour te dire qu'on fera tout pour ramener son corps pendant qu'il en est temps.

— Bien sûr, Jean-Baptiste, mais faut pas qu'ils fassent des bêtises.

— Ça m'ennuie un peu, j'ai pu trouver que des

jeunes porteurs; il y aura juste trois guides, mais Maxime Vouilloz est un vieux renard.

— Oui, j'ai confiance en lui.

— Ils voulaient tous partir, tu sais, jusqu'à ce petit Michel, que j'ai embrigadé un peu contre mon gré : seize ans, c'est un peu jeune, pas vrai ?

Les huit hommes, peu après, se retrouvèrent tout équipés devant le Bureau. Ils se répartirent les provisions et le matériel de sauvetage. Paul Dechosalet revint à ce moment, apportant un peu d'eau-de-vie. Michel, le dernier, remplit son sac avec les quatre enveloppes de serpillières qui devaient servir à recouvrir le corps. Cela faisait un gros rouleau qui dépassait du rucksack; on eût dit un colporteur en tissus, comme il en vient parfois du Piémont. Dehors, la foule s'amassait de plus en plus. Chacun venait aux nouvelles.

Les huit gaillards se renfermaient au contact de ces gens qui les énervaient en leur posant des questions saugrenues, et ils évitaient de répondre, refoulant une sourde colère contre les gens, contre la montagne qui avait pris un des leurs, contre le temps qui se mettait en travers de leurs projets, contre la neige fraîche qui s'opposait à leurs futures recherches. Bientôt tout fut prêt.

— Allez, Maxime, conseilla le guide-chef, tu as juste le temps pour le train.

— En route, vous autres. A r'vi, pas! A r'vi, donc!

— A r'vi!

— Fara mé pi pas pi! déclara Boule, tout souriant, en mettant sac au dos.

Il était toujours jovial, Boule, et sa figure exprimait un éternel contentement.

La petite caravane enfila l'avenue de la Gare, et les gens, intrigués par les trois perches cylindriques qu'ils portaient sur l'épaule, se retournaient sur leur passage. Eux marchaient sans s'arrêter, sans répondre aux questions. Le petit Michel trottait le dernier, un peu fier, malgré tout, d'avoir été choisi pour une aussi rude équipée, et lorsqu'un touriste l'abordait pour lui demander où ils allaient, il ne pouvait s'empêcher de répondre et de lui désigner du piolet le Dru, tout saupoudré de neige, qui laissait dépasser le haut de son énorme pyramide au-dessus du Montenvers.

— Là-haut, monsieur, et ça ne sera pas facile, croyez-moi !

Comme s'il avait eu quinze ans d'expérience.

Dans le train à crémaillère, on leur donna un compartiment spécial, et bientôt ils se mirent à discuter avec animation, oubliant même le but de leur voyage, causant cheminées et fissures, itinéraires, etc., comme s'il s'était agi d'une course ordinaire.

A la Fontaine-Caillet, on croisa le train qui descendait; ils eurent juste le temps d'apercevoir, dans le dernier compartiment, le vieux Benoni qui accompagnait Georges à la Clarisse, un Georges à la Clarisse douloureux, épuisé, aux traits contractés et paraissant souffrir énormément. Il les regardait sans dire un mot, et sa douleur était si évidente que les huit se sentirent le cœur serré. Du regard, Maxime interrogea Benoni.

— Oui, pieds gelés, répondit laconiquement le vieux. Y souffre beaucoup depuis une heure.

Les deux trains repartaient déjà, celui de la vallée emmenant vers l'hôpital Georges à la Clarisse, désormais retranché de la Société des Guides, et celui de la caravane de secours qui ahanait sur la rampe du grand viaduc, conduisant au danger les camarades du disparu.

Ils ne s'arrêtèrent pas au Montenvers; Jules était venu à la gare leur communiquer les derniers renseignements, et sans perdre de temps ils dévalèrent le chemin du glacier, doublant les touristes et les importuns pour ne reprendre haleine qu'un peu plus loin au-dessus des falaises des Ponts, là où s'arrête la ruée des gens des plaines.

Alors, débarrassés des fâcheux, ils reprirent une allure plus régulière, et Maxime Vouilloz passa en tête pour régler la marche.

Trois heures après, ils arrivaient au refuge de la Charpoua.

Maxime Vouilloz, Michel Lourtier et Jean Blanc partirent faire la trace et reconnaître l'état des rochers. Boule, déballant les provisions, alluma le poêle et prépara la soupe du soir. Les autres, ayant étendu un couvre-pied sur la table, se mirent à jouer aux tarots, la gourde de vin à portée de la main; ils marquaient les points sur une feuille toute graisseuse que l'un d'eux avait arrachée de son carnet. Ils s'efforçaient d'oublier le drame qui s'était joué là-haut et celui dont ils seraient demain les propres acteurs. Ils abattaient les cartes avec réflexion, tout comme s'ils avaient été chez Gros-Bibi ou chez le père Breton, à Chamonix.

Seulement, comme il commençait à faire très froid, ils fermèrent la porte de la cabane, sans plus s'occuper du magnifique coucher de soleil qui dorait le Mont-Blanc, et venait jusque sur le seuil du refuge iriser la neige fraîche toute poussiéreuse et légère.

Cependant, Boule, toujours souriant, quittait ses casseroles et sortait de temps à autre pour surveiller le retour des trois.

Il rentrait alors, tout frissonnant et, le sourire aux lèvres, déclarait :

— Ben, mes aïeux, quel froid ! Ouh, ça pince ! T'as pas regardé les Drus, on dirait du marbre ; gare demain ! On va rigoler, je vous dis que ça, on va rigoler... ouh !

Puis il se remettait à brasser la soupe, une confortable pâtée où il avait tout jeté, un saucisson, des pommes de terre, des pâtes, du Liebig, des potages concentrés, du fromage.

— Avec ça sur l'estomac, mes gaillards, déclarat-il, vous serez calés pour longtemps.

Dans une grande bassine à part, il faisait fondre la neige par petits paquets et surveillait gravement la fusion ; puis il recueillait l'eau dans la grande brande accrochée à un clou de charpentier, juste derrière le poêle.

Un bruit de voix annonça le retour des autres. On entendit le choc de leurs souliers sur les planches de la cabane, pour décoller les sabots de neige, puis ils pénétrèrent l'un après l'autre, les molletières tout enneigées, les moustaches givrées. Le petit Michel, avec ses gros sourcils tout blancs, semblait avoir vieilli de dix ans.

— On ne montera pas demain, déclara Maxime, il y en a cinquante centimètres au moins sous l'Épaule et ça a déjà coulé et glacé !

— On verra bien demain, ça fait mé pi pas pi ! dit Boule ; allez, vous autres, rangez les cartes.

Ils mangèrent avidement, puis, quittant leurs chaussures qu'ils remplirent de vieux journaux afin de les sécher, ils allèrent s'étendre sur le batflanc, avec, juste au-dessus de leur tête, le brancard de secours, fixé au plafond, attendant lui aussi l'occasion de servir.

Boule lava la vaisselle aidé par Michel, puis,

lorsque tous ses camarades furent couchés, il sortit lentement.

La nuit était étoilée et si froide qu'on hésitait à ouvrir les lèvres. Boule fit le tour de la cabane, examinant longuement tous les sommets qui lui étaient familiers, et les mains dans les poches, une cigarette mi-éteinte accrochée à la bouche, il resta un bon moment à rêver face aux Drus.

Tout seul dans la nuit de la montagne, Boule, devenu soudain très grave, ne souriait plus. Il hochait pensivement la tête en contemplant ces rochers sinistres sous leur carapace de glace.

— On verra bien, on verra bien, dit-il à haute voix, faut pourtant pas le laisser là-haut.

Il rentra dans la cabane, éteignit la bougie et s'étendit à côté de ses camarades.

Un grand souffle de vent plaqua un long accord sur la montagne. Les parois du refuge gémirent et craquèrent. Puis le silence rejoignit la nuit, toute peuplée d'angoisse.

## 15

Par le raide chemin pierreux qui conduit au sommet des Moussoux, Jean-Baptiste Cupelaz, Paul Dechosalet et le maire de Chamonix montent lentement.

Ils vont annoncer la triste nouvelle à la Marie, la femme de Jean Servettaz. Le maire, qui dirige les affaires du pays avec cette même sagacité qu'il met à faire prospérer son grand hôtel, n'a pas même pris le temps de se changer; il est venu

104

comme il était : en jaquette, et ses escarpins vernis sont bien mal venus dans ce *gire* bordé de murettes, tour à tour torrent ou sentier, qui s'élève raide et dru sur les flancs du Brévent. Les trois hommes ont dépassé le village des Moussoux, confortablement assis sur les pentes adoucies du cône de déjection de la Roumna Blanche, ce terrible couloir où les avalanches de fond se précipitent comme un raz de marée, en plein cœur de l'hiver et à la fonte des neiges. Sur leur passage, les gens se retournent. Cette présence est insolite; ils s'interrogent : « Que vient faire le maire à cette heure-ci? Et l'oncle Paul, et le guide-chef? — Sûrement un malheur chez les Servettaz! »

Et les vieilles se signent craintivement.

Derrière eux, l'amphithéâtre des cimes et des aiguilles, des dômes éclaboussants de lumière, des clochetons et des doigts gantés de velours blanc, des clochers et des gendarmes effilés comme des glaives, se détache en festons sur un ciel d'un bleu très clair; les glaciers blanchis à neuf par la tourmente coulent dans la vallée, craquent et gémissent, écartant de leur poussée millénaire les forêts où la dorure brûlée des mélèzes habillés d'automne alterne avec la houle éternellement verte des épicéas. Les autos cornent sur la route et un petit train joujou, tout bleu et blanc, disloque ses vieux wagons sur la voie étroite, dans un fracas d'essieux grinçants, mêlé au ronronnement monotone de ses machines électriques.

Maintenant, ils atteignent les derniers bosquets avant le « Moëntieu » des Moussoux.

— C'est la dernière maison, monsieur le maire, renseigne le guide-chef. Tenez! le chalet tout neuf que vous voyez là-haut contre cette jeune plantation d'épicéas : le Moëntieu des Moussoux ! Il n'a pas toujours été aussi important. C'est le travail de Jean; ça lui a pris des années; il a tout fait, ou presque, de ses mains. Un beau boulot !

— C'était un travailleur, ce Jean Servettaz, et un brave homme. Le plus avisé de mes conseillers, un esprit ouvert... oui, une grosse perte pour la vallée. Et votre pauvre sœur, quel coup pour elle !

— Oui, avec trois enfants; c'est un coup très dur. Heureusement, Pierre est un solide gaillard, reprit l'oncle Paul. (Puis comme il peinait visiblement, il ajouta :) Si nous soufflions un peu, monsieur le maire ? On est presque arrivé. Reprenons nos esprits.

Les trois hommes s'assirent sur l'herbe au bord du chemin et continuèrent à deviser sans prêter attention à l'admirable paysage que leurs yeux contemplaient depuis toujours, sans même un regard plus spécial pour l'Aiguille du Dru, étincelante de neige fraîche. Paul s'épongeait le front, un peu congestionné par la raide montée. Le guide-chef, malgré lui, s'intéressait à des détails qui auraient échappé à un œil profane. Il contemplait le Moëntieu, bien à cheval sur un éperon de terre entre deux couloirs :

— On m'aurait dit de bâtir à cet emplacement que j'aurais hésité ! dit-il. Le chalet des Servettaz est placé juste sur le trajet de l'avalanche du Brévent. Pourtant il n'a jamais été touché; le vieux Moëntieu était là depuis trois siècles. Les anciens savaient mieux lire que nous dans la montagne. Regarde, Paul. Ils ont tenu compte, pour bâtir, de ce gros bloc isolé, là-bas, qui coupe l'avalanche en deux parties. La branche de droite vient mourir un peu plus haut que la maison; parfois elle arrive jusqu'au gros mur de protection qu'ils ont construit dans les temps anciens; elle ne le dépasse jamais. De l'autre côté, à moins de cent mètres, c'est la coulée du Nant-Favre; c'est calculé de justesse! Ils sont tranquilles ici. Et en plein soleil; en hiver, il y arrive plus de deux heures avant Chamonix et c'est appréciable.

Le Moëntieu des Moussoux n'était encore, il y a une dizaine d'années, qu'un modeste chalet écrasé par un large toit de lauzes, avec un simple rez-de-chaussée en maçonnerie, muni de petites et rares ouvertures croisillonnées de barreaux de fer, surélevé par une grange construite en grosses poutres apparentes. Les murs étaient épais, doublés intérieurement de planches de mélèze; on avait également doublé les fenêtres, doublé les plafonds et les planchers. Entre ces deux parois on entassait de la sciure de bois, magnifique isolant contre le froid; c'était aussi le lieu de prédilection des souris et des mulots qui venaient y prendre leurs quartiers d'hiver. Face au midi se trouvait l'*outa,* sorte de renfoncement dans la maison, pièce en plein air servant d'antichambre, et sur laquelle donnaient toutes les pièces : la grande cuisine avec sa cheminée ouverte à même le toit et commandée par un panneau mobile; la longue et basse chambre à coucher commune, avec ses lits ramassés, hauts en cadre, bedonnants sous leurs duvets et leurs couvertures de laine au crochet; puis, sur l'autre face, l'écurie d'où, l'hiver, s'échappait une chaude odeur de bétail, de litière, de suint et parfois, dans le silence de la nuit, le tintement cristallin d'une sonnaille qu'une vache agitait pour se distraire.

A cinquante mètres à l'écart, tout proche de la source et du bachal taillé dans un tronc de sapin, s'élevait le grenier, bizarre construction spéciale aux Alpes. Petit chalet minuscule de forme cubique, coiffé d'un toit de bardeau, tout entier construit en gros madriers de mélèze soigneusement équarris et jointoyés, devenus noirs avec les siècles. On y pénétrait par une ouverture taillée à même les madriers au centre de la minuscule façade; un simple trou, carré dans le bas, semi-circulaire dans le haut, sur lequel s'appliquait exactement une porte épaisse d'une main, ornée de lourdes ferrures en fer forgé. Le petit chalet reposait sur des plots de bois taillés en coin; mais pour éviter l'intrusion des rongeurs, on avait glissé entre chaque plot et la cabane une lauze ronde, infranchissable aux souris. Le grenier semblait ainsi tenir en équilibre sur des assiettes de pierre et des bornes de bois.

On y mettait en sécurité toute la fortune de la famille : les habits du dimanche, les grosses clarines des vaches avec leurs colliers de cuir ouvragé, cloutés de cuivre, les réserves de blé, de seigle, d'avoine, les jarres contenant les saucisses et les jambons noyés dans le beurre; on y accrochait aussi des quartiers de vache séchés et fumés. Sur le plancher, dans des coffres, s'entassaient des reliques de famille, ces mille riens qu'on ne jettera jamais, car ils constituent le passé et se transmettent de génération en génération sans autre but que d'aviver la flamme du souvenir. Ainsi la maison pouvait flamber, le patrimoine était en partie sauvé, le montagnard gardait l'irremplaçable.

A un jet de pierre au-dessus du chalet, s'élevait un gros mur en forme d'éperon, constitué d'énormes blocs de granit entassés sur trois mètres de hauteur et près de six mètres d'épaisseur : le pare-avalanches sur lequel venaient parfois mourir au ralenti les dernières langues terreuses des grosses coulées de printemps.

Aujourd'hui, en place du vieux Moëntieu, se dressait un nouveau chalet, plus haut d'un étage, mais ayant conservé les caractéristiques rustiques du style savoyard. Très avenant, au demeurant, avec ses murs recouverts de panneaux de bois foncé, ses fenêtres bien encadrées de boiseries plus claires et tout égayées par des fleurs soigneusement entretenues, il prenait l'allure d'une maison cossue. C'était le grand œuvre de Jean Servettaz, qui, tout à coup, s'était fait bâtisseur.

Ce besoin de constuire, il l'avait éprouvé peu après la Grande Guerre. Cette année-là, il avait beaucoup voyagé; un jour il s'était trouvé à Zermatt chez son vieil ami Lochmatter, qui justement inaugurait sa nouvelle maison. Le célèbre guide en avait fait une petite pension de famille à l'usage de ses fidèles clients qui préféraient le calme de ce séjour montagnard au cosmopolitisme des grands hôtels. Et Jean s'était dit : « Pourquoi n'en ferais-je pas autant ? La femme est courageuse; elle cuisinerait un peu plus, et ça nous aiderait à passer les mortes-saisons sans ressources. »

A l'automne, Jean s'était décidé. Il était sérieux, estimé, et il aurait pu facilement obtenir un prêt. L'oncle Paul lui-même l'aurait aidé volontiers. Mais chez ce montagnard têtu, un orgueil bien enraciné interdisait toute sollicitation. « Je ferai tout par moi-même, avait-il déclaré. Que diable ! on a des bras, du cœur, et six mois d'hiver à tirer. » La Marie s'était bien un peu effrayée au début. Tout ce bouleversement dans son existence ne lui paraissait pas souhaitable, et puis l'idée d'avoir un jour des *monchus* à soigner chez elle l'inquiétait.

— Comment veux-tu que je cuisine? J'ai pas appris.

— Tu leur feras la fondue, la bonne polente aux oignons, le farcement aux pruneaux, les potées, le boudin aux pommes, l'omelette aux champignons. Les filles iront te chercher dans le bois Prin les chanterelles, les trompettes-de-mort, les morilles, et les gros bolets dans les pierriers, tu verras! Je te dis que c'est ça qu'ils veulent manger, les monchus, et non ces sauces et ces viandes ratatinées qu'on leur sert sur des plats d'argent. T'inquiète pas, femme, tu es capable! pour ça oui! Fais-les manger aussi bien que tu nous fais la soupe et ils seront contents.

— Ça va nous mettre dans les dettes!

— Jamais. On mettra cinq ans, dix ans, mais on n'empruntera pas un sou. Nous avons du bois au Praz des Violes, et la pierre est toute trouvée : y a qu'à chercher dans les pierriers de la Roumna; le sable, on le tirera de l'Arve, et les meubles je les ferai moi-même au cours de l'hiver.

— Dans ces conditions... avait accepté la Marie, et on n'en avait plus jamais parlé; c'était chose dite.

A l'automne suivant, Jean montait en compagnie du Rouge pour le Praz des Violes, agreste petite clairière ouverte en balcon fleuri à la lisière supérieure des forêts, et d'où l'on dominait toute la vallée. La terre était déjà gelée, les herbes craquaient sous le pied et les vieilles traces de souliers ferrés se moulaient en creux sur la glaise du chemin. Le guide possédait là-haut quelques douzaines de beaux mélèzes et d'épicéas bien droits. Les deux hommes avaient emporté la taque de

110

beignets froids et la gourde de vin; toute la journée, ils firent leur choix parmi les géants de la forêt, taillant à leur marque d'un bref coup de hachette les meilleures plantes, les moins noueuses. La semaine qui suivit, Jean remonta à la coupe avec cinq ou six rudes gaillards de sa trempe et abattit les arbres qui tombèrent sur place dans un fracas de branches enchevêtrées; cela fit de larges trouées par où se précipitait la lumière filtrée de l'automne. Il fallait prendre de grandes précautions : la pente était raide, le sol durci, et le gel agglomérait sous les chaussures de dangereux sabots de neige malaxée avec les aiguilles de sapin; mais les montagnards se mouvaient à leur aise dans cette forêt suspendue, s'aidant parfois du pic comme d'un piolet pour retrouver leur équilibre.

La neige vint cette année-là en novembre, et les bûcherons en profitèrent pour faire glisser dans la vallée, par les chables transformés en rises, les troncs ébranchés, écorcés et gluants de poix. Pour se réchauffer, ils allumaient de grands feux d'écorces et de débris, et les colonnettes de fumée montaient tout droit au-dessus des arbres, signalant leur présence à toute la vallée.

Les billons dévalaient en trombe, se heurtant avec un bruit clair aussi sec que le froid, auquel ripostait instantanément l'écho; au passage ils arrachaient des mottes de terre, des pierres, qui cascadaient et rebondissaient, puis finalement s'immobilisaient dans la neige. La forêt retentissait des cris lents et scandés par quoi les bûcherons soulignaient leurs efforts. Infatigables, ils montaient et remontaient le long du raide couloir, halant les plantes avec le pic, décrochant un mélèze suspendu en équilibre sur un ressaut rocheux, ou redonnant de l'élan à quelques billons hésitant au-dessus des abîmes comme s'ils redoutaient le grand saut que voulaient leur faire accomplir les hommes, et qui s'achèverait à folle allure, en bas, dans la vallée.

Le couloir se terminait en éventail au bas de la montagne, juste au-dessus du petit pont de bois du Paradis des Praz. Les billons franchissaient en dernier lieu une cascade gelée, de quelque cinquante mètres de hauteur, et rebondissaient plusieurs fois avant de s'immobiliser en tas, les derniers balancés chevauchant la pile. D'en haut, on eût dit un tas d'allumettes tout à coup vidées de leur boîte et éparses dans la neige. Certains déviaient de la ligne de chute, partaient la queue en avant, sortaient de la rise, et, dès lors, leur course folle et indirigeable constituait un danger terrible pour les hommes. Alors Servettaz sonnait de la trompe pour que chacun se garât du bolide inconscient.

De haut en bas, le couloir était strié de rouge et d'ocre et tout tapissé d'écorce fraîche et de lambeaux d'aubiers comme si le sang de tous ces arbres abattus dans la clairière suintait le long des flancs de la montagne et s'écoulait goutte à goutte à travers la forêt enneigée.

Quand le tas fut suffisant, Jean harnacha la mule, et, un par un, tira les billons fixés directement au palonnier des harnais par un gros coin de fer enfoncé à coups de cognée sur la tête de la plante. L'archaïque attelage se glissait par les étroits chemins de char jusqu'à la scierie des Gaudenays. C'était une route difficile et dans les lacets du chemin la queue souple des épicéas fouettait la neige et l'on eût dit que la mule avançait dans un poudroiement de cristaux. Jules Balmaz, le scieur des Gaudenays, se chargea de tout transformer en belle poutres, en madriers, en parquets, en planches d'ébénisterie.

Et Jean, au printemps, n'eut plus qu'à sortir le grand char à échelle pour ramener dans son grenier les beaux matériaux tout saignants de poix et de résine; il les empila soigneusement en plein courant d'air pour les faire achever de sécher.

Sa tâche ne faisait que commencer. Il ouvrit une carrière dans le grand pierrier de la Roumna et n'eut qu'à choisir pour en sortir de beaux blocs bien réguliers qui vinrent s'entasser dans son verger en attendant la venue des maçons et des tailleurs de pierre.

Il lui fallait du beau granit bien droit de fil pour les soubassements des fenêtres, les cornières des murs, les dalles de l'outa. Jean s'attaqua à un énorme bloc erratique abandonné à flanc de colline par les glaciers quaternaires, et tous ces matériaux s'amoncelèrent autour du vieux Moëntieu, attendant le moment d'être utilisés.

Vint l'été! Jamais on ne vit Jean se dépenser pareillement, faire autant de courses, choisir les *bambées* les plus risquées mais aussi les mieux payées, sans souci du danger ni de la fatigue. Cette saison-là et celles qui suivirent, il resta jusqu'à quarante-cinq jours sans redescendre des cabanes, dormant trois heures par nuit, marchant dix-sept heures, inlassable! Sa figure se tirait simplement davantage et ses pommettes saillaient durement sous la peau parcheminée et bronzée. Il récupérait à l'automne et s'enfermait du matin au soir dans son grenier où il avait installé un banc de menuisier; il rabotait, assemblait, jointoyait, fabriquant tables, chaises, lits, placards, et même une magnifique armoire à trois panneaux sculptés. Il était heureux comme un roi et chantait à longueur de journée.

Alors commença le gros œuvre. Il s'agissait de soulever d'une pièce la lourde toiture du vieux chalet et sa charpente trois fois centenaire, mais intacte et si bien assemblée avec de grosses chevilles de bois qu'elle formait un tout indestructible. Les gens du village vinrent l'aider. On plaqua des vérins aux quatre coins du bâtiment, et sous la direction de Canova, le métreur de l'entreprise Michoud qui faisait des heures à temps perdu, on éleva progressivement la maison. On gagnait quinze à vingt centimètres par jour, et les maçons élevaient en même temps le mur. Commencée au printemps, la tâche fut achevée à l'automne. Jean Servettaz avait désormais ses quatre murs bien en place. Il lui restait à tracer le plan des cinq chambres qu'il avait prévues, celui d'une grande pièce commune qui remplacerait l'ancienne chambre à coucher; à construire l'escalier intérieur, à mettre en place les fenêtres, les portes, les armoires, les chaises, les lits qu'il avait fabriqués de sa main dans un style rustique, simple, pratique, et qui s'harmoniserait bien avec l'ensemble.

En six années de travail acharné, Jean avait bâti sa maison.

Au début de l'été où se place ce récit, le Moëntieu des Moussoux était prêt à recevoir ses hôtes. Il avait fière allure avec ses boisements apparents, sa galerie ornée d'une jolie balustrade en bois découpé et les solides pierres d'angle en protogine du Mont-Blanc. Tout de suite, les cinq chambres se remplirent. Il vint d'abord un industriel de Paris, qui se reposait en parcourant la moyenne

114

montagne du matin au soir et contribuait largement pour sa part à alimenter la table commune en champignons, en fraises, en myrtilles et en framboises; très souvent il emmenait Suzanne, la plus jeune des deux filles de Servettaz, quelquefois aussi Alice, l'aînée, qui allait sur ses quinze ans. Il leur apprenait à distinguer les différentes variétés de champignons comestibles et à lire dans la nature comme dans un livre ouvert. Il ne faisait plus de grandes courses depuis quelques années, mais trouvait aux alpages et aux forêts de la vallée un attrait plus que suffisant pour justifier un séjour ininterrompu de trois mois.

Une autre chambre était occupée par un jeune ménage d'alpinistes, toujours en escalade, restant parfois cinq à six jours absents, puis se reposant une semaine dans la vallée avant de repartir vers de nouvelles conquêtes. D'excellents clients pour Servettaz, qui avait dans le temps conduit le père de la jeune femme. Il considérait Alain et Christiane Bardes un peu comme ses enfants, et toutes les fois qu'ils partaient, il leur conseillait la prudence...

Deux Anglaises occupaient deux autres chambres. Elles s'étaient présentées sous la recommandation d'un célèbre alpiniste britannique qui connaissait particulièrement le guide; elles ne faisaient pas de bruit, occupaient leurs loisirs à lire, à se promener à flanc de coteau ou à tricoter dans la salle commune, les jours de mauvais temps. Enfin, la dernière chambre avait été louée par Hubert de Vallon du Groupe de Haute Montagne, qui avait été l'élève de Servettaz, avant de voler de ses propres ailes et de devenir l'un des meilleurs « sans guide » européens. Il avait conservé pour son professeur une affection sans limite, et celui-ci ne pouvait lui en vouloir d'aimer mieux passer en premier de cordée que de suivre toute sa vie en guide, fût-il le plus brillant! En cela, Servettaz prévoyait déjà l'avenir. « Notre rôle, disait-il, est de former la jeunesse à la montagne, et ma satisfaction la plus grande est de voir un de mes anciens clients se lancer à son tour en premier dans les courses. C'est preuve que mes conseils avaient du bon. »

Ce jour-là, la Marie s'était levée de bon matin pour préparer les petits déjeuners, faire marcher sa maison, veiller aux mille riens qui occupent suffisamment l'esprit d'une bonne ménagère. En ouvrant sa fenêtre, elle n'avait pu s'empêcher, jetant un regard vers les cimes, de murmurer : « Quelle épaisseur de neige sur les Aiguilles! » Et tout de suite sa pensée s'était dirigée vers son fils, absent depuis plusieurs jours déjà, un peu aussi vers son mari, mais pour ce qui était de ce dernier, alors on pouvait dire qu'elle ne s'inquiétait pas : un guide comme lui ne commettait pas d'imprudence.

Sa matinée s'était vite écoulée : le fourneau à chauffer, les légumes qu'il faut aller choisir au potager, les chambres à faire, et tout à côté dans la nouvelle remise le bétail à soigner : cinq vaches, un mulet et un poulailler magnifiquement tenu.

Active, remuante, resplendissante de santé, bien découplée, avec des traits qui n'excluaient pas une certaine finesse, la Marie eût été jolie si le travail et les soucis ne l'eussent prématurément vieillie. Et puis, aussi, pourquoi partageait-elle en deux par une raie trop marquée sa chevelure noire, serrée et ramenée en un court chignon derrière la nuque? Dame! on ne peut pas être debout de l'aube à la nuit et faire toilette.

Suzanne, la cadette, étant partie cueillir des myrtilles, Alice, dressée à l'exemple de sa mère, la secondait de tout son dévouement filial. Les deux femmes allaient et venaient, affairées, ne marchandant pas leur peine. Christiane Bardes vint les rejoindre bientôt, et, vive et souriante, elle se proposa pour l'ouvrage :

— Laissez-moi vous aider, madame Servettaz, c'est jour de repos aujourd'hui et Alain fait la grasse matinée...

» Avez-vous vu les montagnes ? Comme c'est joli toute cette neige fraîche qui descend jusqu'à la forêt; magnifique vraiment !

— On ne sera jamais d'accord là-dessus, ma petite Christiane; quand c'est tout blanc comme ça, je pense à tous ceux qui sont par en haut, et je m'dis : pourvu qu'il ne leur arrive rien ! Bien sûr, je ne me fais pas d'inquiétude sur Jean; quand il voit venir le mauvais temps, il se tire toujours à temps, on dirait qu'il le sent. Mais c'est un peu pour Pierre que je suis languissante...

— Pourquoi, madame Servattaz, Pierre est avec le Rouge, et Ravanat a encore plus d'expérience que votre mari, alors...?

— Bien sûr, j'ai tort, mais c'est plus fort que moi. Mon mari a tellement fait tout ce qu'il a pu pour le dégoûter de la montagne et le détourner des courses, que je me dis toujours : « Faut pas que Pierre soit guide, faut l'empêcher de trotter... » comme si ça servait à quelque chose !... Chaque fois qu'il revient à la maison, il n'a que cette idée en tête, et je crois même qu'en l'éloignant de Chamonix on lui a encore bien plus donné l'envie de grimper... Où est-il maintenant ? Faire le Mont-Blanc et descendre sur l'Italie, ça prend des jours et pas moyen de savoir... Alors, je m'inquiète... que voulez-vous ?

— Vous avez tort, madame Servettaz, d'abord parce que Pierre ne sera pas guide, puisqu'il vous l'a promis et qu'il doit diriger plus tard la maison; ensuite parce que c'est un bon montagnard... Vous aurez beau dire, vous ne l'empêcherez pas de faire les courses; il est né pour ça, et, s'il n'en fait pas sa carrière, il ira toujours en montagne pour son plaisir. Allez, madame Servettaz, pensez plutôt à brasser cette crème, je m'en lèche les cinq doigts d'avance ! (Et Christiane ne put s'empêcher de faire ce qu'elle disait.) Dites-moi, continua-t-elle sur un ton primesautier, quand plus tard vous aurez encore transformé la maison en véritable hôtel, qu'est-ce que vous ferez de vos pension-naires actuels ? Ça m'inquiète : on est si bien entre nous maintenant. Vous ne me voyez pas circulant sans façon dans une immense cuisine avec toute une batterie de marmitons et de chefs imposants, ou pénétrant dans le bureau où vous jouerez les grandes dames ! Voyez-vous, à la place de M. Servettaz, je conserverais toujours la maison telle qu'elle est.

— J'aimerais bien aussi, soupira Marie. Tous ces projets de construction nouvelle ne me plai-sent guère et si ce n'était pas pour Pierre...

A cette évocation de son fils, la Marie redevint songeuse.

— Allons, allons, qu'est-ce que vous avez ce matin ? Jamais je ne vous ai vue vous inquiéter de la sorte. Pourtant, une femme de guide !

— Bien sûr, j'ai l'habitude; mais ne croyez pas que ce soit toujours drôle. On s'imagine être endurcie, habituée, on voit partir son homme tous les jours pour des courses qu'on ne soupçonne même pas, tant il y en a dans le massif; petit à petit, on apprend à les connaître et toujours quand il y a un malheur : c'est un accident par-ci, un accident par-là, on ne se souvient que de ça, et, toutes les fois qu'on en touche un mot au mari, il trouve une bonne excuse pour justifier le danger... Un tel, c'était un imprudent! là, c'est la fatalité... Et puis les années passent... Au début, on s'embrassait et maintenant on hésite même à se dire au revoir. On prépare la taque, l'homme dit : A r'vi! comme s'il allait sur la place de Chamonix, et ses absences deviennent naturelles. D'ailleurs, les coups durs, on ne les apprend que par les autres. Jamais Jean ne s'est vanté de ses courses, et c'est par les femmes de ses camarades que j'apprends un beau jour qu'il a failli rester dans une avalanche, qu'une pierre l'a frôlé dans un couloir, que son client a dévissé en pleine paroi, mais comme c'est du passé on oublie, l'habitude vient et la tranquillité aussi avec... par moments des idées noires, comme aujourd'hui.

La Marie soupira longuement, étonnée d'en avoir tant dit.

— Allons, Christiane, reprit-elle, j'ai encore beaucoup d'ouvrage, faut étendre la lessive. Tenez, puisque vous vous proposez, prenez la fourchette et battez les œufs, montez les blancs en neige. Toi, Alice, prends la corbeille de linge et viens avec moi au jardin. A tout à l'heure : vous êtes la patronne, petite madame, faites-nous un bon entremets, sinon gare! je dirai à Alain que c'est vous qui l'avez raté.

— Soyez sans crainte, Marie, je vais suivre vos conseils.

Alice et sa mère empoignèrent la corbeille de lessive et sortirent. Un séchoir était établi sous les pruniers tout rabougris, seuls arbres fruitiers poussant à cette altitude. Elles commencèrent à étendre soigneusement le linge, et, tout affairées, ne virent pas tout d'abord les trois hommes qui montaient lentement, comme avec hésitation dans le gire bordé d'aubépines, de framboisiers et de mûriers sauvages. En tête marchait Jean-Baptiste Cupelaz; plus il montait, plus sa démarche était hésitante, sa claudication accentuée. Puis venait le maire, renfermé et silencieux, suivi de Paul Dechosalet toujours soufflant et congestionné. Alice les aperçut comme ils s'engageaient dans le petit bosquet de frênes qui sépare le Moëntieu du village des Moussoux.

— Maman, des gens qui viennent chez nous. Tiens! on dirait le guide-chef; je le reconnais à sa façon de marcher; le deuxième, c'est un *monchu* bien habillé, et derrière on dirait... mais oui... c'est lui, c'est l'oncle Paul. Que viennent-ils nous dire?

La Marie leva la tête vivement et, sans qu'elle sût pourquoi, laissa choir la pile de linge qu'elle tenait sur son bras replié; les jambes lui manquèrent et il lui sembla que son cœur, tout à coup, devenait gros, gros à éclater.

— Le guide-chef chez nous? murmura-t-elle, et avec l'oncle Paul... Mon Dieu, protégez-nous! Il est sûrement arrivé un malheur...

— Tu sais, maman, dit Alice, c'est pas la première fois que le guide-chef vient nous avertir que papa ne rentrera pas, qu'il est reparti pour une nouvelle course...

La Marie n'écoutait plus sa fille; elle regardait avec effroi monter les trois hommes : un pressentiment lui disait qu'ils apportaient le malheur dans la maison. Ils s'approchaient lentement et à regret, poussés par une force irrésistible. Accablés par leur terrible secret, ils avançaient comme des automates. On eût dit qu'une force supérieure les commandait, comme si le vent des cimes, ayant pris son élan sur les crêtes enneigées, les avait cueillis au passage dans la vallée pour les remonter jusqu'au chalet en leur disant : « Allez! allez dire ce que vous savez, je vous apporte le dernier souffle du mourant; mais montez donc, on vous attend là-haut pour la nouvelle... » Et la démarche de Jean-Baptiste se faisait plus indécise, plus douloureuse; celle de Paul plus écrasée. Seul le maire, conscient du grave devoir à remplir, affermissait ses traits pour n'avoir pas à faiblir au dernier moment.

Frappée de stupeur, la Marie attendait à la lisière du verger; instinctivement, sa fille s'était rapprochée d'elle. Le linge gisait épars sur le pré. Aucun des personnages de ce drame ne prêtait plus attention à l'admirable paysage des cimes dentelées, ourlées de lumière; aucun d'eux n'entendait le grondement de l'Arve dans la vallée. Ils semblaient s'affronter et se regardaient en silence. La Marie frissonna; Jean-Baptiste tout seul, elle ne se serait pas inquiétée : c'était son rôle de guide-chef que de la tenir au courant des déplacements de son mari; mais pour qu'il vînt avec le maire, et surtout avec l'oncle Paul dont la figure bouleversée trahissait une immense émotion, il fallait que ce fût grave.

Figée sur place, prête à tout, la Marie attendit le choc qu'elle prévoyait... Ses pressentiments ne l'avaient pas trompée; il était arrivé malheur à son fils... Et les autres ne disaient toujours rien. Alors, tout à coup, devenue comme folle, elle se précipita sur son frère qui la regardait pitoyablement, cherchant ses phrases, incapable de trouver les mots qu'il fallait pour lui annoncer la fatale nouvelle.

— J'en étais sûre! cria-t-elle... c'est Pierre... n'est-ce pas... mais répondez! il est blessé, n'est-ce pas? c'est de ma faute, j'aurais dû le retenir, l'empêcher de partir... Pierre, Pierrot, mon petit... (Elle se fit suppliante :) Dites-moi, Jean-Baptiste... que lui est-il arrivé, de grâce? Vous ne dites rien... il est gravement blessé alors... Monsieur le maire, pour l'amour de Dieu...

— Soyez très courageuse, madame Servettaz, dit lentement le maire.

— Vous ne voulez pas dire qu'il est..., interrompit la Marie, et, sans achever sa phrase, elle se laissa choir dans l'herbe, jambes repliées sous sa jupe, et resta immobile, hochant la tête de droite et de gauche, regardant ces trois hommes penchés sur elle et qui n'osaient poursuivre.

— Jean a été victime d'un grave accident, madame, continua le maire. (Puis, jugeant qu'il n'y avait plus qu'à dire la vérité, que rien n'était plus terrible que cette attente, il ajouta d'une voix sourde :) Il a été foudroyé au sommet du Dru.

— Foudroyé... Foudroyé..., répéta la Marie.

Elle écarta de la main une mèche de cheveux qui lui battait le front, ouvrit des yeux si grands qu'ils remplirent son visage, et resta bouche ouverte, pétrifiée, ne comprenant pas, se refusant même à comprendre. Alice s'effondra en sanglotant au côté de sa mère, l'entourant de ses bras maigres. Les hommes, respectueux de cette douleur, gardèrent le silence, attendant qu'elle interrogeât. Se reprenant, la Marie articula très faiblement :

— Vous dites... Jean... Mon Jean? foudroyé... au Dru... ça n'est pas vrai. Non, ça n'est pas vrai,

hurla-t-elle. Il ne pouvait rien lui arriver à lui...
rien... rien... il me l'a assez répété... vous êtes certain ?

— C'est pourtant la vérité, Marie, reprit Paul.

— Ah ! fit-elle. (Puis elle se leva, marchant
comme une somnambule, et ajouta :) Venez à la
maison.

En passant, elle ramassa le linge éparpillé dans
l'herbe et le remit dans la corbeille, et, comme elle
faisait mine de vouloir la remmener, Jean-Baptiste la devança et saisit la poignée :

— Attrape l'autre, Paul, dit-il.

Elle ne dit plus un mot jusqu'à ce qu'ils fussent
tous réunis dans la cuisine. Christiane, les voyant
entrer, avait eu un brusque sursaut... On eût dit,
tant la Marie était pâle, qu'ils entouraient une
condamnée à mort. Elle eut cependant le courage
de ne pas interroger, et d'avancer une chaise.
Jean-Baptiste la prit à l'écart.

— Jean a été foudroyé au Dru, madame
Bardes.

Christiane, avec des précautions infinies, fit
asseoir la Marie sur une chaise, et resta près
d'elle, silencieuse, droite, ferme, prête à remplir
son rôle de charité chrétienne, lorsque les
hommes seraient partis. Ceux-ci laissaient la
Marie accuser davantage le coup qui la frappait;
sa douleur était muette, et les larmes ne parvenaient pas à sortir de ses pauvres yeux exorbités.

Son frère Paul la regardait tristement, caressant de la main les épaules de sa jeune nièce,
toute secouée par des sanglots convulsifs. Pater-
nellement, il s'efforçait de la réconforter :

— Pleure pas, petite... allons, calme-toi; sois
courageuse, Alice... pense à ta maman qui souffre
tant.

Après un long moment, Marie sembla s'éveiller d'un songe terrible. Elle se décida à parler, mais les mots sortaient difficilement de son gosier si resserré qu'il lui semblait étouffer. Elle parla très bas, sur un ton monotone de litanie.

— J'ai eu le pressentiment d'un malheur dès ce matin, quand j'ai vu la neige sur les sommets. J'ai tout de suite pensé à Pierre; je ne sais pas pourquoi, mais jamais, vous m'entendez bien, jamais je ne me serais inquiétée de son père; il était tellement sûr de lui, celui-là, tellement confiant... Alors, quand je vous ai vus venir, j'ai eu une peur atroce. Mais vous ne pouvez pas comprendre, c'était à l'idée qu'il était arrivé quelque chose au garçon... et ce que vous m'avez dit est si terrible, si imprévisible... Oh! ma pauvre tête... mais alors (et le ton de sa voix s'enfla) si Jean a été tué, c'est qu'il y a vraiment du risque; il devait le savoir, lui qui n'a jamais voulu faire un guide de son fils... Moi, je m'étais habituée à ce danger quotidien qui le menaçait... je n'y croyais plus... Pauvre Jean... avoir tout fait... et la guerre... et la montagne... et les travaux du bois l'hiver dans les couloirs gelés... et puis périr comme ça... et au Dru! Il me disait pourtant : « Le Dru, vois-tu, c'est ma course, j'aime ce genre; des difficultés soutenues, mais du rocher franc, solide, et puis c'est une grande montagne, avec du glacier, l'altitude... c'est mieux que toutes ces petites varappes courtes et difficiles qu'on a tendance à faire maintenant... Toutes les fois que je peux, j'emmène mes clients au Dru. » (Elle s'arrêta, semblant en avoir trop dit, puis reprit, découragée :) Mais qu'est-ce que je vais devenir, maintenant, trois enfants... la charge de la maison... Paul, c'est trop affreux...

— Tu as Pierre et c'est un homme, Marie; il

prendra un peu plus tôt sa place de chef de famille, répondit Paul. Bénis le Ciel de l'avoir fait éduquer comme vous l'avez fait, Jean et toi. Il saura se retourner et t'aider.

— Où est-il maintenant?... comment lui apprendre la nouvelle? s'inquiéta Marie.

— J'ai téléphoné à Courmayeur, continua Paul Dechosalet; ils en étaient déjà repartis pour le Col du Géant. Donc, pas d'inquiétude sur eux, l'orage ne les a pas touchés. Ils apprendront sûrement la nouvelle en route; en tout cas, je tâcherai de les joindre.

— Et lui?... mon mari, articula plus faiblement encore la Marie.

— On est parti le chercher. Malgré la neige, malgré le verglas, ils se sont tous offerts pour nous le ramener, dit Jean-Baptiste.

— Merci! Merci à tous! Dites-leur qu'ils fassent attention, que c'est moi qui le leur demande... Assez de malheur comme ça. Jean sûrement n'aurait pas permis qu'on parte avec des conditions d'enneigement pareilles; qu'ils attendent le beau temps, puisque aussi bien tout est fini... tout est fini...

Et sa phrase se perdit dans un sanglot.

Alain Bardes descendait à ce moment l'escalier de l'étage. Il n'eut qu'à regarder, pour comprendre, le groupe des hommes aux yeux rougis, au milieu duquel se tenait prostrée la Marie, l'accablement d'Alice, et sa femme toute droite, les yeux brillants, desquels s'échappaient de lourdes larmes.

Une peine immense l'accabla lui aussi, car il aimait le montagnard comme un second père. Il attira sa femme à l'écart, s'entretint avec elle, et, plus réaliste, décida :

— Christiane, maintenant tu vas t'inquiéter des pensionnaires; moi, je vais voir si je peux me rendre utile. Il faut prévenir Suzon; où est la petite?

— Elle rentrera ce soir avec M. Dupuis : ils sont en forêt! Sois tranquille, je vais m'occuper de tout.

Et Christiane, prenant doucement le bras de Marie Servettaz, l'entraîna vers sa chambre.

— Venez, Marie. Ne vous inquiétez plus de l'ouvrage; je m'en charge. Toi, Alice, reste auprès de ta maman.

— Je peux rester aussi, dit l'oncle Paul.

— Non! descendez seulement; vous vous occuperez des formalités avec mon mari; on avisera ici.

Le maire, le guide-chef et Paul prirent congé; ils n'avaient plus rien à faire ici. Ils quittèrent le chalet pimpant et joyeux, où tout désormais n'était que douleur et affliction.

Jean-Baptiste jeta un long regard sur la maison neuve :

— Il n'en aura pas joui longtemps de son travail, le pauvre Jean!

Les trois hommes descendirent à longues foulées le chemin pierreux. Le Dru était plus éblouissant que de coutume sous sa coiffe d'hermine.

— Misère, murmura le guide-chef, on est peu de chose en face de montagnes pareilles.

Il ne tendit pas le poing de peur d'être sacrilège.

Plus bas, ils croisèrent une jeune fille du pays, Aline Lourtier, qui montait rapidement, un foulard jeté en pointe sur la tête et noué sous le menton, les yeux rougis, encore toute secouée par l'émotion. Les trois hommes s'arrêtèrent pour la laisser passer.

126

— Tu montes là-haut, Aline? interrogea Paul.

— Oui; je crois qu'ils auront besoin de moi. C'est mon frère qui m'a avertie. Pauvre Jean Servettaz! Et Pierre... sait-il?

— Il l'apprendra bien assez tôt. Va seulement, ma petite; tu trouveras Mme Bardes qui s'occupe de la maison, mais tu as certainement plus l'habitude qu'elle. Va vite!

Lorsque Aline eut disparu, l'oncle Paul ajouta:

— Elle est pour ainsi dire fiancée à mon neveu. Une brave fille, simple et courageuse. Une vraie montagnarde.

Dévalant le chemin de la Mollard, ils débouchèrent sur la place de l'Église, plus bruyante qu'à l'accoutumée. Jean-Baptiste regagna le Bureau des Guides; déjà des clients attendaient. Il nota les courses, fit avertir les guides, prépara le rôle des pirates au Montenvers et au glacier des Bossons.

Dans l'après-midi, les guides désignés, sac au dos, se dirigèrent gravement vers la montagne. On les interrogeait au passage.

— C'est en bonnes conditions?

— Grand beau temps, grand beau temps, disaient-ils. On aura un automne magnifique.

## 16

Un calme extraordinaire présida, cette nuit-là, à la naissance du jour. Rien ne glissait dans le couloir où la neige fraîche retenait les cailloux. Les séracs eux-mêmes n'éclataient que discrètement: on eût dit un soupir que poussait la montagne et la chute des débris était étouffée par l'épaisse couche de neige qui recouvrait le glacier. Dans le refuge silencieux, les guides dormaient.

Réveillé par le grelottement de sa montre-réveil, Boule se leva bien avant les autres. Ayant allumé une bougie, il allait et venait dans la cabane, éclairant le poêle, cassant du bois, sortant les provisions. Bientôt Michel Lourtier sauta lestement du bat-flanc pour venir l'aider, ébouriffé, les yeux gonflés de sommeil mais sa curiosité toujours en éveil.

— On va pouvoir monter, Boule ?

— Faudra bien, faudra bien ! J'ai pas mis le nez dehors. Tiens ! va me chercher une bassine de neige pour faire le thé.

Michel dut secouer fortement la porte qui était coincée par le gel; elle s'ouvrit brusquement sur un pan de nuit étoilée et laissa entrer un grand coup d'air frais dans le refuge.

Les dormeurs grognèrent sur leurs paillasses, se retournèrent et se blottirent à nouveau sous les couvertures; Paul Mouny, mi-dressé sur sa couchette, lança d'une voix forte :

— Ferme ta porte, gamin, tu laisses refroidir la cabane !

Dehors, Michel taillait au piolet de gros blocs de neige dure qu'il rapporta et mit dans la bassine. Boule la plaça sur le poêle. La neige fut très longue à fondre. Le porteur la brassait sans cesse pour activer la fusion; bientôt elle se transforma en une sorte de pâte glacée et transparente, puis en eau. Le porteur activa le feu pour la faire bouillir.

Il s'affairait avec son bon sourire perpétuel, tandis que les autres, profitant des ultimes minutes de repos, se prélassaient bien au chaud sous leurs couvertures. Ils trouvaient tout naturel que Boule se levât le premier. On eût dit un accord tacite : jamais les autres n'eussent songé à lui disputer ce rôle ingrat; lui trouvait tout naturel de rendre service à l'équipe. Il le faisait sans ostentation et sans humilité. Pour Boule, la vie consistait à se rendre utile, à faire de son mieux pour se mettre en avant; combien de fois, choisi comme porteur par un guide, ne passait-il pas en premier, la difficulté venue, tout simplement parce qu'il jugeait que c'était sa place, qu'il était plus fort que son compagnon et que, dans ces conditions, il ne devait pas laisser l'autre s'exposer inutilement. Il aurait pu être guide, il n'y tenait pas. Il préférait servir, sachant beaucoup plus obéir que commander. Il resterait éternellement porteur.

Réveillés par le remue-ménage, les guides descendaient un à un du bat-flanc, s'étiraient, bâillaient, enfilaient lentement leurs gros souliers ferrés, laçaient minutieusement leurs guêtres courtes, passaient un lourd chandail sur leurs chemises de flanelle. Tour à tour, ils sortaient pour examiner le temps.

— Belle journée, fit Maxime Vouilloz, dommage qu'il y ait tant de neige.

— Il va faire très froid, faut passer des chaussettes sur les chaussures si on ne veut pas se geler les pieds, ajouta Jean Blanc, qui avait perdu un orteil au Dôme en 1922 et était resté sensible.

— Tu as raison, faut s'équiper pour le froid. Le soleil ne sera pas là avant 9 heures, et va y avoir de la neige poudreuse à brasser.

Ils enfilèrent soigneusement par-dessus leurs brodequins des chaussettes de glacier.

— Je ne suis pas d'avis de partir, fit tout à coup Jacques à Batioret. C'est une pure folie. Vous rendez-vous compte de l'épaisseur de neige et de verglas sur les roches? On aura toutes les peines du monde à atteindre l'Épaule, et après...

— Je pense comme toi, fit Maxime, mais il faut aller au moins faire la trace jusqu'au pied des rochers et se rendre compte; ensuite, on avisera.

— Le thé est chaud, déclara Boule. Passez-moi les gourdes.

Ils remplirent leurs gourdes en aluminium de thé bouillant bien sucré et les roulèrent précieusement dans un lainage pour conserver la chaleur. Puis, tout en mangeant, ils répartirent les sacs.

— Faut faire trois cordées, suggéra Maxime Vouilloz. Jusqu'aux rochers, on se relaiera à la trace; ensuite, je passerai devant. Voyons! qui vient avec moi? Me faut deux bons... pour aller devant; d'autre part, Jacques à Batioret doit prendre une cordée, et il faut un autre costaud pour la dernière.

— Prends Fernand, déclara Jacques, il connaît bien le Dru.

— D'accord, je marche avec Maxime, et toi, Boule, viens avec nous; pour la courte échelle, y a pas plus solide.

— Ça fait mé pi pas pi! Je me mets où on voudra, déclara Boule.

— Et toi, Jacques? Qui encordes-tu avec toi?

— Y a qu'à me donner Armand Rosset et Jean Blanc; comme ça, Paul Mouny, qui est le plus âgé des jeunes, conduira la dernière cordée; on lui confiera Michel, il sera pas lourd à tirer...

— Dis donc, riposta Michel, horriblement vexé, tu crois que j'ai besoin de me faire hisser?... Attends! Tu verras.

S'étant mis d'accord, les huit hommes s'attachèrent à quinze mètres d'intervalle, enroulant autour du buste quelques anneaux de corde supplémentaires. Puis, passant mitaines et passe-montagne, ils sortirent à la file indienne, la corde bien pliée dans la main gauche, la droite appuyée sur le piolet.

A la clarté des lanternes, ils remontèrent le raide éperon de la Charpoua, brassant la neige jusqu'au-dessus du genou; mais la trace était facile, car la couche était poudreuse et légère. Cependant, le froid pinçait dur. A mesure qu'ils avançaient, les grandes parois du cirque s'esquissaient plus nettement dans la nuit finissante; déjà l'aube pointait sur la livide calotte de la Verte. Une longue traînée blanche, le couloir Mummery, joignait le sommet à la cuvette supérieure du glacier, partageant en deux la masse des ombres.

Ils furent très rapidement au sommet de l'éperon, et, là, traversèrent horizontalement à la base de la grande muraille du Dru, juste comme elle se colorait vers le haut d'un rose très pâle. Dans ce bas-fond, le froid semblait s'être accumulé et les guides ne respiraient qu'à travers leur passe-montagne remonté jusqu'aux yeux; transperçant la laine, filtrait une buée glacée qui se condensait en givre. Leurs sourcils se collaient et le froid mordait rageusement le peu de leur visage qu'ils osaient laisser à l'air libre.

— Pire qu'en hiver! maugréa Maxime Vouilloz; jamais on passera plus haut.

— On a dit qu'on allait jusqu'aux rochers, fit remarquer Boule.

Toutes les dix minutes, une cordée relayait l'autre et creusait à son tour un long sillon dans la neige. Il fallait faire très attention, car les crevasses étaient masquées par des ponts de neige épais mais fragiles. Une fois, Jacques à Batioret manqua des deux pieds, creva la couche de neige et se retint par les coudes au-dessus d'un vide insondable, bleuâtre et glauque. Comme il jurait, on entendit rire Boule, qui trouvait la chose amusante et ne put s'empêcher de lancer un lazzi.

— Tu nous quittes, Jacques ?

Mais en même temps, pour atténuer sa boutade, il bondissait par-dessus le trou, empoignait à bras-le-corps son camarade et le tirait de sa pénible situation.

L'abord des rochers fut excessivement difficile. La neige avait coulé la veille; les rochers brillaient comme du verre et il fallut surmonter une haute dalle de granit, toute couverte de verglas. Maxime s'y employa avec ardeur, faisant tournoyer son piolet, détachant d'énormes pans de glace, suivi de ses compagnons qui marchaient sans mot dire.

Ils prirent pied sur la première vire de la paroi et se reposèrent tout en délibérant.

— C'est de la folie de vouloir continuer, murmura Paul Mouny, et chacun pensa qu'il disait juste, mais Michel suppliait :

— Allons au moins jusqu'à l'Épaule. En se relayant, ça va tout seul.

— Tais-toi, gamin, interrompit sèchement Maxime Vouilloz, tu donneras ton avis quand on te le demandera. Je suis chargé de la caravane, pas vrai ? Eh bien, je déclare qu'il faut s'en retourner, et même demain c'est pas sûr qu'on puisse monter !

— Et si après-demain le mauvais temps revient, suggéra Boule, on peut dire que ce sera fini pour les Drus cette année. Cependant, Maxime a raison; c'est folie pure que continuer.

132

— Attendons de voir comment ça aura chauffé dans les rochers aujourd'hui; des fois, un coup de vent du sud et tout va bien.

— Puisqu'on fait demi-tour, faut s'en aller sans plus tarder; on se gèle pour rien. Allons! En vitesse! A la cabane! On va laisser un bout de corde fixe pour descendre la dalle; il nous servira demain.

Paul Mouny dégagea un coin de roc à coups de marteau et y fixa solidement une corde d'une vingtaine de mètres.

Ils se laissèrent glisser rapidement jusqu'au glacier et reprirent les traces de montée.

Une heure après, à nouveau au refuge, ils secouaient leurs guêtres enneigées, se restauraient et activaient le feu dans le poêle.

Le soleil atteignit enfin la cabane et tout devint agréable. La journée s'annonçait comme devant être particulièrement chaude, ainsi qu'il arrive souvent au mois de septembre après un gros mauvais temps.

— Tant mieux! ronchonna Maxime Vouilloz, ça fondra dur aujourd'hui.

Les guides se préparèrent à passer le temps jusqu'au soir. Quelques-uns sortirent des couvertures et s'étendirent sur les dalles de granit, à plat ventre comme des marmottes aux aguets. Paul Mouny dépliait méticuleusement les cordes mouillées et les pendait le long de la petite falaise, pour les faire sécher plus rapidement. Puis ils allumèrent les pipes, fumant en silence et contemplant le cirque invraisemblable du Géant, des glaciers, les pointes, tout ce paysage quaternaire égaré en pleine Europe moderne.

A l'intérieur, Boule s'affairait autour du poêle, préparant la soupe pour midi, épluchant gravement les pommes de terre, un brûle-gueule au coin des lèvres, les coudes sur les genoux.

Le petit Michel trottait d'un bloc à l'autre, s'entraînait au rappel de corde le long du rocher, montait, descendait, grimpait, infatigable, l'esprit en éveil, observant tout, tantôt l'ombre fugace d'un nuage sur une crevasse, tantôt le vol plané d'un rapace sur la moraine, écoutant la chanson lointaine du torrent apportée par le vent, remportée par la brise.

Ce fut lui qui, le premier, aperçut très bas, sur la haute moraine de la Charpoua, trois silhouettes montant pesamment. On les apercevait se profilant sur le glacier en contrebas; à leur allure, il était aisé de deviner des guides. L'un d'eux marchait plus rapidement, prenant à chaque minute de l'avance sur ses compagnons; lorsque ceux-ci s'arrêtèrent à mi-chemin, il continua sa route sans ralentir.

Les guides, vivement intéressés, suivaient sa progression.

— Qui c'est pour un? interrogea Fernand Lourtier. En tout cas, il allonge; à ce train-là, il sera au pied des dalles dans vingt minutes.

Il poussa un retentissant jodel pour alerter le visiteur inconnu, mais celui-ci ne répondit pas. Par contre, lorsque l'écho se fut lassé de renvoyer les trilles de l'appel d'une paroi à l'autre, on entendit nettement le jodel que lançait l'un des deux hommes restés en arrière et, à la façon particulière dont il le modula, les guides reconnurent tout de suite le yodler.

— C'est Camille qui monte...

— Sûr que c'est lui, avec qui peut-il bien être?

L'heure qui suivit se passa en conjectures. Parfois Boule sortait en souriant et demandait :

— Sont bientôt là ? Faut les attendre pour manger; j'ai préparé pour eux.

— Ils viennent sûrement nous aider, dit gravement Fernand.

Le premier des alpinistes disparut à leurs yeux sous les dalles du refuge. Quinze minutes après, il débouchait sur le replat de la cabane, et les guides reconnurent Pierre Servettaz. Tout essoufflé par la rapide montée qu'il avait faite, il se dirigeait vers eux sans mot dire. A sa vue, tous se levèrent.

— Adieu, Pierre! fit Maxime, en l'embrassant avec émotion.

Tour à tour, sur l'étroite plate-forme qui marquait l'emplacement de la cabane, les rudes gars étreignirent leur jeune compagnon. Ils étaient ramenés brutalement à la réalité, et, en voyant le fils, ils songeaient au père qui gisait là-haut.

— Donne ton sac, dit Paul Mouny.

Pierre s'assit sur un rocher; il était las et triste et ne disait mot; il but lentement le thé bouillant que Boule apportait dans un quart:

— Où as-tu appris la nouvelle? demanda Maxime Vouilloz.

— Au col, en montant de Courmayeur... C'est affreux.

— Oui... pas de chance, ton pauvre père. C'est Camille qui est avec toi?

— Camille Lourtier et Joseph le Rouge.

— Le Rouge est monté jusqu'ici?

— Oui! il a tenu essentiellement à venir nous aider.

Pierre Servettaz aperçut les traces fraîches dans la neige, qui pointillaient le glacier supérieur.

— Vous êtes déjà montés?

— Montés et redescendus, répondit avec gêne Maxime. Y a trop de neige dans les rochers, faut attendre. Aujourd'hui, on aurait à peine pu atteindre l'Épaule.

Pierre se fit indiquer l'endroit exact où gisait son père. D'ici on pouvait distinguer très haut dans la paroi — on eût dit presque au sommet — la petite vire neigeuse sur laquelle s'était déroulé le drame. On pouvait même voir les franges de glace qui pendaient en stalactites; l'état de la montagne était décourageant au premier chef.

— Oui, ça ne sera pas commode, reprit Pierre, devinant la pensée des autres. Mais on ira quand même.

Maxime ne répondit pas. Il ne voulait pas attrister le jeune homme, mais au fond de lui-même il sentait bien que c'était chose impossible.

Ils furent tirés de leur conversation par l'arrivée de Camille Lourtier, dont le piolet sonnait clair sur le rocher. Il leur jeta un bref :

— Bonjour à tous! (Tout en laissant glisser son sac à terre, il examinait déjà la montagne en connaisseur et il ne put s'empêcher de murmurer en hochant la tête :) On n'est pas encore en haut... jamais je n'aurais cru qu'il y ait tant de neige.

Le Rouge arriva trente minutes après. Il montait lourdement, paraissait fatigué, mais s'efforçait de cacher sa détresse.

— On se fait vieux, dit-il philosophiquement pour prévenir les questions.

Ses traits tirés, ses lèvres tombantes et la tristesse de son regard disaient assez combien, à sa fatigue, s'ajoutait le chagrin.

— Rentrez au chaud, Joseph, la soupe est prête, lui conseilla Paul Mouny.

Lorsque le Rouge fut dans la cabane, Paul prit Fernand à part.

— Faut pas laisser le Rouge partir demain matin. C'est trop dur pour son âge; il y resterait.

— Va le lui faire comprendre, si tu peux !

— Faut avant tout pas le froisser, surtout qu'il peut pas se faire à l'idée qu'il est à la limite d'âge.

— Attendons demain.

L'après-midi s'écoula, monotone. Les guides gardaient le silence. Comme il fallait bien tuer le temps, plusieurs se mirent à jouer aux tarots. Le Rouge, Maxime, Jacques à Batioret et Pierre Servettaz, plus fatigués, s'étendirent sur les bat-flanc et s'endormirent aussitôt.

La nuit vint rapidement, trop brusquement. Le début du crépuscule avait été magnifique. Le Mont-Blanc, le Géant, les Jorasses, les Aiguilles s'étaient embrasés avec munificence.

Au grondement des avalanches avait succédé le calme vespéral. Le soleil disparu, longtemps la montagne refléta une lumière rose venue de l'au-delà des horizons. Puis les Aiguilles, les premières, sombrèrent dans l'ombre; ce fut ensuite le tour des grands satellites : le Géant, la Verte, les Jorasses, le Mont-Maudit. Il ne restait plus sur l'immensité des Alpes que deux points éclairés brutalement : la calotte du Mont-Blanc et un pan du Dôme du Goûter; on pouvait suivre la montée des ombres, l'assaut des ténèbres à l'ultime source de clarté. D'habitude, cette lutte se poursuivait avec lenteur, et longtemps, longtemps, le jour s'attardait sur la cime. Mais il y eut tout à coup, ce soir-là, comme une cassure brutale; sans attendre la dernière caresse du soleil, la cime du Mont-Blanc s'effaça brusquement dans la nuit. Et, comme la lumière ne retenait plus le froid, ce dernier envahit subitement la gorge, les arêtes, les glaciers, prenant possession de son domaine, caressant comme une brûlure perfide, inattaquable. La montagne frissonna sur un coup de vent. Ce fut tout.

Les guides avaient observé dans tous ses détails le coucher du soleil.

— Mauvais, mauvais; le soleil s'est couché trop vite. Pourvu qu'on ait le temps de monter.

— Demain il fera beau, trancha avec autorité Fernand Lourtier. Le père me l'a toujours dit, quand le soleil s'en va d'un coup, c'est de l'eau dans deux jours... Dans deux jours. Par conséquent, faut absolument monter demain.

— Jamais les vieux voudront partir dans des conditions pareilles.

— On ira, nous, lança Michel.

— Et ils auront raison, les vieux, conclut Paul Mouny. Maintenant, c'est assez discuté, rentrons, soupons et couchons-nous... fait trop froid dehors.

Le repas du soir autour de la chandelle fut silencieux et triste. Pierre Servettaz ne posait pas de questions; il paraissait ferme et décidé et mangeait résolument, comme s'il était désireux d'être en pleine forme pour la grande bataille qu'il aurait à livrer le lendemain : arracher le corps de son père à la montagne.

Michel Lourtier, à qui le silence ne plaisait pas, avait bien hasardé :

— Est-ce qu'on reste encordés pareillement, demain ?

— Demain, c'est demain, tu auras tout le temps de le voir, le rabroua Maxime, devenu sombre et inquiet.

Ce coucher de soleil brutal, l'état des rochers, la fatigue du Rouge ne lui présageaient rien de bon.

Le gamin se le tint pour dit, et, comme le repas

s'achevait, il fut le premier à grimper sur sa couche.

A 8 heures du soir, chacun reposait. Le souffle cadencé des respirations montait dans le refuge. Par moments, un dormeur se retournait et dans l'obscurité le simple craquement du bat-flanc prenait une amplitude inaccoutumée. Vers le milieu de la nuit, un fort coup de vent vint s'écraser sur les parois de la cabane, faisant gémir les planches. Des sifflements inconnus, des ululements légers couvrirent le bruit des respirations.

Paul Mouny se retourna, prêtant l'oreille aux bruits extérieurs, et, voyant que Fernand ne dormait pas, il lui dit à mi-voix :

— Le vent se lève ! T'entends ?

— Il tiendra toute la journée, mais après, fini ! c'est à nouveau le mauvais temps. Et ça durera.

— Faut absolument monter.

— Absolument...

Ils ne dirent plus une parole jusqu'au réveil.


Boule avait déjà fait chauffer le thé.

Tous burent et mangèrent en silence. Les sacs étaient bouclés, et chacun, équipé pour le froid, attendait des ordres. Le Rouge, en sa qualité d'ancien, décida :

— Je vais avec vous ! Camille, tu marcheras en tête, moi en second, Pierre en dernier.

Puis, comme les autres manifestaient le désir de partir immédiatement, il ajouta :

— Inutile de partir de grand matin. Puisque vous avez fait la trace, ce n'est pas la peine de se geler les mains dans les rochers.

Un peu plus tard, ils reprenaient les traces de la veille et jusque sous les rochers la marche continua, très lente, régulière, personne ne disant mot.

Ils allaient tête basse, écrasés par l'immensité du cirque, l'inhumaine proportion des parois du Dru, impressionnés par la mort qui rôdait là-haut et semblait les attendre. Cependant, Maxime, qui était en tête, se retournait de temps à autre, et il se rendit compte que la caravane du Rouge peinait visiblement.

« Allons tout plan... tout plan. Le Rouge n'aurait pas dû venir; à son âge, c'est pas des coups pour lui... Ça fait une semaine qu'il ne dort plus. Enfin, c'est son affaire, on l'attendra à la corde fixe. »

Celle-ci était gelée, dure, et comme soudée au roc. Maxime la secoua fortement pour la dégager, puis, l'empoignant, il grimpa rapidement le passage. En bas, dans la rimaye, les autres attendaient, le nez en l'air, qu'il eût gagné la plateforme. Quand ce fut fait, tour à tour, ils le rejoignirent. Les traces s'arrêtaient là.

Alors, Jacques à Batioret relaya Maxime Vouilloz. Il allait avec assurance, progressant par les cheminées encombrées de neige. Il y enfonçait parfois jusqu'à mi-corps. Dans les coins d'ombre la neige était poudreuse et coulait en poussière glaciale, mais là où le soleil avait donné, une croûte cassante s'était formée, pas assez solide pour supporter le poids d'un homme, trop dure pour être brisée par une foulée normale. La montée dans ces conditions devint vite très pénible. Jacques à Batioret, épuisé, céda la place à Paul Mouny.

Malgré tout, les guides allaient rapidement, sans fausse manœuvre, s'aidant mutuellement, se remplaçant à la trace. Un raide couloir les amena sous la barre rocheuse verglacée et ils se demandaient comment ils allaient pouvoir la franchir lorsqu'ils aperçurent la corde abandonnée par

Georges à la Clarisse, qui pendait toute givrée et oscillait sous les coups de vent.

— Veine! fit Boule, ça va nous faire gagner du temps.

Toutefois, le passage fut très périlleux. Camille Lourtier le franchit avec une audace qui étonna ses camarades. Il allait, dégageant au fur et à mesure les prises, à coups de piolet. Les débris de glace tombaient et ricochaient avec un bruit très clair de vitre brisée sur les dalles de granit. Parfois Camille s'arrêtait en pleine action et battait des mains pour les réchauffer, quittant une mitaine, soufflant sur ses doigts bleus, puis remettant son gant et poursuivant son escalade. Le Rouge le suivait à quinze mètres, très sûr de lui, montant avec précaution, déployant toutes les ressources d'une technique affinée pendant un quart de siècle. Visiblement, il était fatigué; cela se devinait au surcroît de précautions qu'il prenait, aux haltes nombreuses qu'il faisait, à sa respiration sifflante. Il était à peine arrivé sur le rebord supérieur de la barre rocheuse que Pierre Servettaz le rejoignait déjà, ayant franchi le passage d'un trait, comme poussé par un élan formidable et sans attendre de s'être préalablement fait assurer.

— Ne fais pas des coups comme ça, Pierre, lui reprocha Camille; on est assez nombreux pour s'aider et ça suffit d'un pour s'exposer; quand il y a une corde, faut t'en servir.

Au-dessus, le couloir se continuait; il fallut reprendre la pénible montée. A chaque foulée, l'homme de tête crevait la croûte gelée et enfonçait jusqu'à mi-corps dans la poudreuse, jurant comme un portier... Il lui fallait parfois ramper sur les genoux et sur les coudes pour éviter de s'enneiger tout à fait, et le spectacle était peu ordinaire de ces hommes qui grimpaient à quatre pattes au-dessus des abîmes, épuisés, mais poursuivant leur chemin. Enfin, ils touchèrent la base de la grande muraille.

Le soleil descendant lentement le long de la paroi vint les réchauffer; le temps était radieux et tout laissait présager une belle journée lorsque au froid succéda tout à coup un souffle chaud.

— Le fœhn! murmura Maxime. Pourvu que ça tienne.

— Pour aujourd'hui, on est bons, mais va savoir demain, gronda Jacques.

— Demain, on sera en bas, dit Pierre.

Le fœhn, le vent du sud, léchait maintenant toute la montagne, adoucissant la surface de la neige, réveillant les avalanches, et, de son souffle émollient, diminuant, amoindrissant les volontés humaines.

Les guides firent halte, puis, s'étant restaurés, songèrent à examiner la muraille du Dru.

Le spectacle était peu engageant. Les plaques étaient dégarnies de neige, mais les fissures en étaient calfatées, bourrées, et toutes les plates-formes recouvertes.

— Mes enfants, on va avoir du beau travail, reprit Camille.

— On se changera en tête, insista Pierre; on est tous capables de monter en premier. Chacun prendra sa cheminée, comme ça on arrivera bien; faut absolument monter, j'ai peur du mauvais temps. On peut pas laisser le père plus longtemps; si le fœhn augmente et que la tourmente reprenne, on risquerait de jamais plus le retrouver.

— T'inquiète pas! reprit Boule, on est tous là.

— On voit bien que vous êtes jeunes, maugréa

Maxime, vous ne vous rendez pas compte des difficultés. Pas vrai, Joseph ?

— Nous n'arriverons jamais aujourd'hui. Ce serait plus sage d'attendre, dit le Rouge, qui, très las et épuisé par la montée du collu, s'était assis dans la neige et fouillait de ses yeux perçants la montagne.

— Écoutez, oncle ! Je suis d'accord avec vous ; ça sera difficile et vous ne devez pas continuer. Le couloir vous a trop fatigué, c'est la place aux jeunes là-haut. On va repartir, mais il faut que vous restiez là, à nous attendre. Croyez-moi.

— Mon pauvre Pierre, je n'ai pas l'intention de vous imposer la charge de me monter là-haut. Je ne me sens pas bien : trop de fatigues et trop de peine, et je voulais justement te dire que si vous continuiez, je vous attendrais à l'Épaule.

Fernand Lourtier prit la parole :

— Rester ici pendant des heures et des heures, ça n'avancerait à rien. Seulement, on se rend compte que ça va pas aller tout seul. Pour arriver là-haut, on arrivera, ça c'est sûr, mais si on peut redescendre le corps jusqu'à l'Épaule, ça sera bien tout ; alors, on n'est pas assez. Faudrait que deux d'entre vous aillent au Montenvers demander du renfort. Maxime, tu devrais descendre avec le Rouge.

— Impossible ! C'est moi qui ai la responsabilité de la caravane ; si vous voulez continuer, je reste avec vous. Bien sûr, pour ce qui est d'aller devant, il faudra m'aider ; je suis vieux moi aussi. Le Dru tout sec de glace ne me fait pas peur ; mais avec le verglas, c'est trop d'efforts ; seulement, je reste avec vous ; renvoyons plutôt Michel.

— Moi, je veux continuer..., pourquoi pas un autre ?

Tour à tour, les guides refusèrent. Alors, le Rouge, sentant qu'aucun d'eux ne voudrait céder sa place à l'heure du danger, reprit la parole :

— A mon avis, les meilleurs doivent rester. Les meilleurs, c'est-à-dire les plus jeunes, les plus souples, les bons en rocher, car il y aura une rude varappe. Vous avez avec vous Jacques à Batioret, je vous ai amené Camille qui aurait dû déjà rentrer guide. Maxime, il faut descendre avec moi. Je ne me sens pas bien du tout, et j'ai besoin d'un bon pour m'assurer dans le couloir. Les jeunes se débrouilleront bien, va, je les connais; quand nous étions comme eux, nous aurions parlé de même.

— Je peux pourtant pas les laisser...

— C'est moi le plus vieux, Maxime. C'est donc à moi de commander. D'un côté, il faut des jeunes pour les acrobaties qu'il y aura à faire; d'autre part, je suis maintenant une charge pour vous et, puisqu'il me faut descendre, je te demande de revenir avec moi. Fernand a raison, faut leur envoyer du monde. Seulement, vous autres (et la voix du Rouge se fit sévère), ne commettez pas de folies, allez doucement, changez-vous souvent en tête. Allez! partez! on vous surveillera d'ici pendant un moment.

## 17

Jacques à Batioret attaqua la première cheminée. D'en bas, Maxime et le Rouge le virent s'élever lentement, brassant la neige à plein corps, battant à coups de piolet les masses de neige qui gênaient son ascension. Cela lui demanda un gros effort, mais il arriva assez vite au sommet.

Peu après, Boule passa en premier, puis Fernand, puis Camille. Seul, Michel n'eut pas sa part de responsabilité.

— Reste derrière moi, Michel, lui dit Boule, t'es trop jeune pour passer en tête; déjà beau qu'on t'ait emmené.

Le Rouge et Maxime bouclaient les sacs et, debout dans la neige, se tordaient le cou pour suivre la progression hasardeuse de leurs jeunes compagnons.

Les trois cordées s'élevaient rapidement. A les voir, l'escalade semblait normale; elle était cependant très dangereuse, et il fallait toute l'adresse et toute la technique des grimpeurs pour qu'elle parût facile.

Rassuré sur leur sort, Ravanat donna le signal du départ.

— Viens, Maxime, pendant que la neige est bonne.

Les deux hommes enfilèrent le collu, descendant lentement, Maxime le dernier, et se retournant souvent, comme à regret, pour observer les péripéties de l'ascension. Les autres étaient déjà haut dans la paroi, lorsqu'un ressaut de la montagne les masqua définitivement.

Là-haut, la lutte continuait; c'était un assaut rangé donné à la montagne. A mesure qu'ils s'élevaient, les difficultés augmentaient. Heureusement, le souffle chaud du fœhn rendait la neige mate et leur permettait de se réchauffer sur les plates-formes, entre deux passages difficiles. Et toujours la même manœuvre recommençait : dégager les fissures, s'y engager, parfois tailler dans la glace vive de simples encoches pour les pieds et les mains.

— C'est plus du rocher! marmonnait Boule, une vraie course d'hiver.

— Attends, on n'a pas encore tout vu, ça commence seulement... Nom de nom de nom de nom, quelles conditions! jurait Jacques.

Ils atteignirent la base d'une grande cheminée, très haute, et si remplie de glace, que chacun hésita avant de s'y engager. Tout à l'exaltation de la lutte, Pierre voulut passer en premier, mais Boule l'écarta du geste :

— Laisse! c'est mon tour.

Ce que pensa Boule, mais ce qu'il ne dit pas, c'est que le morceau était vraiment trop dangereux pour le laisser à Pierre.

Le petit gros homme s'engagea dans la cheminée. Il s'élevait lentement, semblant ne pas bouger de place, mais gagnant insensiblement de la hauteur. Il allait, tâtant les prises avec minutie, calculant ses gestes, n'en faisant point d'inutiles. On l'entendait qui faisait part tout haut de ses impressions :

« Ben, mon colon... mince de verglas... Allons bon, y a pus de prises; accroche-toi, Boule, accroche-toi... Mes aïeux, quel travail! »

Au beau milieu, il s'arrêta sous un bombement glacé, et sans quitter des yeux le haut de la cheminée, il lança :

— J'ai bien peur que ça ne passe plus... Faudrait m'envoyer le marteau-piolet : peut-être qu'en taillant des encoches...

— Attends, dit Fernand, j'y vais.

Ayant accroché à sa ceinture le marteau-piolet, deux mousquetons et un piton de fer, Fernand s'attaqua à son tour à la cheminée. Bien qu'elle

146

fût en partie aménagée par le patient travail de Boule, il fut immédiatement frappé de rencontrer tant de difficultés. Tout en grimpant, il laissait fuser son admiration.

— Comment as-tu fait pour passer? Sacré Boule, va! y rigole toujours! Mais bon sang! hurla-t-il, le corps à moitié coincé, c'est tout lisse et tout gelé là-dedans... Assurez la corde là-bas dessous, c'est tangent... oui, c'est tangent.

— Bande de fous... redescendez! cria Paul Mouny.

— Oui, descendez..., ordonna Jacques à Batioret, c'est trop mauvais, vous allez vous casser la gueule!

Boule, là-haut, sous son surplomb, riait toujours, mais un peu plus nerveusement. Coincé par un genou et un bras, il se fatiguait visiblement; il surveillait la montée de Fernand. Mais les deux hommes ne pouvaient, pour le moment, se rendre aucun service.

— Dépêche, Fernand... Dépêche..., je prends la crampe, lâcha Boule à mi-voix.

— Tiens bon, j'arrive..., tiens bon.

Boule sentait ses doigts qui glissaient insensiblement sur la prise, ses muscles crispés se nouaient douloureusement.

— Fais vite..., dit-il dans un souffle.

Et là-bas, les autres regardaient avec angoisse ce combat insensé des deux guides avec la montagne. Ils observaient sans rien dire, le cœur serré, conscients de leur impuissance.

— Mais c'est fou... c'est fou... Comment as-tu pu monter ça? criait en haletant Fernand. Pourtant, je croyais bien être bon, mais jamais, entends-tu, jamais je n'aurais passé.

— Parle pas, ça essouffle...

Il se hissa dans un dernier effort jusque sous les pieds de Boule. Il était temps.

— Coince-toi vite, dit sourdement Boule. Une seconde, ça suffira, mais... vite, j'ai la crampe dans le bras, faut que je change de position, sinon je lâche.

Fernand se bloqua dans la fissure, et Boule put reposer le poids de son corps sur les épaules de son camarade. Alors, il poussa un long soupir de satisfaction, sa figure se détendit, redevint joviale; il avait tout oublié : le danger, le vide, et ne pensait qu'à continuer.

— Tu parles d'un morceau, fit-il en éclatant de rire, si tu n'étais pas venu j'aurais sûrement dévissé. Passe-moi le marteau et un piton.

Lentement, avec des gestes mesurés, veillant à ne pas rompre l'équilibre de la fragile pyramide, Fernand fit passer le matériel demandé.

— Faudra que tu tiennes le temps que je plante le piton, indiqua Boule à Fernand.

— Vas-y!

Les deux hommes discutaient dans cette position invraisemblable comme s'ils avaient été dans un fauteuil.

Boule se reposa sur les épaules de Fernand. Ses gros tricounis pénétraient douloureusement dans la chair de son camarade, qui supportait le poids sans broncher. Seulement, à chaque seconde, les veines de son cou grossissaient sous l'effort terrible qu'il fournissait; il n'en laissait rien paraître, disant simplement tout bas pour que les autres ne s'aperçoivent de rien...

— Fais vite, Boule... t'es lourd.

D'une main, Boule engagea le piton dans une petite fente, puis l'enfonça à coups de marteau jusqu'à la boucle. Il y passa rapidement un anneau à mousqueton, et fit coulisser dedans sa corde d'attache.

— Tendez l'attache! ordonna-t-il à ceux d'en bas.

Il était désormais en sécurité.

Alors Fernand tira d'une main d'abord, puis avec les dents, un peu de sa propre corde qu'il fit passer à Boule; l'autre l'assura à son tour au moyen de l'anneau. Les deux hommes poussèrent un gros soupir de soulagement. En bas, Paul Mouny et Jacques à Batioret, impressionnés par cette lutte dont ils devinaient l'âpreté, hurlaient :

— Maintenant, suffit! descendez... assez de risques...

Pierre Servettaz suivait la manœuvre avec angoisse, et il ne put s'empêcher de leur crier, traduisant trop bien sa pensée :

— Vous pourrez passer?...

— On va essayer!

Alors on vit Fernand Lourtier exécuter une audacieuse manœuvre. Boule s'étant attaché au rocher, il escalada son compagnon crispé sur le piton et réussit à se dresser debout sur les épaules. Il fit cette acrobatie avec une extraordinaire lenteur, tout entier au soin de ne pas arracher Boule de la cheminée. Que l'autre cédât, fléchît un cinquième de seconde et c'eût été la chute. Boule encaissait le poids et les souliers ferrés de son compagnon avec un stoïcisme sans pareil; il trouvait même le moyen de plaisanter, sa grosse tête ronde rentrée dans les épaules :

— Ben, mon colon... c'est pas possible... t'as gardé les crampons... tu me prends pas pour un fakir...

Une fois sur les épaules de son camarade, Fernand ne perdit pas son temps; il lui fallait agir rapidement et jouer son va-tout. Il tailla avec prudence de petites encoches pour les mains dans la glace qui tapissait le fond de la cheminée, puis il quitta son piédestal humain au grand soulagement de Boule, qui eut l'impression de grandir d'un seul coup de plus de dix centimètres, et s'éleva avec d'infinies précautions. Le moindre dérapage pouvait être fatal. Fernand concentrait sa volonté et ses nerfs pour éviter toute fausse manœuvre; au bout de quelques mètres, il eut dépassé le bombement glacé et put progresser plus facilement. Enfin il prit pied sur le ressaut supérieur. Il était à bout de forces et ne sentait plus ses doigts, raidis par le contact avec la glace; mais son premier soin fut de tendre la corde qui le liait à Boule et d'assurer la montée de son fidèle compagnon.

Tous deux s'assirent sur la petite plate-forme, les pieds ballants au-dessus de l'immense précipice.

— Qu'est-ce que t'en dis? fit Boule.

— Si c'est comme ça au-dessus, on ne passera pas.

Boule regarda par en haut. Ils se trouvaient sur un ressaut de la paroi, simple brèche sur une arête secondaire. Déjà l'abîme se creusait, terriblement profond, sur le versant de la Charpoua. Pour continuer, il leur fallait gravir une sorte de plaque inclinée à soixante-dix degrés et tout engluée dans le haut de verglas et de neige dure. Un morceau impossible. Ensuite s'amorçait la grande plate-forme enneigée juste sous la cheminée au piton. De là, on ne la voyait pas; on distinguait simplement, en se tordant le cou, un bombement bleuâtre qui brillait au soleil : le fameux surplomb de la corde coincée. Dans quel état se trouverait la fissure?

— La plaque est pour ainsi dire infranchissable, reprit Boule, et ensuite j'aime mieux ne pas y songer. Faut les avertir.

— Ho! là-dessous, cria Fernand, ça va de pis en pis. Jamais on montera.

— Au moins, laissez-moi aller jusque vers vous, supplia Pierre.

Boule plaça le rappel et lança la corde jusqu'à ses compagnons.

Un à un, ils les rejoignirent sur la plate-forme où se tint une sorte de conseil de guerre. Jacques à Batioret, en sa qualité d'ancien, leur conseilla la prudence.

— On a fait tout ce qui était possible, dit-il. Tous deux, Boule et toi Fernand, vous avez risqué de vous dérocher pour franchir ce passage et plus haut c'est du pire. Alors suffit, n'est-ce pas? Pierre, faut pas en prendre ombrage, mais ton père n'aurait jamais consenti à ce que nous continuions... pas vrai, vous autres?

Les autres, gênés, ne répondirent pas. Ils savaient que Jacques avait raison; ils le sentaient depuis la veille que le Dru était infaisable sous la gangue de glace, mais il leur semblait impossible de ne pas tout tenter pour tirer le corps de Servettaz avant que le vent ne l'ait fait choir dans les grands abîmes de glace. Boule se tourna vers Pierre, et, lui secouant l'épaule rudement pour masquer son émotion, dit :

— Faut te raisonner, Pierre; des passages comme celui qu'on a passé, Fernand et moi, on les referait pas pour tout l'or du monde. Si on s'y est lancé, c'est pour toi, pour ton père, mais continuer comme ça, non... D'abord on est exténués tous les deux, je sens plus mes bras, c'est comme si j'avais du plomb jusqu'aux épaules... Vrai! je peux pas aller plus loin.

Il y eut un grand moment de silence, pendant lequel on entendit la canonnade des pierres détachées par le fœhn dans le couloir de la Verte.

— Bien sûr, c'est vous qui avez tout fait, mais maintenant c'est à mon tour, répondit Pierre. C'est mon père; c'est à moi d'aller le chercher et de m'exposer. Je vais franchir la dalle, vous verrez que ça passera.

Il se dressa sur l'étroite vire, plia nerveusement des anneaux de corde dans sa main, et examina avec résolution la dalle, comme un lutteur qui fait face à son adversaire.

— Arrête, Pierre, crièrent-ils tous ensemble.

Mais déjà Servettaz s'était élancé comme un fou. Michel eut juste le temps de lui démêler la corde pour qu'elle ne s'embrouille pas; l'autre était déjà engagé dans la difficulté et aucune force humaine n'eût pu le tirer de là. A vrai dire, Pierre les stupéfia tous. Jamais ils n'avaient vu grimper avec une telle audace et une technique aussi profonde. Pierre utilisait le moindre rebord, fût-il d'un centimètre, pour y placer un clou de soulier; il s'élevait sur un doigt, allait avec précision, et de la sorte il atteignit le rebord inférieur du verglas.

— Méfie-toi, Pierre, méfie-toi! tu gagnes le verglas, lui cria Paul.

— Un fameux grimpeur, vrai! un fameux grimpeur, soliloqua Jacques à Batioret; on dirait son père à trente ans.

Arrivé au point critique, Pierre s'arrêta et se tourna vers le bas. Il ordonna :

— Boule, envoie-moi le marteau-piolet, c'est comme un blindage de glace sur le rocher.

Boule lui fit parvenir par la corde le léger pic d'acier.

Alors on assista à un travail extraordinaire. Pierre taillait du bout du pic de petites encoches dans la pellicule de glace... Cela sonnait tout creux, et chacun retenait sa respiration, persuadé qu'un coup de marteau un peu plus fort aurait pour résultat de détacher toute la couche de glace.

— Doucement, Pierre, doucement : tout va se détacher... ça sonne creux, suppliait Boule. Tu vas partir avec la plaque.

— Ça tiendra, hurlait Pierre avec frénésie.

Le marteau ne rendait plus ce son cristallin qu'il a d'ordinaire sur la glace, mais un son mat, plat, comme si on avait cogné sur du carton.

Pendant une heure, Pierre tailla ainsi sans relâche, mettant dix minutes pour fignoler une encoche, insensible au vide qui s'ouvrait sous ses pieds et au froid qui mordait ses doigts; puis il disparut à la vue de ses camarades, comme avalé par la paroi. La corde fila très rapidement, puis s'arrêta. On entendit un appel triomphant :

— Terminé! (Puis quelques minutes après :) Montez seulement.

A nouveau la corde cingla le vide et les autres, subjugués par cette extraordinaire volonté, s'apprêtèrent à le rejoindre.

Fernand arriva le premier.

— Du beau boulot, Pierre, ton père serait fier... oui, du beau boulot; pas un de nous aurait passé.

Mais, déjà, Pierre examinait la suite.

★

La suite n'était pas belle à voir.

Des corniches de glace ourlaient le surplomb de la fissure, le verglas gluait sur les prises et le rocher semblait enduit de verre bleu. Sur vingt mètres, les difficultés s'amoncelaient à faire frissonner les plus courageux; et de fait, les autres tremblèrent en observant Pierre qui calculait mentalement la façon dont il allait continuer. Ils n'osaient plus rien lui dire, sentant bien qu'aucune force ne l'arrêterait. D'ailleurs ne venait-il pas de leur prouver qu'il était de taille à triompher de tous les obstacles? Mais, vraiment, celui qui s'amorçait dépassait la mesure.

Ayant bien réfléchi, Pierre interpella Fernand :

— Passe-moi un anneau de corde, deux pitons, le marteau. Donne-moi tes gants, les miens sont gelés; toi, Boule, assure ma corde. Vous autres, laissez-moi faire.

— Ne continue pas, Pierre, tu me fais peur.

— T'inquiète pas, Paul... on passera. Y nous le paiera, le Dru. Si je me souviens bien de ce que disait le père, après la fissure, c'est tout bon ou presque; donc, si je passe, on réussit... Alors, on passera... Attends, garce, tu vas voir...

Et lançant un juron à la montagne, il s'élança.

La fissure était trop étroite et surplombait un vide immense. Bientôt, Pierre fut engagé dans le passage. On entendait le bruit que faisaient ses clous sur le granit, un râpement grinçant qui tranchait avec le cliquetis de la batterie de pitons et mousquetons attachés à sa ceinture.

Il s'éleva ainsi d'une quinzaine de mètres, au

154

prix d'énormes efforts, puis fut obligé de s'arrêter, d'examiner la suite. Son souffle devint rauque. Le drap de ses vêtements glissait sans mordre sur la plaque de glace. Insensiblement, il reculait; son cœur battait la chamade, et il lui semblait qu'il allait crever sa poitrine.

— Vois-tu le piton, Pierre? cria Fernand.

— Il est à deux mètres, complètement recouvert, va falloir le dégager au marteau, haleta Pierre.

Instinctivement, Boule avait assuré la corde autour d'un bloc; il ne quittait pas Pierre du regard et semblait fasciné par la paroi sur laquelle l'autre se débattait.

Farouchement, Pierre continuait. A chaque effort il gagnait quelques centimètres en hauteur, mais ses doigts glissaient sur les prises glacées, et il reculait d'autant. Chaque effort lui coûtait plus de peine; il se coinçait alors dans la fissure et se collait au rocher, respirant bruyamment, avec toujours ces maudits battements de cœur qui se précipitaient, le torturaient : « Faut monter, faut monter, se répétait-il. Si tu atteins le piton, tu seras sauvé. »

Il ne se doutait pas qu'au même endroit, mais dans de meilleures conditions, Georges à la Clarisse avait déjà livré un combat presque aussi terrible. Toute sa volonté, toute son énergie étaient concentrées sur ce but unique : monter, décrocher le cadavre de son père, puis le ramener.

Il vit bien que, pour passer, une seule solution s'offrait : éviter de se coincer, utiliser quelques infimes prises sur les rebords de la fissure et monter en équilibre, comme un funambule.

Bien sûr, c'était risqué. Tant pis! il essaya.

Il se dégagea de l'étreinte de la fissure, rejeta

son corps en dehors, et de la sorte gagna un mètre. Il caressa la nodosité polie que formait le verglas autour du piton, essaya de la briser avec ses ongles, mais ne put y parvenir. Il lui fallait l'aide du marteau.

Alors, en équilibre sur un clou de soulier et le corps collé à la paroi, il se concentra pour tenir et, lentement, quittant la prise de main, il laissa glisser son bras le long de son corps. Ses doigts tâtonnaient pour trouver l'ouverture du mousqueton qui libérerait le marteau de sa ceinture. Il sentit tout à coup que sa jambe était prise d'un tremblement nerveux causé par la fatigue. Il fit un brusque mouvement pour retrouver la prise de main, mais déjà il basculait. Ses doigts griffèrent le granit sans s'accrocher et il tomba à la renverse sans pousser un cri.

Dans un dernier réflexe, il exécuta un saut périlleux complet dans le vide, étendit les bras en croix. Les yeux exorbités, il aperçut nettement ses camarades pétrifiés d'horreur sur leur petite vire, et il embrassa d'un dernier regard l'abîme monstrueux où il allait s'écraser. Il lui sembla que sa chute durait des siècles. Il n'avait pas peur, mais se disait tout étonné : « Je vais donc mourir. » Sa pensée voltigea vers sa mère, vers son père. Plus tard, il déclara : « Je me sentais perdu et je pensais à des tas de choses, aux miens, à Chamonix; je calculais que j'allais me briser sur la dalle du dessous. C'est drôle, j'étais plutôt stupéfait qu'apeuré. Mais comment l'esprit peut-il enregistrer tant d'images en quelques fractions de seconde ? »

Il tomba droit sur ses jambes tendues comme des barres de fer. On eût dit un chat qu'on jette dans le vide, toutes griffes dehors. Il toucha la paroi juste sur la dalle enneigée; cela amortit le choc, son corps se mit en boule et rebondit dans le vide.

Boule n'avait pas perdu son sang-froid; il pesait de tout son corps sur la corde d'assurance, angoissé à l'idée qu'elle pût céder sous le choc. Lorsque celui-ci eut lieu, Boule était paré; il tint bon, encaissa, et sentit que, là-bas dessous, la chute était enrayée. Par bonheur, la corde, un chanvre câblé de onze millimètres, avait résisté.

Le drame avait été si rapide que les guides restaient là, immobiles, bouche ouverte, comme inconscients, et ce fut Boule qui, le premier, osa appeler :

— Pierre, Pierre, t'as du mal ? cria-t-il sourdement. (Puis comme rien ne répondait, il appela de nouveau, mais plus fort :) Pierre ! Pierre !

Ils se penchèrent anxieusement sur le vide et l'aperçurent qui gisait, inanimé, suspendu comme un pantin brisé au bout de sa corde.

Déjà, Jacques à Batioret déroulait un rappel, et le lançait dans la direction du blessé. Sans attendre qu'on le commandât, le petit Michel Lourtier s'en emparait, bondissait le long de la corde avec intrépidité, sans se faire assurer, cascadant à toute allure, jusqu'à ce qu'il rejoignît le corps. En haut, les autres interrogeaient :

— A-t-il du mal, Michel ?

— Y bouge plus, il saigne du nez et de l'oreille...

— Malheur de malheur... faut le descendre tout de suite, dit Paul. On va t'encorder et puis tu le feras glisser jusqu'en bas de la dalle.

On lança une corde à Michel qui, avec une vigueur qu'on n'eût pas soupçonnée chez un adolescent, se chargea du corps. Boule fit coulisser doucement la corde d'assurance à mesure que

Michel se laissait glisser jusqu'au bas de la dalle. Une fois sur la vire, il étendit Pierre sur la neige et appela les autres.

★

Accroupis en cercle autour du blessé, les guides attendent anxieusement qu'il reprenne ses sens. Paul Mouny a glissé sa main sous la lourde vareuse de drap, toute mouillée de neige; il a cherché le cœur et, avec joie, s'est aperçu qu'il battait. Il lui a fallu ce contact de ses doigts sur la peau chaude de son camarade pour qu'il ne craigne plus le pire.

Maintenant, Pierre gémit faiblement, puis ouvre de grands yeux vagues; tout d'abord, il ne distingue que des ombres qui se penchent sur lui, mais il reconnaît les voix amies. « Je suis vivant », songe-t-il, et d'un coup la mémoire lui revient par lambeaux, comme des fragments de film impressionnés, mais nullement reliés les uns aux autres. Ah oui! il se souvient; la main qui glisse et sa chute en vol plané qui n'en finissait plus, qu'il n'a pas vue finir.

Il fait un effort et se redresse à moitié. Les autres lui soutiennent le buste, épongent ses blessures : « Tiens, songe-t-il, du sang sur ma veste, je suis donc blessé. » Il voudrait parler, mais ne peut articuler un son. On lui verse un peu de la gnole à l'oncle Paul dans la bouche. Cela le secoue brusquement, il paraît sortir d'un rêve, et d'une voix lointaine, il questionne, hébété :

— Qu'est-ce qui s'est passé? qu'est-ce qui s'est passé?

— T'as lâché, mon pauv'vieux : quel saut! Heureusement que tu es souple comme un chat, et que grâce à Dieu tu as rebondi sur la plaque de neige; sans ça, on aurait pu te dire adieu... Trente mètres de chute... t'es verni.

Le blessé semble poursuivi par une idée fixe; il interroge :

— On pourra pas continuer, hein? Faut pourtant pas laisser le père...

— Faut attendre, lui dit fraternellement Fernand; mon vieux Pierre, sois tranquille; on remontera dès que ce sera possible. Pour l'instant, faut te descendre, et ça va pas être commode. Comment te sens-tu?

— J'ai un mal de tête horrible : ça me lance, et par moments tout tourne.

— Et sur le corps?

Pierre fait manœuvrer ses bras et ses jambes endoloris; tout fonctionne.

— Rien que des contusions, ça va. Tu as boulé sur la plaque et ça t'a préservé.

Jacques à Batioret examine longuement le blessé : il est tout écorché, couvert de meurtrissures; le sang coule par une plaie béante du cuir chevelu, mais ce qui inquiète le guide ce n'est pas tant ça que ce mince filet de sang qui suinte de l'oreille et du nez, sans discontinuer. Il prend Boule et Fernand à part :

— Doit avoir une fracture du crâne! J'ai vu la même chose déjà au Grépon; ça ne semble rien et puis ça s'aggrave dans les quarante-huit heures... Faut le descendre, et à toute vitesse encore. On doublera les rappels. Toi, Boule, tu descendras en même temps que lui côte à côte, prêt à le rattraper s'il tournait de l'œil; j'assurerai en dernier avec Blanc, Paul ira devant avec Michel, les autres assureront les cordes de Pierre. (Il refit quelques pas vers le blessé.)

— T'es prêt, Pierre? on peut partir? Si tu ne t'en sens pas capable, dis-le, on te portera; pour l'instant faut foncer..., s'agit pas de se faire prendre par la nuit.

Pierre s'installa machinalement en rappel et se laissa glisser le long de la corde à une allure vertigineuse. Boule qui descendait parallèlement sur la paroi verticale, prêt à prévenir une défaillance, avait peine à le suivre. Pierre allait, soutenu par une volonté extraordinaire, ne disant rien, sauf sur les plates-formes où, tandis que les autres plaçaient les cordes et préparaient les manœuvres, il s'impatientait, s'agitait, devenant fiévreux, et réclamait :

— Plus vite, plus vite... j'ai de plus en plus mal.

Ce ne fut pas une descente, mais une véritable chute que celle de toute cette grappe d'hommes enchevêtrés dans les cordes, entraînés le long des parois verticales. Mais une chute coordonnée où chacun manœuvrait avec précision, l'esprit sans cesse en alerte, le regard affectueusement inquiet rivé sur le blessé. Descendant en dernier, Jacques à Batioret murmurait sans cesse :

— Pourvu qu'il tienne le coup jusqu'au glacier... pourvu qu'il tienne...

Et Pierre, de plus en plus pâle, empoignait les cordes, sautait dans le vide, bousculait ses camarades, suppliait :

— Plus vite! plus vite!

Il sentait confusément que s'il ne pouvait joindre par ses propres moyens le bas de la paroi, mettant ainsi ses camarades dans l'obligation de le porter au cours de cette périlleuse et tragique descente, la perte de temps que cela occasionnerait les forcerait à bivouaquer, et il avait assez d'expérience de la montagne pour savoir qu'un homme dans son état ne supporterait pas les rigueurs d'une nuit glaciale. Parfois, le découragement s'emparait de lui; on voyait sa pauvre tête bandée osciller d'avant en arrière et dodeliner doucement. Mais ces défaillances ne duraient pas; il se reprenait dans un sursaut de tout son être et continuait farouchement. Les autres restaient muets d'admiration devant son courage; ils préparaient les passages et Michel se dépensait, montait et descendait le long des cordes avec une souplesse de jeune singe, insensible à la fatigue, décrochant une corde, dégageant une plate-forme, plaçant un anneau de corde.

Ils atteignirent enfin l'Épaule, et, sans hésitation, sans marquer la halte, Pierre, encadré par Camille, Fernand et Boule, se lança à grands sauts dans le collu bourré de neige lourde et coulante.

Avec le fœhn qui soufflait de plus en plus, ils risquaient l'avalanche; ils le savaient, mais s'emblaient s'en moquer... Parfois l'un d'eux était emporté par une petite coulée qui le fauchait aux jambes; les autres, se cramponnant sur les piolets enfoncés jusqu'au fer, stoppaient la glissade, et la descente continuait...

Pierre faiblissait rapidement; il mit un temps infini à franchir le dernier ressaut rocheux, puis se laissa glisser presque en chute libre le long du dernier rappel. La courte traversée horizontale sur le glacier fut atroce; il brassait la neige comme un homme ivre, titubait; alors ses camarades le soutenaient par les bras.

Il ne reprit courage que lorsqu'il sentit sous ses clous les bons cailloux brisés de la moraine et qu'il aperçut à quelques centaines de mètres, le refuge. « Si j'arrive jusque-là, je suis sauvé... je suis sauvé... », pensait-il.

Il ne put y parvenir; ses forces l'abandonnèrent et il chancela comme si on lui eût asséné un grand coup derrière la nuque. Depuis quelques instants, Boule prévoyait cette défaillance; il n'eut qu'à le recevoir dans ses bras.

On le chargea sur le dos de Camille, bras ballants, tête pendante, et le guide descendit avec précaution, tâtant du pied les cailloux instables de la moraine, tandis que les autres, inquiets, surveillaient le filet de sang suintant des oreilles.

Bien qu'ils fussent exténués, les guides ne se reposèrent pas à la cabane. On refit les pansements du blessé, on décrocha le brancard, on roula Pierre dans des couvertures, et la triste caravane repartit immédiatement.

Chaque secousse arrachait au blessé des gémissements; il n'avait plus sa connaissance et marmonnait des phrases inintelligibles.

La moraine leur parut interminable. Ils ne firent aucune halte jusqu'au glacier; mais arrivés sur la Mer de Glace, ils eurent la sensation d'avoir quitté un monde spécial où tout était vertical; ils se trouvaient gênés sur ce glacier crevassé, presque plat. Il leur semblait qu'ils étouffaient de chaleur; une pesanteur inaccoutumée plombait leurs jambes et leurs bras; le poids du ciel même pesait lourdement sur leurs épaules.

Tout entiers à leur difficile sauvetage, ils avaient négligé d'examiner le temps; ils furent tout surpris de constater que le Dru, qu'ils avaient quitté quelques heures plus tôt, était déjà encapuchonné de nuages. Ce n'était plus du brouillard, mais les longs fuseaux gris du mauvais temps, des comètes échevelées qui s'accrochaient aux Aiguilles, tournoyaient, s'unissaient, couvraient les sommets, descendaient par nappes successives pour bientôt ne plus former vers les trois mille qu'un unique plafond de nuages. Quelques gouttes de pluie commencèrent à tomber.

Ils décidèrent de repartir sans plus tarder.

« Va devant, Michel, tu préviendras au Montenvers... qu'ils aillent doucement pour le dire à la Marie... C'est un coup trop rude pour une mère. Fais monter le docteur au Montenvers. »

Michel partit en courant, coupant au plus court, franchissant d'un bond les crevasses et bientôt il ne fut plus qu'un petit point noir qui se confondait avec les blocs charriés par le glacier.

Le triste cortège se reforma et reprit sa route sur la Mer de Glace. Ils allaient sans arrêt, se relayant à la poutre du branchard, sans même le poser à terre, se faisant passer le blessé par-dessus les abîmes glauques des crevasses. Ils luttaient de vitesse avec la mort qui rôdait autour de Pierre, et faisait suinter plus fort le sang de sa tête meurtrie.

Comme ils atteignaient le lieu dit l'*Angle*, là où un semblant de piste longe la rive gauche de la Mer de Glace, ils aperçurent la deuxième caravane de secours envoyée par le Rouge qui montait rapidement à leur rencontre. Il n'y eut pas d'explication ; les hommes frais venus de la vallée remplacèrent au brancard les guides épuisés, et le cortège augmenté continua sa route.

Il y avait foule au Montenvers, et les curieux se précipitèrent en les voyant sortir du sentier.

Boule allait devant, grave, crispé, rageur, écartant du geste les touristes qui se penchaient pour mieux voir le blessé.

« Dégagez ! Dégagez ! disait-il, ben quoi ! oui, c'est le deuxième, et après ? Ça nous regarde... c'est notre affaire... on réglera ça plus tard. »

★

A la station inférieure du Montenvers, deux femmes en fichu sanglotent sur les bancs de bois de la salle d'attente : la Marie pousse des cris de bête blessée que couvre, selon les caprices du vent, la grosse voix du torrent de Blaitière, écumant de rage le long de la montagne. On a beau lui assurer que ce ne sera probablement pas grave, elle ne veut rien entendre et c'est encore Aline, malgré sa douleur, qui trouve au fond de son cœur quelques pauvres paroles d'espoir.

La Marie tient sa tête à pleines mains; parfois, elle tend ses bras vers la montagne dans un geste de haine et de désespoir.

« Tous les deux! elle me les a pris tous les deux... tous les deux..., répète-t-elle, le père et le fils... Pauvre Jean, s'il avait pu penser... »

Un groupe de guides, quelques autorités attendent un peu à l'écart. Ils ont les yeux rouges à force de se contenir, et sortent toutes les minutes sur le quai, pour ne plus entendre les cris déchirants. Un grand coup de sifflet s'élève du maquis de vernes sur le faîte duquel croît un mince panache de vapeur. Le directeur de la ligne raffermit sa voix pour assurer :

— Ils seront là dans cinq minutes.

Dans la cour, l'ambulance s'est reculée jusqu'à toucher le quai.

A l'allure d'un homme au pas, la crémaillère entre en gare; on dirait qu'elle se retient pour ne pas trop secouer son précieux chargement. Le docteur descend le premier; il fait dégager la salle d'attente. On écarte les curieux; ensuite, avec d'infinies précautions, les guides sortent le brancard.

164

Michel, le dernier, porte plusieurs sacs et tient en main un faisceau de piolets.

Comme la Marie se précipite sur la forme humaine qui gît sur la toile bise, tout encapuchonnée de couvertures, le docteur la retient.

— Non, Marie, non, il ne faut pas le secouer, vous le verrez demain; maintenant nous allons le sauver, je vous le promets. Aline, rentrez à la maison, emmenez-la, vous reviendrez aux nouvelles à l'hôpital.

L'oncle Paul et le guide-chef se rapprochent du praticien. Celui-ci est taciturne.

— Fracture du rocher, je présume, dit-il laconiquement; c'est grave, mais on l'en tirera... Il est encore temps d'opérer; c'est un prodige qu'il ait pu descendre seul la paroi...

— Faut le tirer de là, docteur, faut le tirer de là, supplie l'oncle Paul. Sans ça la mère deviendra folle.

L'ambulance emporte le blessé vers l'hôpital.

La nuit vient avec une fine pluie glaciale.

Un grand voile de brume recouvre maintenant Chamonix. La chaussée mouillée luit sous les réverbères. Un vent de tristesse s'abat sur la ville. Mais au grand carrefour, vers la place, les enseignes lumineuses des brasseries et des magasins rougeoient de toutes leurs lettres de feu. Aux terrasses, les violonistes, aux doigts transis, jouent sans conviction pour les derniers auditeurs de la saison.

La caravane de secours revient à pied, lentement; elle traverse la ville sans rien dire. Les guides marchent gauchement et parfois l'un d'eux glisse de tous ses clous sur l'asphalte. Sur leur passage, les têtes se retournent, mais personne n'ose les interroger tant ils ont l'air taciturne.

Ils pénètrent ensemble dans le Bureau des Guides, posent leurs sacs dans le réduit, puis vont s'asseoir en face chez Gros-Bibi. Ils choisissent la banquette la plus sombre et la moins en vue. Jean-Baptiste Cupelaz vient les rejoindre.

Alors seulement ils ouvrent la bouche.

— Vous avez peiné, hein! Pour ça, ça devait être dur, dur et dangereux, fait Jean-Baptiste.

— Un peu trop, répond Boule. Faut attendre le beau temps pour repartir.

— Je vais vous remplacer... j'en mettrai d'autres... vous avez fait ce que vous avez pu... reposez-vous.

— On a décidé de repartir la même équipe. C'est notre affaire, maintenant, de le décrocher. On l'a promis à Pierre et, après ce qui est arrivé, on le décrochera. On le ramènera ou on dégringolera nous aussi.

— Comme vous voudrez, ça fait mé pi pas pi, conclut Jean-Baptiste.

Car il sait bien qu'il n'y a plus à revenir sur ce sujet.

Il fait nuit noire dans la vallée et la pluie glaciale lustre de reflets glauques les prairies rases de l'automne. Le vent emporte en tourbillons les feuilles mortes des trembles et des frênes; les longs épicéas dégouttent une eau épaisse et leurs branches se tendent vers le sol comme dans une supplication. Le long du petit lac du Casino les tentes désertées de baigneurs se gonflent sous la brise et l'eau prend des moirures d'huile qui semblent fuir en friselis à la surface pour se perdre dans les nappes d'ombre. Dans Chamonix, les touristes courent en rasant les murs, pour éviter les créneaux des gouttières qui crachent à jet

166

continu, et se réfugient dans les brasseries et les hôtels.

Le nuage s'étale en profondeur sur la vallée, mais tout en haut, au-dessus de 3 500 mètres, les cimes les plus élevées émergent comme des îlots sur la houle des nuées. L'océan des brumes vient battre les sommets comme un ressac, et ses vagues s'effilochent sur le granit, découvrant un couloir vertigineux qui fuit vers les ténèbres.

Au Moëntieu des Moussoux, les femmes du village se sont réunies pour la prière des morts; à genoux à même le plancher dans la grande salle commune, elles prient d'une voix forte et monotone en égrenant leurs chapelets. La Marie, prostrée dans un grand fauteuil, frissonne, bien qu'un grand feu de bois pétille dans la cheminée. Elle a les yeux secs, comme nacrés; elle ne fait pas un mouvement, mais fixe ses regards dans une douloureuse extase sur le Christ en mélèze sculpté à la main, accroché au mur, une branche de buis toute fanée posée en travers.

Là-haut, au-dessus des nuages, se joue la magnifique féerie du soleil couchant.

Un dernier attouchement de lumière vient colorer en rose la cime du Dru. De grands oiseaux noirs et crieurs volent en cercle, effleurent le moutonnement des nuées, puis viennent se poser sur une étroite plate-forme. On dirait un vol d'oiseaux de mer venus s'abattre sur un récif. Les choucas au bec jaune sautillent et se querellent aux pieds d'une silhouette humaine, si l'on peut encore qualifier d'humain ce cadavre habillé de givre, dont les mains déjà momifiées se crispent toujours sur le rocher. Le visage du mort regarde la vallée; un regard sans vie, car à la place des yeux clairs et rieurs de Servettaz, il n'y a plus maintenant que deux troux noirs et sanguinolents. Immobile sentinelle, le cadavre monte une faction éternelle, face au monde des cimes; on dirait qu'il contemple, par-dessus l'embrasement de l'ouest, les au-delà mystérieux de l'espace.

Les sommets s'estompent et se confondent maintenant dans la nuit qui monte lentement et les éteint tout entiers. Un souffle puissant se lève sur la montagne et fait voltiger le foulard rouge noué au cou du cadavre.

En bas, dans la vallée, les voitures s'arrêtent devant le Casino illuminé. On y donne le dernier bal de la saison, et chaque fois qu'un dîneur en habit pousse le large tambour de la porte, une bouffée de chaleur et de musique s'échappe dans la rue.

A l'hôpital, un blessé, tête bandée, délire doucement...

Bien au chaud dans leurs chalets, insensibles aux rafales de pluie qui crépitent sur les vitres des chambres, Boule et ses compagnons dorment d'un profond sommeil.

★

Genève, aux premiers jours d'octobre. La bise glaciale venue du lac chasse en fronces mouvantes les vaguelettes sur les basses arches du pont du Mont-Blanc. Les feuilles jaunies des platanes tourbillonnent sur les trottoirs. Les vapeurs au repos fument paisiblement le long des quais. Les mouettes se rassemblent et tournoient, bec ouvert, tantôt rasant les flots, tantôt s'élevant à grands battements d'ailes pour mieux plonger vers une quelconque nourriture.

Boule, Paul Mouny et Fernand Lourtier montent gauchement les allées désertes bordées de villas et de jardins du plateau des Eaux-Vives. C'est un quartier calme, paisible et bourgeois, et la rumeur des rues commerçantes n'arrive pas jusque-là.

Les trois montagnards, engoncés dans leurs habits du dimanche, chaussés de bottines trop étroites pour leurs pieds élargis par trois mois de gros souliers ferrés, marchent avec précaution, s'arrêtent aux carrefours, consultent fréquemment un bout de papier que tient Fernand.

Ils longent un grand mur de brique rouge surélevé d'une grille, qui délimite un délicieux parc aux allées tranquilles, et s'arrêtent devant une haute porte cochère à deux battants large ouverte sur une avenue bordée de platanes.

— C'est là, dit Ferdinand.

Avant de s'engager, ils hésitent. Le calme du grand parc, cette ordonnance des avenues, la richesse bourgeoise du bâtiment tapi dans le fond au milieu des charmilles, les intimident.

— J'aimerais mieux retourner aux Drus, fait Paul Mouny.

— Bah ! y nous mangeront pas.

On ne les mange pas, en effet. Sur le seuil de la luxueuse clinique, l'infirmière de service les accueille avec un sourire engageant et les met tout de suite à l'aise.

— Tiens ! des guides de Chamonix, dit-elle. Je pense que vous désirez voir Georges, votre collègue, ça lui fera plaisir, suivez-moi. Pauvre Georges, il s'en est vu de cruelles, mais maintenant ça va mieux. Oh ! je vois bien où l'accident est arrivé... (Et un peu rougissante de son audace, la jeune fille ajoute :) J'ai fait les Drus, moi aussi ;

je vous ai reconnus à votre insigne; tous les samedis, je pars en course...

À la suite de l'infirmière, les trois guides déambulent dans les couloirs ripolinés. Ils marchent sur la pointe des pieds comme s'ils étaient dans une église. L'infirmière pousse une porte :

— Georges! dit-elle joyeusement, des collègues.

Georges à la Clarisse est assis dans un fauteuil en rotin, les pieds dans une grande bassine pleine d'un liquide couleur d'améthyste; il est pâle, et sa bonne figure bronzée est devenue terreuse comme celle des gens qui vivent dans les maisons des villes.

— Boule, Paul, Fernand!... Ah! ça c'est chic d'être venus me voir.

Ils se regardent tous quatre et ne savent plus quoi dire. À la fin, Boule interroge :

— Comment ça va?

— Regarde! dit Georges qui est devenu plus sombre.

Georges retire ses jambes de la bassine et offre aux autres le pauvre spectacle de ses pieds gelés : tous les orteils et la partie voisine du pied sont maintenant momifiés, recroquevillés, noircis, comme calcinés; les os pointent, complètement écharnés; la vision est atroce. Les guides contiennent leur émotion.

— Pauv'vieux. T'as dû souffrir?

— Affreux, dit Georges, et j'ai cru que les pieds tout entiers allaient y passer. Heureusement, M. Warfield a été chic; c'est lui qui m'a fait conduire ici. On me fait des traitements si coûteux que j'aurais jamais pu me les offrir. Les docteurs me disent que maintenant c'est fini; le bout des pieds va tomber tout seul, un beau matin, et la plaie se cicatrisera... Oui, me voilà bien arrangé.

— Que vas-tu faire?

— Ben... recommencer. Avec des chaussures spéciales je pourrai marcher; tu verras, je vais me rééduquer... Bien sûr, pour les grosses, plus question, mais peut-être que je pourrai avoir la garde d'une cabane... Tu sais, moi, m'habituer à rester dans la vallée!...

— Même après ce que tu as enduré?

— Je ne pense plus qu'à partir... Tiens! regarde par la fenêtre.

Par l'ouverture de la croisée, on aperçoit la falaise du Salève en premier plan, et par une échancrure des rochers un énorme diamant brillant dans le lointain : le Mont-Blanc.

— Tu vois, je le regarde constamment et plus je le contemple, plus j'ai envie d'y retourner...

Il pousse un gros soupir.

— Tiens, fait Boule pour changer de conversation, on t'a apporté des cigarettes.

— Aline m'a donné une tomme pour toi.

— Et l'oncle Paul, ces deux bouteilles de roussette...

Ils posent leurs cadeaux sur la table de nuit.

Un long moment, ils restent silencieux, Georges retrempe ses pieds dans la bassine et comme pour s'excuser, il dit :

— C'est la seule façon de ne pas souffrir; autrement, ça me lance jusqu'à la tête. (Puis il baisse un peu la voix et demande :) Et Pierre?...

— Il est sauvé! On l'a trépané et maintenant il est en convalescence; lui aussi ne parle que de remonter... Ça fait vilain avec sa famille...

— Et Jean? comment l'avez-vous descendu?

— T'as su l'accident, reprend Boule. Alors on a attendu que la neige soit un peu fondue, puis on est remonté huit jours après. Il y avait encore un peu de glace, mais on a pu passer. On l'a trouvé à la même place et si gelé qu'il a fallu le décoller à coups de marteau. On l'a enveloppé dans des sacs. Il y avait ce bras levé tout raide comme une barre de fer qui dépassait avec ses doigts crispés, et ça nous gênait beaucoup. Heureusement qu'il s'est brisé après un ou deux rappels; alors on a pu tout rentrer dans le sac et c'était plus correct.

» Tout a bien marché jusqu'à l'Épaule, et puis là, tout d'un coup, une corde a sauté... Ça a failli entraîner Fernand qui ne voulait pas lâcher... Pense, on avait peur de perdre le corps. Mais il nous a échappé quand même. Il a débaroulé toute l'Épaule et rebondi sur le glacier. Plus de quatre cents mètres de chute! On a dû chercher long-temps; finalement, on l'a retrouvé au fond d'une crevasse de quarante mètres, juste après la rimaye. On l'a remis dans le sac, mais y pesait pas lourd... Au départ, y mesurait bien dans les un mètre septante; au Montenvers, tout tenait dans un petit sac... Enfin, on l'a mis tout de suite dans le cercueil... pas la peine que la Marie le revoie comme ça... On a bien respiré quand tout a été terminé... Un bel enterrement... des gens de tous les côtés... et même un ministre... A propos, y nous ont donné la médaille de sauvetage... Ça nous fait une belle jambe... Toi aussi, t'as la médaille d'or et une citation à l'ordre de la Nation... Tout ça ne te rendra pas tes pieds... Misère, va!

Ils prirent congé.

Quand ils furent partis, Georges se traîna vers la fenêtre. C'est là que l'infirmière le trouva, perdu dans une rêverie douloureuse; il pleurait silencieusement et son regard était fixé vers l'est, où, sur l'horizon, brillait de tous ses feux la chaîne du Mont-Blanc.

— Allons, Georges; ne soyez pas triste... vous qui avez été si courageux jusqu'à présent...

— Je voudrais bien retourner là-haut, mademoiselle; vous avez beau faire et beau dire, vous mettre en quatre pour me faire plaisir... ici on ne respire pas. C'est trop bas.

# DEUXIÈME PARTIE

## TU SERAS GUIDE

## 1

Six mois se sont écoulés depuis l'accident.

L'hiver est venu apporter sur toutes ces tristes choses la résignation calme et douce de son recueillement. Là-haut, au Moëntieu des Moussoux, la vie a repris. Pierre, sorti de l'hôpital, a gardé la chambre pendant longtemps, assistant, de sa fenêtre large ouverte sur les cimes, à la venue des neiges; il lui semblait qu'une paix intérieure se faisait en lui à mesure qu'augmentait l'épaisse couche blanche.

On le vit rarement à Chamonix cet hiver-là. Parfois, il prenait ses skis et glissait dans un bruissement de soie vers la ville, mais c'était pour en remonter dès la tombée du soleil, car l'effort qu'il faisait rosissait exagérément ses pommettes. Alors, Marie Servettaz lui servait bien vite un grand bol de thé bouillant avec du lait, et lui, restait près du grand fourneau de faïence et de pierre, à rêver, à fumer sa courte pipe, ou à lire. Il se plaisait dans la grande pièce centrale bien chaude et bien éclairée qu'il avait ornée avec goût de belles photos de montagne, de portraits d'alpinistes célèbres dédicacés à son père, de quelques toiles sobres signées de grands noms de peintres montagnards.

Cependant la Marie s'efforçait, sans y parvenir, de l'intéresser à la saison qui allait bientôt commencer pour la petite pension de famille. Il répondait bien aux lettres des clients, mais beaucoup plus parce que ces derniers lui demandaient des nouvelles de la montagne que pour les attirer chez lui; il les aimait comme de vieilles connaissances, surtout Hubert de Vallon, auquel le liait une véritable amitié. Ce dernier lui communiquait ses projets, lui demandant mille renseignements sur l'enneigement, l'état du rocher, les tentatives probables, les projets en cours, et Pierre, en le lisant, poussait un grand soupir, puis répondait, s'épanchant, se confiant, certain d'être compris. Souvent Aline venait le retrouver; leur amour avait débuté en amitié très tendre, et leurs relations se continuaient ainsi sous le signe de cette amoureuse amitié. Il aimait la présence de la jeune fille autour de lui, et elle restait de longues heures à tricoter, en compagnie de la mère et des jeunes sœurs de Pierre.

Après les heures atroces de septembre, la Marie s'était remise courageusement au travail, s'estimant au fond presque heureuse d'avoir arraché son fils à la montagne, mais tremblant à l'idée de le voir partir à nouveau. Pour l'instant, bien sûr, il n'en était pas encore question : il était trop faible, mais ce qu'il fallait, c'était éviter qu'il y pensât trop. Chaque fois qu'il descendait à Chamonix, elle ressentait comme un pincement de jalousie; elle savait très bien que Pierre allait retrouver Fernand, Paul et Boule, les trois inséparables, et que leur conversation ne roulait généralement que sur les courses et la montagne. Fernand surtout était passionné comme pas un et se faisait déjà remarquer par son audace extraordinaire. Alors la Marie prenait Aline à part et la suppliait presque :

— Faut plus que Fernand lui bourre le crâne avec ces idées de courses ! Faut plus !... Je sais bien que ton frère est un brave garçon et qu'il n'y voit pas de mal... Mais à force de rabâcher des projets devant Pierre, comment veux-tu que celui-ci nous reste ? Il faut l'empêcher de repartir, Aline, promets-moi de m'aider !

— Je vous aiderai, Marie, mais vous savez, je crois que là-dessus je ne pourrai guère plus que vous... J'essaierai quand même !

Une chose inquiétait grandement Pierre : il était sujet fréquemment à de fortes migraines qui lui laissaient la tête vide et cependant lourde comme du plomb. Comme cela revenait régulièrement, il se résolut à voir le docteur.

Il s'y rendit, sans prévenir, un beau matin de printemps.

Le Dr Coutaz était un praticien fort estimé, surtout parmi les guides et les campagnards; l'hiver, il était le seul qui consentît à faire de longues heures à skis dans la neige, quelque temps qu'il fît, pour aller soigner les malades souvent impécunieux. Il le faisait par devoir professionnel d'abord, par amour de la montagne et de ses habitants ensuite. Pierre alla donc le trouver sans détour.

Le diagnostic fut rapide.

— La fracture du rocher t'a laissé quelques troubles dans l'oreille, Pierre, dit le docteur, et cela te donne régulièrement ces maux de tête;

mais je crois qu'à la longue tout passera. Seulement, fais attention, hein! Pas de bêtises! Tu dois être sujet au vertige maintenant, c'est la conséquence classique de tes troubles; aussi te conseillerai-je de te méfier; tu seras d'ailleurs fixé sur ce point la première fois que tu te trouveras en face du vide.

Pierre a légèrement blêmi, mais il réussit à masquer les sentiments tumultueux qui l'envahissent.

— Baste! répondit-il en souriant, ça ne m'empêchera pas de trotter!

— Naturellement! Ce que j'en dis c'est uniquement pour ce qui concerne les « grosses »; pour la montagne à vaches, la neige, les courses faciles, tu peux en faire à condition de te faire accompagner d'un bon; mais surtout ne passe plus en premier; ça pourrait te faire lâcher d'un coup sans prévenir. Reste bien tranquille au Moëntieu. A propos, vous attendez des clients pour l'été?

— Pas avant le mois de mai, docteur. Mais ensuite c'est complet pour toute la saison.

— Raison de plus, mon gars, tu auras du travail, il faudra seconder ta mère; ça t'occupera et te fera oublier un peu la montagne.

— Comptez sur moi, docteur, mais pour le reste j'aime mieux ne rien vous promettre; mieux que ça, je vous parie de vous conduire au Grépon dans moins de deux mois!

— Ne dis pas de bêtises, Pierre; c'est sérieux, le vertige. Suis mes conseils.

Pierre quitta le docteur avec un brin de tourment au-dedans de lui-même. « Alors quoi! pensat-il, ça serait possible cette chose? Vraiment finies pour moi les courses en montagne?... » Mais son visage s'éclaira et il se morigéna : « Pauvre idiot que je suis! C'est une conspiration tout ça, c'est visible; la maman a dû parler au docteur, lui confier ses craintes, et peut-être aussi Aline, et puis?... mais bien sûr! l'oncle Paul fait tous les soirs son bridge avec le docteur, il doit être de la conspiration. » Ses traits se durcirent et il maugréa tout haut : « M'empêcher d'y retourner ? ils verront ! »

La place de Chamonix est quasiment déserte : fermé le Bureau des Guides, fermée la boutique aux cristaux, et chez Gros-Bibi, il y a tout juste deux clients qui discutent avec force gestes un marché quelconque.

Pierre aspire les senteurs du printemps.

Un grand souffle chaud parcourt depuis huit jours la vallée de Chamonix. Venant d'Italie, le vent s'engouffre dans le corridor de la Mer de Glace, vient heurter les raides pentes herbeuses de l'Aiguille à Bochard, puis retombe comme une haleine tiède sur les étroites prairies qui bordent l'Arve, faisant éclore brusquement en une nuit l'admirable flore alpestre. Chaque jour la vieille neige de l'hiver recule, monte, se réfugie dans les alpages, puis plus haut dans les grands couloirs et dans les glaciers... On peut suivre cette progression du printemps : c'est comme un immense assaut que donne la nature à la montagne. Les forêts toutes rougies par les gels et les tourmentes reverdissent de jeunes pousses d'un vert très tendre, mais plus haut, vers les deux mille, tout est encore brûlé. Les névés fondent les uns après les autres, laissant sur le paysage une tache rougeâtre. On dirait une plaie mal guérie; cela fait comme une croûte qu'on aurait arrachée et qui laisserait dessous le ton plus clair de la peau mal formée. Puis ces plaies des alpages se cicatrisent à leur tour, verdissent, et le gazon dru des altitudes vient unifier la teinte fraîche de la montagne.

Il y a de l'eau partout : dans les torrents qui coulent à pleins bords; dans l'Arveyron, qui se gonfle chaque jour davantage et écoule le trop-plein de la fusion des glaciers, en charriant une eau blanche comme du lait de chaux, épaisse et dense, véritable boue très claire de sable et de granit.

Bientôt le fœhn s'arrêtera; on n'entendra plus ce roulement caractéristique qu'il produit en coiffant les Aiguilles, cette sorte de ronflement semblable à celui que ferait un brûleur de chaudière sous pression. Et lorsque le vent sera tombé, alors viendra la pluie, la grande pluie du printemps qui fait sortir, drus comme du blé serré, les foins dans les bas-fonds; mais là-haut, la montagne continuera à recevoir chaque jour son poudroiement de neige fraîche. Les glaciers tout unis, bourrés jusqu'à la gueule de leurs crevasses par les chutes de tout un hiver, n'offriront plus qu'un vaste et magnifique champ de neige aux skieurs attardés.

Mais aujourd'hui le fœhn souffle, faisant ployer avec ensemble les têtes des sapins sur les flancs escarpés de la vallée. Il frôle les bêtes et les gens, les caresse de sa chaude langueur, et les laisse grisés par cette tiédeur succédant au froid sec de l'hiver.

Là-haut, à la limite de la végétation, les coqs de bruyère, les gelinottes, les perdrix blanches se glissent en piaulant sous les derniers névés, mais déjà les mâles chantent en triomphateurs dans les aubes rougeoyantes, quittent les grottes de mousse, sous les maquis de vernes, pour se percher sur les basses branches des mélèzes. Déjà les chamois remontent des fonds de la Diosaz vers les glaciers et les cimes où, sur des vires inaccessibles, ils vont mettre en sûreté leurs petits.

Déjà en bas, dans la vallée, les troupeaux sortent pesamment des étables, tout étourdis, eux aussi, de cette longue claustration hivernale. On leur a mis les grosses sonnailles, et un gai carillon s'élève de chaque clairière, de chaque prairie, mêlant les notes pures des clarines aux vibrantes envolées des clochettes de bronze et à la voix grave des bourdons de tôle brunie, assourdie et mystérieuse comme la résonance d'un coup de maillet feutré sur un gong de cuivre.

Debout au milieu de la place, Pierre se pénètre de tout ce renouveau; il lui semble que son sang coule plus chaud dans ses veines. Il dégrafe son col pour mieux respirer, fait quelques pas et entre chez Gros-Bibi.

— Pas vu les autres?

L'aubergiste n'a pas besoin d'explications. Les autres, c'est Boule, Fernand et Paul, les inséparables.

— Fernand doit être aux champs, dit-il. Paul est remonté au Tour pour labourer; ils ont terrassé la neige et creusé le chemin d'accès pour les mulets.

Paul habite au Tour, le dernier village de la vallée, à près de 1 500 mètres d'altitude. Le coin est tellement enneigé qu'il faut labourer sans attendre la fonte des neiges. On plante à l'automne de longues perches de cinq mètres pour délimiter les champs, puis, en mars, on répand de la terre et des cendres pour hâter la fusion de la neige qui atteint en moyenne deux mètres d'épaisseur; le procédé est vieux de plusieurs siècles. La neige fond rapidement aux endroits ainsi *terrassés,* alors que tout autour la montagne garde sa fourrure d'hiver. On creuse ensuite à la pelle des chemins pour faire passer d'un champ à l'autre les attelages et les charrues, et le labour commence. Un voyageur peu averti peut alors contempler avec surprise les immenses prairies enneigées au-dessus desquelles pointent, par-ci, par-là, les oreilles des mulets, dépassant à peine le haut talus qui borde le champ.

Pierre quitta Gros-Bibi et se dirigea à travers Chamonix sans but précis. Il était inquiet, remâchait les paroles du docteur et se tourmentait; il aurait bien voulu confier ses soucis à un ami. Il arpenta l'avenue de la Gare, traversa la passerelle du Montenvers, et se trouva, sans savoir comment, dans les vernays au pied de la Montagne de Blaitière.

Grossi par la fonte rapide des neiges, le torrent écumait et bondissait de quelque six cents mètres de hauteur dans la vallée.

Toujours poursuivi par cette idée fixe : le vertige, Pierre s'engagea dans un petit sentier qui montait sous une sapinière touffue bordant un grand couloir d'avalanches. La journée était lourde; il transpirait sans pour cela ralentir son allure; il avait jeté sa veste sur l'épaule et mâchonnait un brin d'herbe en remuant ses pensées. Cette idée qu'il pût être, lui, Pierre Servettaz, fils de guide, sujet au vertige, l'épouvantait. Il s'était gaussé jusque-là de ce qu'il appelait avec la cruauté de sa jeunesse « une frousse immonde », trouvant drôle, lorsque l'occasion lui en était donnée, de plaisanter les timorés qui hésitaient le long d'un à-pic, se collaient au rocher, ou bien fermaient les yeux pour ne pas voir le vide. Dans ces cas-là, il affirmait avec autorité : « De la

volonté, que diable; le vertige, ça se commande!
Allons! Avancez, tout ça passera. » Et voici qu'à
son tour il était menacé du même mal, car le docteur le lui avait bien déclaré : c'était une infirmité
contre laquelle la science s'avérait impuissante.

Et Pierre montait, montait de plus en plus vite,
s'arrêtant parfois pour calmer les battements de
son cœur, puis repartant d'une foulée de chien de
chasse, tournant et retournant les lacets de la
sapinière.

La cascade de Blaitière franchit d'un seul bond
un ressaut rocheux de plus de cinquante mètres;
elle est particulièrement impressionnante en
période de crue, car alors les eaux s'y précipitent
dans un grondement infernal, rejaillissant sur les
parois de la gorge en vapeurs irisées; une brume
romantique stagne dans les abrupts et caresse les
racines monstrueuses des mélèzes qui se penchent
sur le gouffre. On l'eût qualifiée de « sublime horreur » à l'époque des crinolines, mais, actuelle-
ment, les touristes sceptiques en ont vu d'autres
et ne s'étonnent plus de rien. Seuls quelques
modestes promeneurs, attirés par la proximité du
site, viennent y respirer la fraîcheur et goûter,
dans un petit chalet suspendu comme une cage
d'oiseau, au miel de montagne et au lait frais.

Pierre se dirigeait vers le gouffre, à grands pas.
Sa résolution était prise : il saurait si, oui ou non,
le docteur avait raison. Mais cette décisive expérience l'effrayait, et lorsqu'il entendit mugir la
cascade encore invisible, il ralentit insensiblement
sa marche; le chemin était horizontal maintenant,
une simple corniche étroite dans la forêt touffue.
Pierre allait calmement, comme protégé par tous
ces troncs argentés qui montaient droit dans
l'ombre, lui cachant le ciel et la vallée. Mais bien-

tôt il perçut sur son visage la fraîche caresse des vapeurs, accompagnée du grondement sonore des eaux en furie; alors il s'assit, et, la tête dans ses mains, réfléchit longuement. A vingt mètres de là, il le savait, la forêt cessait. D'un seul coup, le sentier bien abrité se transformait en un balcon aérien mi-suspendu dans le vide, un belvédère unique dominant l'abîme et la gorge sauvage où s'écrasait le torrent. Il n'avait plus que quelques pas à faire pour être fixé. Il s'imaginait penché sur la frêle balustrade et courbant à chaque seconde davantage son corps ployé en deux, lisant son destin dans le bouillonnement du gouffre. Qu'il résistât à l'attirance perfide du vide, à l'appel mugissant des eaux, et l'épreuve serait concluante; sinon!... sinon il se voyait pauvre loque humaine effondrée contre la montagne et crispée sur le garde-fou, les yeux fermés pour ne plus voir... Alors, sa destinée serait tracée : renoncer à jamais à la montagne, redescendre dans la vallée, et se confondre avec la masse des sédentaires, des hommes des plaines; abandonner la vie libre et aventureuse de guide; renoncer aux luttes vibrantes d'action, à ces corps à corps sans fin avec les parois de granit; renoncer aux longues descentes des couloirs de glace, pas à pas dans les marches... Renoncer!

Il fit quelques pas hésitants, aperçut le trou de lumière par où s'évadait le sentier, et se colla sans forces contre la paroi. Il n'alla pas plus loin; il écouta longuement le chant du torrent, cette voix grave et ensorceleuse qui semblait lui dire : « Viens! Mais viens donc! As-tu peur? » Il frissonna d'impuissance et de désespoir, voulut ignorer encore sa détresse et, comme un condamné qui réclame un sursis, se refusa à marcher plus avant. Se levant brusquement, il tourna le dos à la lumière et se rejeta dans l'ombre, puis partit en courant par le sentier désert, dévalant à toute allure les raccourcis, butant contre les troncs, glissant sur la litière feutrée des aiguilles de sapin, se raccrochant aux basses et souples branches. Il ne s'arrêta qu'en bas, dans la thébaïde moussue qui précède les prairies et il lui sembla qu'alors il respirait mieux; il s'assit sur un gros bloc, alluma sa pipe, et laissa vagabonder ses pensées en suivant d'un œil distrait les volutes de fumée bleue qui montaient vers le ciel.

Au-dessus de sa tête, le fœhn ronflait toujours comme un soufflet de forge parmi les Aiguilles. Son souffle chaud se rabattait dans la vallée et caressait le visage baigné de sueur de Pierre. Arrachant son foulard, il s'épongea d'un geste lent, se leva et reprit sa route, flânant sans but précis par des sentes à peine marquées; puis, ayant pris une décision, il longea les fourrés de vernes et de biolles, traversa le grand cône de déjection du torrent du Grépon tout encombré de l'amoncellement terreux d'une avalanche, et descendit sur le village des Mouilles.

Une bonne vieille nettoyait les ciselins de tôle sous le jet violent du bachal. Pierre l'aborda :

— Bonjour, madame Lourtier... Fernand est-il là?

— Tiens! c'est toi Pierre... Comment vas-tu, mon pauvre petit? et la maman?... Faudrait bien que j'aille la voir, mais on se fait vieux. C'est-y Fernand que tu cherches ou l'Aline? ajouta malicieusement la vieille.

Pierre rougit.

— Les deux, madame Lourtier.

— Fernand coupe des vernes au Biollay, au

bord d'Arveyron, dans le lot qui nous vient du grand-père, et l'Aline est « en champ les vaches », tout à côté... Tu sais le chemin! Va vite, mon Pierre... Adieu donc!

— Adieu donc!

Pierre hâta le pas, pénétra par une allée forestière dans le bois du Bouchet aux majestueuses frondaisons, et à l'orée du bois se trouva devant le petit pré enclos de murettes que paissait le troupeau des Lourtier. Les clarines sonnaient gaiement au cou des bêtes. Aline était assise dans l'herbe, un foulard en marmotte dans ses cheveux, une baguette de coudrier sous le bras, et tricotait un gilet de grosse laine écrue. On entendait, mêlé au tintement des sonnailles, le grondement tout proche de l'Arveyron charriant à pleins bords sa débâcle de neiges, et le ululement mélancolique du vent, là-haut, à quelque trois mille mètres au-dessus de leur tête. L'odeur des prairies naissantes se mélangeait aux effluves balsamiques du printemps sylvestre.

Fernand abattait des vernes et les chargeait sur un vieux char à échelle. La mule, dételée, broutait paisiblement du bout des dents les fleurs du pâturage; son collier libéré descendait jusqu'à la ganache et n'était retenu que par les longues oreilles frémissantes. Fernand, lâchant son travail, vint à la rencontre de Pierre; tous deux se dirigèrent ensuite à travers pré vers Aline; elle les regarda venir paisiblement et ne manifesta sa joie que par un regard plus tendre de ses beaux yeux noirs, un regard qu'elle appuya franchement sur celui de Pierre.

Les deux jeunes gens se couchèrent dans l'herbe aux pieds d'Aline, et comme Pierre paraissait mélancolique, Aline l'interrogea.

— T'as l'air tout chose, Pierre! Qu'est-ce qui ne va pas? Malade? Contrarié?

— Rien...

— Si, il y a quelque chose, je le vois rien qu'à te regarder; dis-le-nous.

— Mais non, rien du tout, je t'assure! Je m'ennuyais à la maison, alors je suis venu vous trouver... Quand on n'est bon à rien comme moi, on trouve le temps long. Et puis, ce sacré vent m'énerve; ça me donne encore de ces maux de tête.

— C'est le vent du printemps, Pierre, ça passera, dit Fernand. Regarde, il énerve tout le monde, les bêtes ne tiennent pas en place.

Ils observèrent le petit troupeau d'une dizaine de têtes. Les vaches allaient et venaient, rasant d'un coup de langue une touffe, relevant les cornes, tournant en rond, meuglant; il y avait surtout une puissante bête toute noire, avec le dos fauve et des cornes magnifiques, qui ne tenait pas en place, grattait le sol de ses sabots, soufflait puissamment, taquinait ses compagnes du coin de la corne...

— Doucement! Lionne, doucement..., lui criait Fernand.

— C'est ta vache de combat?

— Oui, interrompit Aline. Il s'est mis dans la tête d'en faire une reine à cornes à la montée de l'alpage... Alors! voilà le résultat : plus de lait, une bête mauvaise et querelleuse, tout en nerfs...

— Mais un magnifique fauve, Aline; regarde cette encolure de taureau et ces jambes fines... Si elle tient le coup avec les vieilles reines, elle commandera cet été sur tout l'alpage de Balme.

— J'aimerais mieux qu'elle nous donne plus de lait, comme la brave Parise que voilà, dit-elle en montrant une bonne et lourde bête au pis gonflé, au ventre marqué par le relief des grosses veines mammaires.

La montagne mise à part, le grand souci de Fernand était son troupeau. Très jeune encore, il avait choisi, sélectionné les quelques vaches qui représentaient la fortune de sa famille; mais pris à son tour par cette passion spéciale aux montagnards des vallées jouxtant le canton suisse du Valais, il s'était mis en tête d'élever une « reine à cornes », une vache de combat qui grevait lourdement son budget sans rien lui rapporter. Sa sœur ne pouvait admettre ce fauve inutile dans l'étable et le lui reprochait fréquemment.

— Et toi, Pierre, reprit-elle, n'es-tu pas de mon avis ? Une bouche inutile à nourrir, c'est tout ce que c'est, la Lionne.

— Vois-tu, Aline, dit-il, éludant la question dangereuse, la montagne, le chalet, le troupeau, la chasse en automne, le ski en hiver... je n'en demande pas plus...

— Drôle d'hôtelier en perspective !

— Je ne voulais pas être hôtelier, se défendit Pierre; d'ailleurs, je ne le serai jamais, à moins que...

Et la figure de Pierre s'assombrit, une expression de lassitude et de tristesse se peignit sur ses traits, mais il n'acheva pas sa phrase.

— A moins que... ?

— Rien. Des paroles en l'air.

Fernand se leva.

— Je vous laisse, les amoureux... Je rentre le char à la maison. Toi, Pierre, je te retrouverai chez Breton... on fera les quatre heures autour d'une fondue.

L'attelage disparu, Pierre et Aline, restés seuls dans la clairière, se rapprochèrent l'un de l'autre. Couché dans l'herbe aux pieds d'Aline, Pierre mâchonnait un brin d'herbe, les yeux tournés vers les nuages, sa main jouant avec les doigts de sa fiancée. Il ne dit rien tout d'abord, ne fit pas un mouvement; puis comme il avait le cœur lourd de peine, il se releva à moitié, appuya sa tête sur les genoux d'Aline et resta là, sans bouger, à songer. Les nuages fuyaient en tempête au-dessus de leurs têtes, et parfois des rafales éveillaient le grand murmure des feuilles dans les arbres; cela couvrait presque le bruit du torrent et les sonnailles des vaches; puis tout redevenait calme. Pierre éprouva tout à coup le besoin de parler :

— La neige fond; regarde! Aline, les rochers sont aussi secs qu'en été; on pourra commencer tôt cette année.

— Toujours ta montagne, grand fou! Pense un peu à autre chose.

Elle se pencha vers lui et il respira son souffle pur; un grand émoi les envahit, Aline laissait jouer ses doigts dans la chevelure brune et emmêlée; lui se laissait faire comme un enfant. Cette main de femme qui caressait doucement son front apaisait le tumulte de son esprit, chassait ses idées tourbillonnantes... Il avait presque oublié le docteur et son fâcheux avertissement. Il y repensa soudain, et son visage devint dur comme un marbre antique bronzé par les soleils d'innombrables étés.

Aline s'inquiéta :

— Dis-moi! Qu'as-tu? Tu es tout drôle... Dis-moi tes peines, mon Pierre. (Elle ajouta tout bas :) Je t'aime Pierrot, tu le sais bien!

Dans la coupe de ses mains, elle tenait maintenant son visage renversé et le regardait tendrement... Lui, avait un regard de chien battu...

— Qu'est-ce qui te tracasse, ne veux-tu pas le dire ?

— Si... mais plus tard... ne me pose pas de questions, Aline, moi aussi je t'aime... je t'aime bien...

— Grand fou !... Toujours la montagne...

— M'empêcherais-tu d'y aller, toi ?

— Hélas ! non, Pierrot, mais j'en aurais bien de la peine et du tourment.

Elle se reprit à caresser doucement la chevelure ébouriffée.

— Promets-moi que tu n'iras là-haut qu'en amateur. Tu pourrais vivre... (elle se reprit en souriant), nous pourrions vivre très bien avec le rapport de la pension de famille et les troupeaux. Alors ? Pourquoi rentrer guide ? Quand tu voudras faire de la montagne, tu partiras en amateur avec Fernand et les autres, mais jamais avec un client... C'est là qu'est le danger... Ne pas savoir avec qui on part, risquer d'être entraîné par un inconnu... Et puis, si tu veux bien, j'irai quelquefois avec toi... Moi aussi, j'aime les courses; toute petite, quand Fernand m'emmenait avec lui dans les alpages, j'avais toujours envie de pénétrer dans les glaciers, de découvrir ce monde qui nous prenait tous nos hommes et ne les rendait pas toujours. Tu vois qu'on pourra être heureux !... (Et elle ajouta très bas, comme honteuse d'employer ce mot qu'elle avait lu dans les romans et qui lui semblait réservé aux amours bourgeoises :) Chéri !...

Leurs visages se touchaient presque; il n'eut qu'à relever un peu la tête pour l'embrasser tendrement. Ils désunirent leurs lèvres, mais restèrent front contre front, emmêlant leurs boucles.

Pierre maintenant parlait tout bas, comme s'il confiait un secret :

— Tu es une brave petite fille, Aline, je te connais depuis toujours et il me semble que je ne pourrais pas vivre sans toi.

— Sans moi et sans la montagne.

Il ne répondit rien.

— Je n'en suis pas jalouse, tu sais.

— C'est dans le sang, Aline; faut pas m'en vouloir. Regarde! Mon père a tout fait pour m'éloigner des courses; je pourrais, si je le voulais, mener une vie plus agréable. L'oncle Paul nous aiderait à bâtir plus grand; je me sens parfaitement capable de mener une importante affaire d'hôtellerie, et tout ça ne me dit rien, rien de rien; je n'aime que ça (et il montra les cimes dentelées)... et tout ça! (Et d'un geste il embrassa la clairière : les arbres, la forêt, le torrent, les troupeaux, puis il se reprit et éclata de rire...) Et ça aussi! dit-il en enlaçant plus fougueusement Aline.

— Arrête! On pourrait nous voir.

— Ne sommes-nous pas fiancés?

— C'est vrai, mais soyons sages; il est temps de rentrer... Aide-moi à rassembler le troupeau.

Ils revinrent à pas lents par le sous-bois feutré; le troupeau carillonnant les précédait, et cette sonnaille très claire emplissait d'un coup toute la vallée. Dans le lointain, le gros bourdon de l'église sonna l'Angélus, et sa voix grave s'imposa, couverte soudain par une rafale de vent qui fit siffler, gémir et ployer les têtes fines des sapins.

# 2

Tout dort au Moëntieu des Moussoux. Il peut être 2 heures du matin, peut-être 3... Tout dort?... Non, car dans sa chambre Pierre tourmenté, torturé, obsédé par cette sotte idée qui s'incruste dans son pauvre crâne déjà malade, se tourne et se retourne, cherchant en vain le repos dans le sommeil.

Et comme il n'a personne à qui se confier, il s'assied sur son lit et, face à la nuit, se parle à lui-même. C'est un étrange monologue, ponctué de hochements de tête, traversé de lueurs d'espoir, puis tout à coup découragé et sans réaction.

« Bougre d'idiot! se dit-il, tu te fais des idées fausses... Le docteur n'y connaît rien. » Mais le doute le reprend : « Alors, pourquoi as-tu hésité l'autre jour? C'était très simple de savoir... Il faut recommencer... Il faut savoir... Se pencher une fois pour de bon sur un bel abîme qui n'en finit plus... alors on est fixé! » La sagesse le fait encore hésiter. « Et si tu tombais?... Si tu tombes, eh bien, tant mieux... Préférerais-tu traîner lamentablement tes grolles dans la vallée... assister au départ des copains pour les courses, puis aller les attendre comme des curiosités au coin de la place?... Bon sang, non!... tu sauras... »

D'un mouvement brusque, Pierre rejette les draps, il se lève, fait de la lumière, s'habille rapidement et en silence. Il se dirige vers l'escalier, ses chaussures cloutées à la main. La porte neuve grince légèrement; il tressaille : « Si la maman se réveillait!... » Il a l'impression de fuir honteusement.

Marche à marche, s'arrêtant souvent pour écouter, il descend l'escalier. Le voici dans la cuisine, obscure, pleine de senteurs et de relents. Dans le poêle quelques tisons rougis achèvent de se consumer, et leur faible brasillement se reflète sur la plaque de fonte.

Pierre ouvre la porte; la nuit est glaciale; dans le ciel, quelques étoiles brillent faiblement. « Belle nuit! songe-t-il, belle nuit pour tenter son destin. »

Il revient dans la cuisine et, sur la lampe à alcool, se fait réchauffer du café bien fort. Il mange, en se forçant un peu, du pain et de la tomme; ça descend mal. Du garde-manger, il sort un morceau de salé froid, un fromage, des œufs. Il remplit sa gourde de café et enfourne le tout dans son sac, machinalement et sans ordre. Puis il décroche son piolet, le pose à côté de sa chaise, et chausse lentement ses brodequins. Tout à coup, il sursaute. Il lui a semblé que le parquet craquait au-dessus de lui. Mais non! Ce sont tout simplement les bruits indistincts de la nuit : c'est comme si le chalet neuf se reposait de ses fatigues et, las de supporter sa toiture, faisait craquer en se jouant les assemblages de ses poutres.

Pierre sort furtivement comme un voleur. Dans la nuit noire, il marche comme un automate et ses pieds butent contre les cailloux du gire. Où va-t-il? Il n'en sait rien : droit en haut, ce qui est sûr!

La Roumna Blanche a conservé un peu de lumière dans ses éboulis; on dirait une écharpe très pâle tirée sur la cape de velours sombre de la montagne.

Peu à peu, les yeux de Pierre s'habituent à l'obscurité; il discerne maintenant la silhouette très

192

sombre des monts sur le ciel de jais. Il monte familièrement, la tête haute, aspirant la fraîcheur de la nuit; le voici dans la grande forêt et c'est comme s'il pénétrait dans un gouffre plus noir encore. Le sentier s'élève rapidement, bordé de très hauts épicéas. D'un côté, l'on devine le vide qui fuit; de l'autre, c'est le talus quasi vertical où s'accrochent les troncs effilés aux branches tourmentées.

Pierre a oublié sa lanterne. Qu'importe! Il se laisse guider par son instinct et marche du bout des pieds, tâtant le sol avec volupté, tous ses sens en éveil. Par moments même, il ferme les yeux pour mieux sentir la montagne. D'autres fois, il lève son regard jusqu'au sommet de la tranchée plus claire, tracée dans les arbres et qui jalonne la trouée du chemin; une étoile solitaire brille d'un éclat très froid, plus froid que la nuit, et Pierre guide sa marche sur cette étoile. Parfois il bute contre un obstacle, parfois aussi il sent son pied qui se dérobe; alors il se rejette instinctivement du côté de la montagne. Il vit une nuit irréelle et se grise du vent de l'espace. Une masse plus claire dans une clairière rompt la monotonie des ombres : c'est la buvette des Chablettes. La masure est déserte; Pierre s'assied sur le seuil de la porte close et frissonne un grand coup; du sac, il sort machinalement sa gourde de café et boit une lampée. En bas, les mille feux de Chamonix scintillent dans le gouffre. Un grondement fait vibrer l'air; c'est un sérac du glacier des Bossons qui craque et le ululement d'un grand-duc lui répond lamentablement.

Pierre reprend sa marche; d'une basse branche, un lourd oiseau s'envole dans un remous d'air : une gelinotte sans doute.

Il monte et reprend confiance en lui-même, cette ascension nocturne l'enchante, l'émeut et il se pénètre avec délices de cette nature sauvage qu'il aime tant. Mais voici que le rideau de nuit de la forêt se déchire brutalement comme le sentier aborde la grande coulée livide. La falaise du Brévent très haut sur sa tête borne l'horizon comme un infranchissable mur de prison. Le sentier s'élève maintenant en lacets de plus en plus rapprochés, coupé parfois de culots d'avalanches. Le pied glisse sur la couche terreuse qui masque la glace, mais Pierre a retrouvé son aplomb et marche sans hésitation, le piolet bien affermi dans sa main; il est environné de nuit, mais les teintes du ciel sont déjà plus pâles comme un lavis à l'encre de Chine qu'on délayerait peu à peu. Il débouche sur le plateau de Planpraz, bien au-dessus de la limite des forêts. Le vent souffle de l'est par petites rafales; une vague lueur annonce le lever du jour. Il ouvre tout grand sa bouche au souffle frais qui le pénètre délicieusement.

La Chavanne est déserte. Il se repose, car il est trop tôt encore pour repartir; dans une heure, il aura atteint le pied de la haute muraille qui s'élève de quatre cents mètres, lisse comme un panneau de marbre poli.

Des exhalaisons de lait caillé, de foin fermenté s'échappent de la Chavanne et sont balayées par la brise.

Sous ses pieds, s'ouvre le trou sombre de la vallée profonde de mille mètres et, en face de lui, la chaîne du Mont-Blanc, qui s'exhaussait à mesure qu'il montait, a repris sa véritable dimension; la coupole supérieure repose comme la voûte d'une cathédrale byzantine sur l'architecture compliquée des Aiguilles, amenuisées par la distance.

C'est une forêt de pierres où pilastres, tours, campaniles, lanternes s'enchevêtrent et se hérissent, émaillés de névés glauques.

Les glaciers des Bossons et de Taconnaz, écaillés de crevasses tranversales, s'allongent et s'étirent paresseusement comme de gigantesques sauriens.

Le froid augmente; Pierre claque légèrement des dents, mais il ne peut se lasser d'admirer encore une fois ce lever du jour. C'est comme si d'un coup tout devenait plus clair, plus frais, plus pur. Une toute petite tache rose s'est posée sur la cime sans qu'on sache d'où venait la lumière : sans doute des lointains de l'est, maintenant phosphorescents et, en même temps que le jour naissait, l'air s'est fait plus léger. Pierre voudrait chanter. Mais non! C'est tout son être qui chante mystérieusement le renouveau de la vie. Il se lève, assure son sac sur l'épaule, et, repartant dans la fraîcheur, atteint la combe du Brévent encore dans l'ombre, où les gros blocs du clapier dessinent des formes étranges et familières. Le jeune montagnard marche fébrilement maintenant, il se faufile avec le sentier complice sous un petit campanile déchiqueté, puis l'abandonne pour une piste à peine marquée qui rejoint la base de la grande paroi du Brévent.

La face du Brévent est une ascension courte, facile pour un grimpeur de classe, mais vertigineuse au possible; on y conduit généralement les débutants ou encore les alpinistes qu'un guide veut « essayer » avant une course importante; le rocher est très délité et nécessite de grandes précautions.

Cette paroi, Pierre l'a gravie bien des fois, et, s'il y retourne, c'est justement parce qu'il sait fort bien qu'il ne pourra trouver meilleure pierre d'essai : un homme sujet au vertige ne franchit pas la vire du haut de la paroi. Et Pierre se reprend à douter, craint l'échec qu'il pressent, perd sa confiance... Sa démarche se fait plus hésitante. Il faut, pour aborder les rochers, traverser un petit couloir herbeux très raide; les gazons mouillés de rosée sont très glissants. En temps normal, Pierre aurait sauté en se jouant d'une pierre à l'autre. Pourquoi, aujourd'hui, n'avance-t-il qu'avec précaution, plantant la pique de son piolet dans la terre pour assurer sa marche, s'inclinant exagérément du côté de la montagne, au lieu de poser son pied bien franchement et d'aplomb?

Quelqu'un qui le verrait de loin s'inquiéterait : « Voilà un débutant qui n'a pas le pied sûr ! » songerait-il.

Une gêne insurmontable l'envahit; son regard se détourne de l'à-pic qui fuit; il bute, fait un faux pas et se raccroche nerveusement à son piolet. Crispé sur le manche de frêne, il s'arrête, le front moite de sueur; la peur, une peur atroce s'empare de lui.

Il continue cependant et prend pied avec soulagement sur les éboulis du bas de la cheminée; le pierrier croule sous ses pas et des coulées de gravats s'enfournent dans les gueules ouvertes du couloir. Il atteint péniblement la base de la muraille. Ce n'est plus maintenant qu'un mur interminable, tout baigné de soleil.

L'immense falaise est séparée en deux par une déchirure de la montagne, gorge profonde et sinistre, toute coupée de ressauts, encombrée de pierres branlantes et toute suintante d'humidité, car le soleil n'y donne jamais.

Pierre s'y engage. Une lourdeur inaccoutumée pèse sur ses membres et ses doigts caressent avec précaution le rocher avant de s'y agripper. Il secoue cette torpeur et, se décidant brusquement, passe à l'attaque.

Voici le premier surplomb, dressé comme une échauguette au début de la gorge. Pierre le franchit aisément; au contact du schiste froid, il a retrouvé sa vigueur et monte en style, le dos au vide, le regard rivé sur le rocher. Il lui semble que cette ombre qui l'enveloppe le protège des maléfices et que dans ce couloir étroit il fasse mieux corps avec la montagne; rapidement il s'élève dans le couloir qui se creuse davantage et à chaque ressaut présente une difficulté nouvelle, qu'il surmonte avec aisance. Il reprend confiance, sans toutefois oser déjà se retourner vers le vide; ses mains tâtent les prises instables et, parfois, avant de continuer son escalade, il est obligé de desceller un bloc branlant qui tombe dans la gorge et se fracasse le long des parois en répandant une odeur de poudre brûlée. Il gagne ainsi plus de deux cents mètres en altitude, jusqu'à ce que la gorge vienne buter contre la muraille. Le voici dans un cul-de-sac; seule une fissure impossible, terminée par un surplomb infranchissable, le sépare de la crête sommitale, sur laquelle se penche et fléchit une lourde corniche de neige.

Il lui faut maintenant gagner la grande vire et traverser dans toute sa largeur la paroi pour rejoindre l'arête centrale. La sortie de la cheminée est facile mais hasardeuse, les prises sont larges mais instables, de petites corniches servent pour placer les mains et les pieds. Redoublant de précautions, Pierre s'y engage, s'efforçant à ne plus penser au vide qui se creuse déjà très profondément sous lui. Un léger rétablissement l'amène sur une belle terrasse ensoleillée, dominant toute la grande paroi. Une pierre qu'on lâcherait d'ici ferait cinq cents mètres sans toucher le sol; c'est le triomphe de la verticalité. A une échelle plus réduite, cet à-pic peut se comparer à certaines parois dolomitiques où le grimpeur joue entre ciel et terre.

La terrasse est une sorte de havre paisible à mi-hauteur de la muraille; le vide l'entoure de partout : en haut, en bas, à droite, à gauche et, sur la crête, la corniche inclinée semble guetter curieusement le grimpeur.

Pierre regarde machinalement et sans le voir le magnifique panorama de cimes et de glaciers dont il n'est séparé que par ce gouffre bleuté où gronde le torrent; son esprit est inquiet, son âme oppressée, et il tient ses yeux fixés sur la fissure minuscule qui lui permettra de s'échapper de cette aventure aérienne et d'atteindre le sommet. C'est le seul mauvais pas de l'ascension. Il est court : une dizaine de mètres à peine.

La terrasse se casse brutalement sur le vide. Il faut, pour atteindre la fissure, franchir un pas très long juste au-dessus de l'à-pic vertigineux, et se lancer presque pour atteindre les petites prises qui permettront de s'y coincer. La fissure taillée au rasoir s'ouvre directement dans la paroi et surplombe la grande muraille verticale. Combien de débutants ont hésité à ce passage ! Pierre le sait, et voici qu'il s'avance en tremblant : son destin va se jouer. Il essaie de se pencher pour atteindre l'autre bord de ce puits sans fond; mais il se sent peu à peu attiré violemment par tous ces abîmes. D'ici, le regard plonge directement sur les éboulis de la Roumna Blanche qui fuient dans une perspective effrayante vers la vallée. Il lui semble que, s'il venait à tomber, son corps roulerait sans s'arrêter de mille cinq cents mètres de hauteur jusqu'aux premières prairies, là-bas, sous la forêt.

Et au cœur de ces prairies il reconnaît le Moëntieu des Moussoux. On dirait un petit chalet pour bergerie d'enfant; son toit brille au soleil, une mince fumée bleue s'échappe de la cheminée. Déjà, songe-t-il, la Marie a dû s'apercevoir de son absence. Sans doute rôde-t-elle, inquiète, alentour, cherchant son enfant.

Et lui est là, hésitant, prêt à fuir une seconde fois. Il se raisonne tout haut : « Qu'est-ce que tu attends ? Tu l'as fait vingt fois ce passage ! Une simple enjambée, tu te penches en avant, tu t'accroches à la prise du haut, et ça y est ! Tu pourrais faire cela les yeux fermés ! Allons ! Vas-y. »

Il se penche, fléchit les genoux, va prendre son élan, mais au dernier moment, tout son être hésite; c'est comme si une force occulte le retenait sur cette terrasse. Il tend les bras, impuissant à se décider à basculer en avant; au contraire ! Le cœur lui monte aux lèvres et, plein de répulsion, il se rejette sur la vire. Couché à plat ventre sur les pierres chaudes, il sanglote maintenant comme un gosse. Un désespoir immense l'accable. Ainsi c'est vrai ! Il n'est plus qu'une loque, une pauvre chiffe incapable de commander à ses nerfs et à sa volonté. Il crie sa rage aux corneilles qui planent à sa hauteur et le narguent; mais sa voix est emportée par le vent.

A cet accès de désespoir succède une torpeur sans nom. Adossé à la montagne, il laisse errer son regard indéfiniment triste sur le paysage, identifiant tous les passages : le Mont-Blanc, où il faisait si hardiment sa trace l'automne passé; le

Dru accolé à l'Aiguille Verte, et ridiculement bas vu d'ici; le Grépon tout crénelé comme un château fort où, dédaignant la voie normale, il bondissait d'une vire à l'autre, franchissant d'un saut les brèches atrocement vertigineuses. C'était autre chose que cette malheureuse enjambée au-dessus du vide.

« Accroche-toi! Accroche-toi! murmure une voix intérieure. Il faut combattre, Pierre; il faut lutter; allons! saute! »

Sans savoir le pourquoi de ses gestes, il déroule sa corde et s'attache comme s'il avait derrière lui une caravane; ceux qui le verraient ainsi le prendraient pour un fou. Il l'est peut-être, d'ailleurs! Ne parle-t-il pas tout haut comme s'il s'adressait à un voyageur et voulait se donner une fois encore l'illusion d'être premier de cordée? Quel étrange dialogue!

« Restez là, monsieur, dit-il, surveillez simplement ma corde pour qu'elle ne s'embrouille pas; ce n'est rien, un tout petit passage... Le vide? une rigolade, le vide!... une simple enjambée d'un mètre; vous faites bien une enjambée d'un mètre en temps normal, alors il n'y a qu'à vous imaginer que vous êtes sur le trottoir, c'est exactement pareil. D'ailleurs, vous allez voir, j'y vais! Assurez! Là, très bien, et maintenant, regardez... »

Il se grise de ses propres paroles, rit nerveusement; il s'approche lentement du vide, bras tremblants et genoux fléchissants; et comme il sent qu'il va encore une fois renoncer, il se remet à parler tout haut comme s'il encourageait un client imaginaire.

« Regardez, monsieur, je me penche, et hop!... »

Fermant les yeux, il s'est au hasard basculé dans le vide; ses mains heurtent la paroi d'en face et le voici suspendu, les reins arc-boutés, véritable arche humaine au-dessus du néant. Il n'ose plus rouvrir les yeux, tant il a peur de se trouver face à face avec l'absolu... Il tâtonne, cherchant cette prise, qu'il connaissait bien pourtant, et qui fuit sous ses doigts. Ses ongles grattent la roche sans rien trouver; sous l'effort, ses pieds dérapent. Quel soulagement lorsque sa main gauche rencontre une faible prise! Il y crispe le bout de ses doigts; ses pieds abandonnent leur point d'appui, son corps pendule et vient se plaquer sur le rocher. Il est maintenant suspendu d'une seule main sur l'abîme. Il ouvre les yeux et aperçoit une prise énorme pour la main droite : le salut! Elle est trop distante encore; il faudrait, pour qu'il puisse l'empoigner, prendre appui des pieds; ce ne sont pas les prises qui doivent manquer sous lui. Il le sait, comme il sait également que s'il tourne par malheur son regard vers le bas, il lâchera dans un éblouissement de tout son être. Alors rassemblant ses forces, il colle son corps à la plaque comme le ferait un débutant, gratte la roche sans trouver d'appui; la fatigue l'envahit, son bras gauche se distend, ses phalanges cèdent et le voici qui crie de peur, se défend contre une étreinte invisible, sent qu'il va lâcher.

Non! La main droite a palpé une prise dissimulée dans un recoin de la fissure; dans un dernier réflexe, il se détend, se rétablit et d'un bond incroyable se jette dans la fissure. Oh! le doux contact de la roche qui l'enserre et le retient. C'est comme lorsque, tout enfant, il se réfugiait peureusement contre le sein de sa mère. Il est sauvé? Pas encore!

Il reste ainsi de longues minutes coincé dans sa fissure, les yeux clos, la tête appuyée sur la roche.

201

Mais la fatigue le reprend; alors, toujours sans ouvrir les yeux, il tâtonne, trouve des prises de plus en plus nombreuses, ramone et se hisse ainsi jusqu'à une petite grotte. Il peut enfin librement s'étendre. Un rebord schisteux lui masque le vide; des gazons très raides le séparent maintenant du sommet. Il se sent plus fort, malgré cette corniche menaçante qu'il lui faudra franchir. Le sortilège qui l'envoûtait a disparu. Il respire mieux.

Il abandonne à regret la sécurité de la grotte, plie sa corde qui traîne derrière lui et continue son escalade. Des primevères, des gentianes, des lichens fleurissent sur le glacis verdoyant qui borde le précipice.

Encore, toujours le vide!... Il n'en peut plus; sa tête tourne, tourne comme le paysage environnant. Il rampe à quatre pattes, s'aidant du piolet piqué dans le gazon glissant; il songe au ridicule de sa position, à ce que penseraient de lui ses camarades s'ils le voyaient ainsi ramper comme une larve. Mais au-dedans de lui, il s'en moque, il n'a plus d'amour-propre, il a abdiqué toute fierté et ne songe plus qu'à fuir, fuir cet à-pic qui l'obsède! Fuir cette montagne à laquelle il n'est plus destiné! Fuir les précipices de la grande muraille, atteindre le versant nord et ses champs de neige dure! Le voici à quatre pattes sous la corniche, comme un chien qui cherche à ouvrir une porte; il pourrait l'escalader directement en se dressant au-dessus du vide et en enfonçant profondément le manche de son piolet pour se hisser dessus, mais il n'ose pas faire ce geste vainqueur. Alors il creuse la neige comme une taupe, déblayant à petits coups de piolet un étroit tunnel translucide par lequel il se glisse en rampant. Enfin, il émerge sur l'autre versant; enfin, ses yeux se reposent sur quelque chose de moins raide, de moins vertical, de moins absolu. La montagne lui paraît tout à coup plus hospitalière; les prairies enneigées de Carlaveyron accusent des douceurs de contour qui l'enchantent. Il se dresse comme un fou dans la neige et part droit devant lui, en glissade debout!

Dans un creux d'ombre, la neige durcie le surprend; il perd l'équilibre, tombe et glisse sur le névé, filant comme un bolide dans une cuvette parsemée de rochers; sa glissade se termine contre un gros bloc qu'il vient heurter durement. Sous le choc, il perd connaissance.

Quand il reprend ses sens, le soleil est très bas sur l'horizon. Des vapeurs montent de la plaine de Sallanches, flottent au-dessus du Désert de Platé, prennent d'assaut les gorges de la Diosaz.

Le soleil couchant dessine une gloire à travers la brèche des Aravis, et du côté de Chamonix c'est déjà comme un grand trou d'ombre d'un bleu d'acier dans lequel plongent les coulées livides des glaciers.

Il se relève péniblement, comme s'il sortait d'un long engourdissement, se frotte le visage avec de la neige qui glace, durcit et rougit ses mains. Il s'aperçoit alors qu'il a saigné abondamment d'une coupure du cuir chevelu. Il reprend sa marche à pas lents, cherchant, d'un névé à l'autre, les traces du sentier muletier; il évite par un long détour la cheminée du Brévent, toute garnie de rampes de fer par où passent les touristes. Il évite tout ce qui est pentu, vertical, et voudrait déjà être en bas dans les grasses prairies horizontales; il se réjouit de la nuit qui vient et lui masque les grandes profondeurs.

Lorsqu'il atteint Planpraz, la nuit qui monte des vallées le rejoint et l'enveloppe; il continue sa route avec précaution, dédaignant les raccourcis du lacet, se guidant à la lueur imprécise du ciel par-dessus les grands arbres de la forêt. Enfin, il foule avec délices le gazon doux et élastique des prairies.

Une petite lumière veille au Moëntieu des Moussoux.

Pierre se dirige vers elle avec hésitation; puis il pense qu'il ne peut se présenter ainsi, souillé, déchiré et sanglant devant sa mère qui sans aucun doute l'attend. Il s'arrête devant le bachal, se lave à grande eau, remet son chapeau pour masquer la plaie du cuir chevelu, et enfin, sur une dernière inspection de sa personne, se jugeant présentable, il pousse la porte du chalet.

Marie Servettaz l'attend en effet, immobile au coin de la cheminée, un tricot posé sur ses genoux; elle soupire de soulagement en le voyant.

— Pierre! C'est toi!... D'où viens-tu à cette heure?

Sans répondre, l'œil mauvais, il enfonce son chapeau plus profondément sur sa tête, accroche son sac et son piolet au râtelier et fait mine de monter dans sa chambre.

— La soupe est toute chaude, Pierre, dit doucement la Marie. (Puis avec une pointe de reproche dans l'accent :) Pourquoi ne pas m'avertir quand tu pars? On a été en peine de toi toute la journée!

— Suis-je donc un gamin? dit-il méchamment.

La Marie ne répond pas, sert la soupe, et se retire en soupirant dans sa chambre.

Pierre s'attable et mange lentement, le regard fixe, puis il se sert une grande rasade de vin, se lève et monte pesamment les escaliers qui mènent aux étages.

# 3

L'oncle Paul flâne dans la rue Joseph-Vallot, les pouces au gilet, le canotier de paille relevé d'une chiquenaude sur son crâne chauve et toujours en sueur. C'est un indice de la belle saison, ce canotier. C'est devenu proverbial :

« Paul a troqué la casquette pour le canotier. L'été ne tardera plus », disent les bonnes gens de Chamonix.

Ce soir-là, contrairement à l'habitude, l'oncle Paul est taciturne. Il tire en marchant de brèves bouffées de sa courte pipe, et paraît préoccupé. Il dépasse le café National, sans y entrer, poursuit sa route, et le voici maintenant au fond du bourg, presque dans la banlieue. C'est l'heure où se termine le travail sur les chantiers, dans les champs, dans les bureaux, et la rue est plus animée que de coutume. Les gens viennent aux provisions, aux nouvelles. Les cafés se remplissent. Et tout ce monde salue Paul Dechosalet avec une déférente cordialité, comme il sied lorsqu'on rencontre un personnage important.

— Bonsoir, monsieur Paul... V'là le beau temps ! les demandes doivent rappliquer à l'hôtel ?

— Encore rien ! Mauvaise saison en perspective... ronchonne l'oncle Paul.

On rit sous cape à ce propos, car chacun sait qu'il a toujours tendance à trouver que tout va mal... et pourtant son hôtel se remplit automatiquement chaque été. En vieux paysan matois, il préfère ne pas afficher ses richesses. On ne sait jamais !

Paul Dechosalet va et vient dans la rue, comme s'il attendait quelqu'un. De tous côtés, les jeunes filles des environs arrivent à bicyclette, portant sur le dos la brande de fer-blanc pleine de lait. Comme chaque soir, elles portent à la laiterie principale le contenu de la traite. Voici justement Aline qui descend de bicyclette, s'arrête, les mains serrées sur le guidon et salue aimablement. L'oncle Paul fait quelques pas vers elle.

— Je t'attendais, Aline. Va vider ton lait et reviens me trouver, nous bavarderons !

De quelles choses veut-il l'entretenir ? Elle se le demande et se dépêche de faire peser son lait, puis ressort rapidement et, poussant d'une main sa bicyclette, rattrape l'oncle Paul qui a continué son chemin. Ils font ainsi quelques pas sans rien dire, puis l'oncle Paul, ayant mûri ses paroles, entre dans le vif du sujet :

— C'est à cause de Pierre, Aline ! Je me fais du souci à son sujet. Tu dois bien avoir pensé, ma petite, qu'il a terriblement changé depuis quelque temps. Ma sœur m'en a causé : il paraît qu'il ne desserre pas les dents à la maison, rentre juste pour dîner, mange en silence et mal, puis repart sans mot dire. Trois jours sur six il rentre gris, et ceci est beaucoup plus grave : lui qui ne buvait jamais fréquente tous les bistrots de la ville, et les plus mal famés ! On dirait qu'il évite ses anciens camarades : Fernand, Boule, tous de braves gars pourtant, et qu'il aimait comme des frères. Un vrai sauvage, quoi !... Je me demande ce qui a bien pu lui passer par la tête. Et avec toi, Aline, comment est-il ?

Aline penche douloureusement la tête et confesse avec peine ses sentiments.

— Son attitude est incompréhensible, monsieur Paul; il est avec moi comme avec tout le monde : brutal et pénible. Il m'envoie promener brusquement sans aucun motif, puis, la minute d'après, il me demande pardon avec des yeux de chien battu; après ces algarades, il s'en va tout seul dans les champs. On l'a vu rester des heures entières, couché sur le dos, à contempler les nuages. S'il n'y avait que ça !... Mais vous avez raison, il s'est mis à la boisson. Il va de café en café, presque toujours tout seul, il s'assied et reste là à songer devant son verre comme s'il ruminait des idées noires. Il me fait peur !... Je me demande comment je pourrais faire pour le tirer de là.

» Fernand, Boule, Paul ont bien cherché à le ramener vers eux, mais il trouve toujours un prétexte pour les éviter. Pour moi, c'est sa chute au Dru qui est cause de tout cela ! Il doit lui en rester quelque chose là... (Et Aline pointe son index sur son front.)

— Pourtant, reprend l'oncle Paul, pendant les six premiers mois de sa convalescence il était normal; sa mère m'a dit que ça datait d'un jour, il y a un mois environ, où il disparut toute une journée et revint sans dire où il avait été ! En montagne sans doute, car ses souliers étaient tout détrempés comme quelqu'un qui a marché longtemps dans la neige, et puis, en rangeant ses habits, ma sœur a vu qu'ils étaient tachés de sang autour du col. Elle a voulu l'interroger, il s'est mis dans une colère terrible; elle y a renoncé. Il avait les yeux injectés : « Parle jamais de cette journée, maman », a-t-il dit. Elle n'a pas voulu le buter et n'a pas insisté.

— Je savais, monsieur Paul, et j'ai cherché moi

aussi à deviner... Tout ce qu'il a pu me dire, c'est ces mots, un soir où il était particulièrement désemparé : « ... Une loque! t'entends, Aline, je suis une loque!... Ne t'inquiète plus. Je ne suis pas près d'y remettre les pieds dans ces garces de montagnes! » Et ça m'a paru tellement bizarre, venant de lui qui voulait à toute force reprendre les courses...

— Écoute! Aline, il faut absolument faire quelque chose pour lui et je crois que tu es la seule personne qui puisse le ramener à de meilleurs sentiments. L'empêcher de boire, c'est bien. Mais Pierre n'est pas un alcoolique; il boit parce qu'il a un chagrin quelconque... Faut trouver la cause de ce chagrin... J'ai pensé un moment qu'il avait pu y avoir quelque chose entre vous...

— Oh... monsieur Paul, s'indigne Aline.

— Je vois que je me suis trompé. Je préfère cela.

Ce que n'ajouta pas l'oncle Paul, c'est qu'on voyait fréquemment Pierre en mauvaise compagnie dans un bouge en dehors de la ville, et qu'il passait volontiers ses nuits chez les filles. Et tout ça ne lui ressemblait pas du tout, vrai, c'était un autre Pierre qui se révélait maintenant...

— Il faut enrayer le désastre, reprend-il, et je ne vois qu'une chose : tu vas t'y employer à fond — sans trop le sermonner, car il n'est pas un garçon à recevoir des conseils — mais en l'aimant davantage encore, en l'entourant de ton affection, en cherchant à le distraire... Et puis il faudrait que les autres s'en mêlent. Dis à Fernand et à Boule de faire tout ce qu'ils peuvent pour le reprendre dans leur bande. Au besoin en allant un peu au café avec lui, au début, pour l'apprivoiser... peut-être en allant faire quelques balades — pas de

grosses courses, bien sûr! mais tu sais, une bonne
« taque » mangée dans un chalet avec les copains,
il n'y a rien de tel pour vous remettre des idées
plus gaies en tête! Alors! c'est dit, tu veux bien
m'aider?

— Bien sûr, monsieur Paul, je vous suis recon-
naissante de vous intéresser comme ça à Pierre.
C'est un bon garçon, vous savez! Ou bien il est
malade, ou bien il nous cache quelque chose...
Alors, on va tâcher de savoir! Merci, monsieur Paul!...

— Tu peux m'appeler oncle Paul, Aline, car je
compte bien que, dès que tout sera tassé, vous
allez vous marier en vitesse... et que je serai
témoin à votre mariage... Allez! ma nièce... sauve-
toi! Tu vas rentrer avec la nuit.

Aline saute légèrement en selle, un pied sur la
pédale, sa brande vide dans le dos.

— Merci, oncle Paul!... Je vous aime bien, moi
aussi.

Puis elle s'enfuit. Un sourire très doux se
marque sur ses lèvres et l'espoir est revenu en
elle, car rien n'est plus doux pour une jeune fille
que de conspirer pour le bien de celui qu'elle
aime.

L'oncle Paul, rabaissant son canotier, essuie ses
moustaches, sort un cigare, l'allume avec son bri-
quet et remonte à pas lents jusque sur la place.

## 4

Paul Mouny est descendu du village du Tour de
bon matin, à motocyclette, et tout de suite il s'est
mis à la recherche de Boule et de Fernand Lourtier. Fernand coupe son bois derrière la maison,

et, au fur et à mesure, empile les bûches sous la galerie, en tas bien symétriques, fleurant la poix et la résine. En apercevant Paul, il lâche le chevalet et la scie pour s'enquérir jovialement :

— Tu viens me donner un coup de main, Paul ? Justement, j'ai encore deux ou trois mètres cubes à débiter.

— Laisse tout ça, et va te changer !... commande Paul. Georges à la Clarisse arrive aujourd'hui de Genève. On va l'attendre et fêter son retour !

— On va chercher Boule ?

— Bien sûr. Et puis... faudrait également prévenir Pierre.

— Savoir s'il viendra ? C'est un véritable ours en ce moment.

— Raison de plus pour qu'il vienne; il peut pas refuser ça à Georges !

— C'est une idée; file au Moëntieu, moi je cours chez Boule.

Paul escalade bravement avec sa moto le chemin pierreux et cahoteux des Moussoux; il monte le plus haut possible, jusqu'à la croix de bois érigée au cours de la dernière mission du village, juste sous le gire du Moëntieu. Accotant sa moto contre le soubassement de la croix, il monte rapidement jusque chez Pierre. Marie Servettaz le renseigne d'un air las.

— Il n'est pas chez nous... il est parti par la traverse il y a un quart d'heure. Tu le trouveras peut-être vers la Pierre à Ruskin; c'est là qu'il va rêver quand il lui prend ses envies de solitude.

Paul suit le petit sentier à travers prairies et biollays qui coupe du Moëntieu jusqu'à la Pierre à Ruskin. De loin, il reconnaît Pierre, couché de côté dans l'herbe, la tête appuyée sur le coude et qui semble rêver face à la chaîne du Mont-Blanc.

— Salut, Pierre !

L'autre répond par un grognement qu'il s'efforce de rendre aimable.

— Je viens te chercher, continue Paul sans se laisser désemparer par cet accueil renfermé. Georges à la Clarisse va arriver... Alors, avec Boule, on a pensé qu'il fallait aller l'attendre et lui offir une de ces réceptions ! je ne te dis que ça... pour lui faire oublier son état...

— J'ai pas le temps de descendre.

— Pas le temps ! Pas le temps !... Allons ! viens avec nous, tu ne peux pas refuser ça à Georges. Il ne serait pas content si tu n'y étais pas.

— Ça ne me dit rien...

Paul, debout devant son camarade, s'énerve et hausse le ton.

— Secoue-toi, voyons ! Tu n'es plus le même avec nous depuis quelque temps. Est-ce qu'on t'a peiné sans le savoir ? Dans ce cas, il faut nous le dire; pas d'équivoques entre amis... Non ? Alors tu n'as pas d'excuse. (Et Paul se fait pressant :) Allons ! Dépêche-toi ! Le car arrive dans une heure.

— Non !

Pierre articule nettement son refus. Il est buté.

— Écoute ! Pierre, reprend Paul, ce que tu fais là n'est pas chic... Georges a quand même laissé ses deux pieds pour sauver le client de ton pauvre père. Il a bien le droit de compter sur ta reconnaissance, et tu ne veux même pas marquer le coup en venant l'attendre ! Vrai ! je ne te reconnais plus...

Pierre se redresse à moitié, se cache la figure dans les mains.

— Assez ! assez !... mais tais-toi, bon sang ! tu ne vois donc pas que je suis malheureux, et que je ne veux plus voir personne ? T'as jamais eu envie de te renfermer en toi-même? de fuir la société? Pour ce que la vie me réserve désormais!... Laissez-moi tranquille, toi et les autres...

— Qu'est-ce que tu dis? Pauvre fou! La vie? Mais elle s'ouvre toute grande pour toi... Tu vas te marier, t'as une belle maison... du bien... Qu'est-ce qu'il te faut de plus?...

— Il me faut... Ah! puis non, tu ne comprendrais pas...

— Pierre, tu devrais me dire ça à moi. Je ne sais pas ce que tu as, mais je suis sûr que je pourrais te soulager.

Pierre ricane d'un air douloureux; il s'est assis maintenant et ses bras pendants jouent avec les touffes d'herbe.

— Personne ne peut me soulager, Paul. T'entends! Personne... pas même Aline que j'aime bien... pas même vous... que j'aime bien aussi...

— Allons! pense plus à ce qui te tracasse et viens avec nous. Il y en a de plus malheureux que toi sur terre. Regarde Georges? Le voilà infirme pour toute sa vie; adieu les courses!... Et il n'avait que ça pour vivre! je sais bien que l'Américain lui a fait une petite pension, et que la Caisse de secours de la Compagnie lui a versé une petite somme, mais enfin, il lui manque les deux bouts de pieds et on ne pourra pas les lui recoller...

Trop las pour lutter, Pierre capitule.

— Bon, bon... j'y vais!... J'y vais pour Georges! car tu m'as peiné tout à l'heure. C'est vrai que dans la famille on lui doit de la reconnaissance... Va! je vous rejoindrai.

— Non! je t'attends, insiste Paul qui ne veut pas le lâcher. J'ai la moto à la Croix des Moussoux, je te descendrai.

Pierre se lève, crache le brin d'herbe qu'il

mâchonnait et précède Paul sur le chemin des Moussoux.

Quelques minutes après, ils arpentaient l'avenue de la Gare en compagnie de Boule et de Fernand et, sans qu'il sût pourquoi, Pierre se sentait tout à coup infiniment heureux d'avoir retrouvé ses amis.

Le puissant klaxon du courrier de Genève les avertit de l'arrivée du car. Pierre cherchait déjà à reconnaître le blessé parmi la foule des voyageurs.

Georges descendit le dernier, lentement, s'aidant à peine d'une canne. Son visage amaigri témoignait encore des souffrances qu'il avait endurées. A part cela, il paraissait normal; seulement, en regardant ses pieds, on s'apercevait qu'il était chaussée de deux bizarres chaussures, plus courtes qu'on ne les avait habituellement, en solide cuir souple, renforcé d'épaisses semelles en caoutchouc.

Il marchait ainsi avec une relative aisance et, tout fier devant ses amis, tapait de grands coups de canne sur le bout renforcé pour montrer qu'il ne sentait plus rien.

Les autres ne disaient rien; ils regardaient l'infirme, le cœur serré, l'émotion à fleur de lèvres.

— C'est tout cicatrisé? interrogea Boule pour dire quelque chose.

— Presque tout! mais avec ces bottes spéciales, je ne sens plus rien.

— On t'a coupé les pieds presque au ras du talon? demanda Fernand.

— Pas tout à fait, mais presque; on a fait une régularisation, m'a dit le chirurgien. Pour ça, on m'a bien désossé...

— Et tu peux marcher?

— Tiens! regarde!

Et jetant sa canne, Georges à la Clarisse esquissa un entrechat.

— Ça fait mé pi pas pi! T'es un type, Georges, dit Boule en souriant.

— On arrose mon retour, vous venez?...

— Justement, on a décidé de manger la fondue tous ensemble chez Breton, décrète Paul.

— Bonne idée! Ah! ça fait quand même plaisir de se retrouver au pays. Là-bas, à l'hôpital, y avait des jours où je devenais fou!... (Il jeta un regard sur les Aiguilles...) Eh! eh! la saison est en avance, on pourrait tout faire maintenant... Va falloir que je me réentraîne, car j'ai les jambes en flanelle; en route!

Ils se dirigèrent vers le sommet du bourg.

Le père Breton y tenait un café-restaurant, presque uniquement fréquenté par les guides et les montagnards. C'était une longue salle boisée, avec deux alignements de tables de chêne, bien cirées, et, appliqués aux parois, des écussons peints de Sociétés alpines, agrémentés çà et là de quelques magnifiques photographies de montagne. Vieux de plus d'un siècle, ce café était primitivement le point de départ des diligences qui faisaient le service sur Martigny; puis, avec le temps, il s'était un peu modernisé, sans rien perdre toutefois de son cachet vétuste.

La grande salle était pleine de consommateurs qui discutaient et buvaient force chopines, tout en tirant de leurs pipes un brouillard de fumée âcre.

Georges et ses compagnons firent le tour des tables garnies d'amis; chacun voulait féliciter Georges de s'en être tiré à si bon compte; tous admiraient son prodigieux rétablissement. Et le père Breton, qui s'y connaissait pour faire marcher son commerce, annonça cérémonieusement du haut de son comptoir :

— Messieurs-dames ! je paie une tournée générale en l'honneur de Georges à la Clarisse.

Une ovation lui fut faite pour ce geste amical.

On but et on trinqua : à la Compagnie des Guides ! à la montagne ! aux enfants de Chamonix ! et chacun voulut ensuite avoir Georges à sa table.

Tandis qu'ils discutaient et que Georges racontait ses malheurs, Boule s'était esquivé à la cuisine et appelait Breton.

— Prépare-nous la fondue, Breton ! on la mangera à la cuisine.

— Écoute ! dit le tenancier, c'est plein de monde, j'ai trop à faire, mais tu n'as qu'à descendre à la cave. Tu y trouveras du fromage et du vin blanc; fais-la toi-même, paraît que tu es un as pour la réussir !

— Entendu !... et tant pis si je mets plus que la ration, tu l'auras cherché. A propos, mets-nous quelques bouteilles de roussette au frais. On va en avoir besoin.

Dans la vieille cuisine, pavée de larges dalles de granit mal jointoyées, au plafond bas et enfumé, Boule s'affairait maintenant.

La fondue est presque un plat national pour Chamonix; cette coutume spéciale aux Genevois, au canton de Vaud et au Valais, s'est implantée également en Faucigny. La préparer et la manger nécessitent tout un rite qu'il faut scrupuleusement observer.

Il fallait voir avec quels soins minutieux la préparait le petit Boule qui, pour une fois, saisi par la gravité de l'heure, ne riait plus. Ayant pesé un gros morceau de vrai gruyère d'alpage, il le découpa en fines lamelles dans un caquelon frotté à l'ail; il arrosa le tout de vin blanc et se mit à diluer fromage et vin sur un feu vif jusqu'à ce que cela ne formât plus qu'une crème onctueuse et parfumée, qui bouillonnait doucement. Il y jeta deux verres de kirsch et continua à brasser. Pierre, étant venu l'aider, allumait un réchaud sur la table de cuisine, puis tous vinrent s'attabler autour du caquelon de terre où mijotait la fondue.

— Fin prêt, Boule ? demandèrent les autres.

— Fin prêt !

— Attaquons ! annonça joyeusement Georges.

Chaque convive, se munissant d'un gros dé de pain piqué au bout de sa fourchette, le plongea dans la fondue et le retira bien enrobé de fromage. Les conversations cessèrent, et chacun se dépêcha jusqu'à ce qu'il ne restât plus, adhérant au fond du récipient, qu'une croûte dorée, le « craquelin »; alors, avalant selon la tradition un verre de kirsch, ils se mirent en devoir de découper cette croûte qui conservait, décuplés, tous les arômes de la fondue.

Breton, qui lorgnait du coin de l'œil, n'attendit pas qu'on l'appelât pour apporter les bouteilles de roussette à long col, et le vin blanc succéda à la fondue. Légèrement grisés par ce plat haut en chaleur, les garçons parlaient ferme et bruyamment.

Entre guides, on en revient toujours à parler de la même chose. Et bientôt, ils se mirent à discuter montagne et courses. Pierre se taisait, le vin le rendait taciturne; il reprenait son regard fixe et méchant. Quant à Georges, exubérant de joie, il faisait des projets.

— Je vais commencer par aller aux rochers des Gaillands, pour m'entraîner.

— T'es fou, mon pauvre Georges, avec tes pieds..., fit Paul.

— J'ai conservé mes mains et, avec mes chaussures spéciales, je peux très bien grimper... D'ailleurs, je vais essayer. Qui est-ce qui vient avec moi ?

— Pour ça, dit Fernand, j'y vais; je suis curieux de voir comment tu vas t'en tirer... Et alors ? tu comptes vraiment refaire des courses ? Quand tu nous en avais parlé à Genève, j'ai cru que tu plaisantais.

— C'est sérieux ! Qu'est-ce que tu voudrais que je devienne sans les courses ? La misère ! Pas question... J'espère bien refaire toutes les grosses, et pas seulement la montagne à vaches.

— Tu devrais quand même essayer... doucement, conseilla Boule.

— Pourquoi ?... C'est une question de volonté. Rappelle-toi Mr Young, le grand alpiniste anglais, qui a fait la première du Grépon par la Mer de Glace. Il est revenu de la guerre avec une jambe en moins. Ça ne l'a pas empêché de repartir, et avec un pilon en bois encore. Fallait voir ! Il y mettait au bout une sorte de petite raquette pour ne pas enfoncer dans la neige, et dans le rocher il se servait de sa pique de fer avec beaucoup de sûreté.

— C'est juste, reprit Fernand, et ça me rappelle toujours la tête qu'avait faite le guide-chef le jour où Knukel, le guide de Young, vint le trouver au bureau, en lui disant dans son jargon franco-allemand :

« — Mon client s'est cassé son jambe, che feux la faire réparer ! Tis-moi où ?

— Ton client s'est blessé... en montagne ? interroge le guide-chef.

— Ya, au Grépon, reprend Knukel : il a cassé son jambe.

— Mais je n'en ai rien su, et tu as pu le redescendre ?

— Ya, on a mis longtemps, mais on est revenu au Montenvers.

— Ben alors, fait le guide-chef sidéré, faut voir le Dr Coutaz, il est spécialiste des jambes brisées.

— Non, godferdamm, se fâche Knubel, pas le docteur, un bon menuisier... son jambe, il est en bois.

— Tu vois la tête de Cupelaz; on s'en est payé une pinte de bon sang. »

Les guides éclatèrent de rire, Boule surtout qui se tapait sur les cuisses et manquait d'étouffer.

Seul Pierre ne participait pas à la gaieté générale; il vidait verre sur verre, ne disait pas un mot et son visage devenait plus dur. Georges à la Clarisse continua :

— Oui ! tout ça c'est une question de volonté; si on se laisse aller dans la vie, on est foutu. Tu ne voudrais pas que je me fasse gardien de cabane à vingt-six ans ? Faut laisser ça aux vieux guides. Moi, c'est dit, je reprends mon tour de rôle ! Tiens ! je vous propose une chose : pour ma première grande course, je vous emmène au Dru, en premier encore !... Tu en es, Pierre ? Nous avons tous les deux une sacrée dent contre lui. Et puis ! quand on a eu un coup dur quelque part, il faut immédiatement y retourner pour effacer la mauvaise impression, sans ça on conserve une frousse intense du passage et on n'y met plus les pieds. On fera ça dès juin, dès que ce sera déneigé, car pour ce qui est du verglas, j'en ai soupé ! Breton ! donne encore une bouteille.

Les autres renchérirent.

— Buvons aux Drus; ils nous en ont fait assez voir à toute la bande.

— Pour ça oui. Ben, mon vieux, si t'avais vu ces passages quelques jours après ton accident... Hein, Pierre!... reprit Fernand.

Pierre ne répondait pas.

La tête dans ses mains, il regardait fixement la toile cirée de la table.

— Qu'est-ce qu'il a? demanda Georges; il paraît tout drôle.

— Il est comme ça depuis un mois, précisa Fernand; c'est plus le même.

— Allons, Pierre! dit affectueusement Boule, déride-toi, ce soir on est tous à la joie d'être réunis; vous deux, Georges et toi, vous revenez de loin. Chasse tes idées noires...

Comme Pierre ne répondait toujours pas, Paul se pencha pour voir son visage et s'aperçut qu'il pleurait silencieusement.

— Nom de nom! s'exclama-t-il, mais il pleure. Qu'est-ce qui te prend... Pierre? Mon vieux, ça nous fait trop de peine de te voir comme ça... Qu'y a-t-il?

Alors Pierre vida son cœur, et découvrant son visage tourmenté, il s'adressa au mutilé d'une voix monocorde :

— Georges, tu viens de dire que tu ne pourrais pas t'habituer à l'idée de ne plus faire de courses. Tu parles de repartir avec tes pieds tout estropiés, et je suis sûr que tu réussiras à remonter le courant... Mais si je te disais que pour moi c'est fini!... bien fini!... que je ne mettrai plus jamais les pieds en montagne... que je vais me traîner dans la vallée à vous regarder partir...

— Toi? s'étonna Georges. Mais pourquoi?

— Parce que ta famille ne veut pas que tu fasses les courses? interrogea Fernand. Pauvre fou! C'est pas ce qu'ils ont dans la tête... Les courses, ta mère, l'oncle Paul, Aline, ils savent bien que tu en referas, mais en amateur, à tes heures de liberté... C'est ça qu'ils veulent... Tu gagneras assez avec la pension de famille, et ça sera encore bien mieux de partir avec des copains que tu auras choisis! Plus de sacs à traîner, plus de clients ronchonneurs et prétentieux! Je t'assure que si j'en avais les moyens, moi, je prendrais un guide et j'irais en camarade avec lui! Rappelle-toi! Quand on est entre nous, tout marche; les cordes sont toujours tendues, les rappels pliés, on se comprend sans parler, on dirait qu'on est une seule pensée dans des corps différents. Jamais j'ai ressenti ça avec des clients, ou bien rarement, avec quelques grands as... et encore! Ils n'avaient pas la même mentalité que nous, et ça créait une sorte de gêne. Cette sorte d'alpinisme, la famille ne t'empêchera pas d'en faire, j'en suis certain.

Pierre secoua la tête douloureusement.

— Ni comme guide ni comme amateur... je ne ferai jamais plus de montagne.

— C'est un vœu? plaisanta Boule, qui regretta tout de suite ce qu'il avait dit.

— J'ai le vertige... avoua Pierre, qui s'écroula le buste sur la table, accablé, désemparé par la honteuse confession qu'il venait de faire.

— Toi, le vertige! répliqua Fernand, laisse-moi rire!... On t'a bien vu au Dru... drôle de vertige. Je dirai plutôt que tu avais trop de culot.

— C'est pourtant vrai. Le docteur m'avait prévenu... et je ne voulais pas le croire... Alors, j'ai essayé tout seul... une nuit...

— La nuit où tu as disparu de la maison? questionna Fernand. J'aurais dû m'en douter, sacré nom de... et tu es tombé? Aline m'a dit qu'il y avait du sang sur ta veste.

— Non!... ça aurait mieux valu d'ailleurs... Si tu m'avais vu hésiter pendant près d'une heure avant de faire le pas dans la face du Brévent... et puis ramper comme une chenille, en tremblant, les yeux fermés pour ne pas voir le vide, et ensuite, une fois de l'autre côté, ma joie de me retrouver sur quelque chose de moins vertical... Le sang? un petit bobo, une glissade sur un névé à la descente.

— Pauvre vieux!

Pierre releva un peu la tête et continua:

— Depuis, j'ai caché ça comme un mal honteux; je ne voulais le dire à personne, alors je vous fuyais, la vue de mes amis en pleine santé me faisait mal, c'était affreux... affreux!... Et je me suis mis à boire, en me forçant, et plus je buvais, plus je ressassais mes idées... Il n'y avait que lorsque j'allais me cacher dans une clairière pour rêver face aux montagnes que je connaissais un peu de repos... Ça me faisait du bien de les regarder... et là je vivais de mes souvenirs, j'ébauchais des routes nouvelles que je ne ferai jamais, jamais!...

— Si, mon vieux! si, tu les feras... interrompit énergiquement Georges, et je vais t'y aider... Crois-moi! le vertige ça se guérit, c'est une question de volonté. A preuve! mon père avait une cliente, elle était légèrement sourde, et ça lui donnait, elle aussi, du vertige; pas moyen de la faire monter même à l'Aiguille de l'M... Alors mon père s'est mis à la persuader que ça passerait, il l'a entraînée progressivement pendant trois ans, à la fin elle sautait comme un cabri sur les dalles du Grépon... tu vois!

— Oui, mais moi, je n'ai même pas été capable de franchir la vire du Brévent.

— Tu as eu tort d'y aller tout seul... fallait nous le dire, reprit Fernand, je serais monté avec toi; enfin! il n'est pas trop tard...

— Si! c'est trop tard, je ne recommencerai jamais plus... je ne veux pas que vous me voyiez comme une chiffe dans les rochers... Tant pis... J'en ferai mon deuil de la montagne!

— Tu n'en feras pas ton deuil, reprit Georges, et tiens! nous devons tous deux nous rééduquer, alors tu viendras avec moi; au début, les copains nous aideront; ensuite, on repassera en premier.

Fernand, Boule et Paul acceptèrent avec enthousiasme. Georges se leva, et prenant Pierre par le bras, il le déracina de sa chaise.

— Viens! On a assez bu, rentrons. Paul me raccompagnera au village des Bois avec sa moto, les autres te conduiront aux Moussoux.

Ils se séparèrent.

La nuit était venue, limpide et froide. Le ciel étalait son manteau d'étoiles au-dessus des cimes. Pierre marchait, épaulé par ses camarades, comme un malade qui recouvre la santé. D'avoir vidé ses peines lui avait fait du bien; une faible lueur d'espoir luisait au fond de son cœur, bien vacillante encore. Le souvenir de cette terrible journée du Brévent le poursuivait comme un cauchemar. Il lui semblait revoir le grand vide qui se creusait ce jour-là sous ses pieds, et il se reculait brusquement avec des nausées au cœur, un immense dégoût; il sursautait malgré lui et les autres se demandaient ce qui lui prenait; il secouait la tête tristement.

— C'est inutile!... ça ne me passera jamais...

— Tu verras, tu verras; question d'entraînement, disait doucement Boule.

Avant de se quitter, ils prirent rendez-vous.

— En attendant de grimper sur les rochers, fixa Fernand, faut conduire les vaches à la montagne, la semaine prochaine. C'est l'inalpage de Charamillon; tu montes avec nous, Pierre? On rassemblera les troupeaux et on fera route ensemble.

— Si tu veux, ça me changera les idées... (Et Pierre ébaucha un triste sourire.) Je n'aurai peut-être pas le vertige dans les alpages.

— Manquerait plus que ça!

— Et le lendemain on fera battre les reines, ajouta Fernand pour le tenter. Tu sais, je crois que tu peux parier sur la mienne; elle est en pleine forme!

— Entendu!

— Et l'Aline viendra avec nous.

— Alors! dis-lui que j'irai sûrement.

## 5

Fernand et Boule s'étaient retrouvés comme des conspirateurs dans l'arrière-boutique de Gros-bibi; les tristes confidences de Pierre, l'autre soir, les avaient bouleversés, et ils cherchaient à leur manière comment le sortir de cette dangereuse ornière. Avec un caractère aussi entier que celui de Pierre, il fallait ruser, tourner l'obstacle, pour arriver plus sûrement au but. Ce fut Boule qui, subitement, crut avoir trouvé une solution; sa bonne face joviale s'élargit encore lorsqu'il interrogea Fernand:

— T'es bien avec le toubib, Fernand?

— Du dernier bien.

— Alors va le trouver et explique-lui le coup; il trouvera sûrement un remède; par exemple, s'il pouvait persuader Pierre de faire quand même de la montagne... Naturellement, on serait derrière, nous autres. Vas-y tout de suite, c'est l'heure des consultations; je t'attends, pas la peine d'encombrer son cabinet.

Quelques minutes plus tard, Fernand sonnait chez le Dr Coutaz.

— Quelqu'un de malade chez toi, Fernand? s'enquit le praticien.

— Non, monsieur le docteur, c'est au sujet de Pierre... vous devez comprendre; il n'est plus le même depuis qu'il sait son état, faudrait le tirer de là.

Et Fernand raconta par le menu les incidents de chez Breton. Le Dr Coutaz l'écoutait gravement.

— C'est une question de temps, de patience, Fernand, le vertige ne se guérit pas comme ça d'un coup.

— Ainsi, c'est bien vrai, monsieur le docteur, Pierre est sujet au vertige! Pauvre vieux... et vous dites que ça passe très rarement, mais il y a des cas cependant... le père de Georges à la Clarisse a bien guéri une de ses clientes, en la faisant grimper progressivement.

— Hélas! ce que tu viens de me raconter est bien triste et prouve que je ne m'étais pas trompé. Bien au contraire, son cas s'est aggravé, car il n'aurait pas dû faire cette tentative solitaire; la commotion nerveuse qu'il en a reçue n'est faite que pour l'éloigner davantage de tout ce qui est précipice ou abîme.

— Mais voyons! monsieur le docteur, on ne peut pas le laisser se miner comme ça; il faut lui redonner de l'espoir. On est prêts à s'en charger, Boule, Paul, Georges et moi; encadré par nous il ne risquera rien... (Il y eut une pause, puis Fernand reprit :) Si on le persuadait que tout ce que vous lui avez dit n'est pas vrai ?

Le brave Dr Coutaz sursauta à cette proposition saugrenue.

— Tu vas fort, Fernand; si c'est comme ça que tu entends récompenser mes bons services en disant partout que je n'y connais rien. Dis-moi, petit, parles-tu sérieusement ?

— Très sérieusement, monsieur le docteur, il s'agit simplement de sauver un homme, et ça vaut bien un mensonge. Rassurez-vous je ne veux pas mettre en doute votre conscience professionnelle et votre science... Il y a un moyen. Vous aimez bien Pierre, n'est-ce pas ? vous le lui avez prouvé assez souvent et tout récemment pendant son accident; alors je me suis dit une chose : on va s'associer vous et moi !

— S'associer! Tu es devenu médecin ? interrogea malicieusement le docteur.

— Non! Mais j'ai une idée.

— Dis toujours!

— Si vous disiez à Pierre que tout ce que vous lui avez raconté sur son vertige n'était fait que pour l'éloigner de la montagne; que vous aviez agi ainsi en pensant à la douleur de sa mère... Que sais-je ?... Vous trouverez bien quelque chose... Enfin, vous voyez!

— Non, Fernand; ne me demande pas une chose comme ça! Redonner une illusion d'équilibre à Pierre serait le tuer plus sûrement encore, car il pourrait lâcher tout d'un coup sans prévenir et j'aurais sa mort sur la conscience. Il n'y a qu'une seule chose à faire, mon enfant; c'est de l'entraîner progressivement, en l'encadrant bien. Vous pouvez l'emmener en course, mais il faudra le surveiller sans cesse, et surtout ne jamais le laisser passer en premier. Dans ces conditions, il pourra peut-être, je dis bien *peut-être* (et le docteur accentua ces mots), vaincre son mal. Emmenez-le aux Rochers des Gaillands, dans de petites courses d'entraînement, et vous jugerez de ses progrès. Tenez-moi au courant; je vous dirigerai et vous conseillerai; mais pour ce qui est de bercer Pierre dans une sécurité trompeuse, jamais! Je sais qu'il a été très éprouvé moralement et qu'il n'a pas réagi comme il se devait; mais c'est un garçon qui se reprendra vite. Déjà, s'il reste en votre compagnie il sera presque sauvé. Et ce sauvetage moral en vaut bien un autre!

Fernand quitta le docteur mi-satisfait. Il comprenait fort bien les scrupules légitimes du médecin, mais pour sa part il aurait bien passé outre.

Il rejoignit Boule chez Gros-Bibi.

— Alors? fit ce dernier.

— Le toubib ne marche pas dans la combine! Pourtant tu ne m'enlèveras pas de l'idée que c'est une question de persuasion; si on réussit à lui faire croire qu'il n'a pas le vertige, il ne l'aura plus.

— On peut toujours essayer... A propos, demanda Boule, ça tient toujours pour l'alpage?

— Oui, mardi prochain.

— A r'vi pas! A mardi.

Ils payèrent leurs consommations, sortirent et, sur la place, se séparèrent.

# 6

Le défilé avait commencé vers le milieu de la nuit; à intervalles irréguliers, les troupeaux traversaient la ville et leurs clarines vibrantes réveillaient tout Chamonix. C'était un bruit de clochettes, scandé par le mouvement régulier des encolures entravées de cuir, joyeux comme un carillon de baptême, qui rythmait la marche lourde et puissante des vaches. Parfois, deux bêtes se querellaient, et les secousses endiablées qu'elles infligeaient à leurs clarines en se battant heurtaient la symphonie de l'ensemble. Des appels de bergers parlant haut et dur ajoutaient au tapage. Le transhumance durerait ainsi pendant une nuit et un jour sans arrêt, mais personne ne se plaignait dans Chamonix, car chacun sait ici que la montée des troupeaux vers l'alpage signifie le retour de la belle saison.

La nuit, belle et fraîche, était joyeuse et sans vent; à peine percevait-on une petite brise qui murmurait dans les vernays du bord de l'Arve.

Aux fenêtres des maisons, des lumières apparaissaient : enfants curieux tirés de leur sommeil et regardant avidement la marche des troupeaux; hommes, femmes, s'intéressant un instant au défilé, puis retournant à leur couche et à leurs rêves. On eût dit qu'une poussée irrésistible chassait les bêtes des basses vallées vers les hauteurs; elles passaient par petits groupes de vingt à trente têtes, généralement groupées par village, par hameau, et encadrées par les chiens corniauds à l'œil vairon qui allaient et venaient sans repos, langue pendante, ponctuant leur vigilance de brefs coups de gueule.

Derrière, marchaient les propriétaires des troupeaux, le sac au dos, la canne ferrée à la main.

★

Pierre Servettaz se réveilla vers minuit. Déjà Alice, la plus grande de ses sœurs, avait préparé le café, le pain et la tomme, sur la table de la cuisine; les deux jeunes gens mangèrent en silence, puis se dirigèrent vers l'étable, où les vaches bien étrillées en prévision de cette randonnée, la robe impeccable et soyeuse, tournaient curieusement vers les visiteurs leur museau satiné en se demandant ce que signifiait cette visite nocturne.

Pierre remplaça les sonnettes légères de l'hiver par de plus grosses cloches, aux sons graves et vibrants, de magnifiques sonnettes en acier bleu, de forme oblongue, retenues par de larges colliers de cuir noir à boucles de cuivre et ferrures dorées. Il flattait les bêtes de la main, les caressait, rabattait et peignait une touffe de poils entre les cornes blondes.

— Là! mes belles, disait-il, vous voilà parées pour la montagne.

Puis il décrocha, dans un cliquetis métallique, les chaînes qui les retenaient à la crèche, et elles sortirent, pesamment, une à une, humant l'air de la nuit, lèvres retroussées et oreilles droites.

Alice prit la tête de la petite colonne et appela doucement la conductrice du troupeau.

— Viens çà! Parise! Viens!... viens vite... vin çà, vin ite tà!

228

Parise suivit docilement sa maîtresse et les autres emboîtèrent le pas. Le troupeau carillonnant rejoignit la grand-route, traversa Chamonix, sans se mêler aux autres, qui montaient de tous côtés, venant des Houches, de Servoz, de Vaudagne.

La marche nocturne commença, lente et continue.

Au village des Praz, après avoir traversé le pont de l'Arve, tout baigné de vapeurs et de grondements furieux, Pierre fit halte pour attendre le troupeau de Fernand et d'Aline.

De loin, Alice reconnut le gros bourdon de la Lionne, la vache de combat de Fernand Lourtier.

— Il amène la reine... entends! Pierre, c'est elle qui tient la tête.

Bientôt le troupeau sortit de la nuit, s'esquissa, puis se dessina nettement. On mélangea les deux écuries et déjà les bêtes se flairaient avec inquiétude, la Lionne surtout, qui se cabrait, prête à charger.

— Laissons-les se battre dans le pré avant de repartir, cria de loin Fernand qui venait derrière, ça ne sera pas long, et après on sera tranquille.

On ne distinguait que des ombres pesantes et musicales qui allaient et venaient dans la nuit.

La Lionne se présenta fièrement devant chacune des bêtes, mais les autres, flairant en elle la reine de combat, fuyaient peureusement, ou bien rompaient l'engagement au premier contact des cornes. Dégoûtée, la Lionne se mit à brouter paisiblement.

— On peut y aller! dit Fernand; elles ont trouvé leur maître; on verra du beau sport demain à Charamillon.

Pierre, qui était resté à l'écart et contemplait la

mêlée des bêtes, sentit soudain une main très douce qui saisissait la sienne. Il se retourna. Aline était près de lui. Elle paraissait toute menue avec ses culottes de ski, des golfs de drap bleu qui tombaient légèrement sur des bas de laine éclatants de blancheur. Elle souriait dans la nuit et son sourire était si lumineux que Pierre l'attira vers lui et la garda ainsi dans ses bras, sans rien dire.

Alice s'affairait à faire démarrer le troupeau confus et indiscipliné qui s'égailla bientôt sur la grande ligne droite de la plaine des Praz.

Le jour pointait sur l'Aiguille Verte, et on distinguait déjà dans le fond de la vallée la faucille régulière du Col de Balme avec ses alpages veloutés. Une grande lueur venant de l'est montait dans le ciel, et des prés aux herbes hautes chargées de rosée, s'évaporait une odeur de miel et de pollen.

Aux Tines, Georges à la Clarisse mêla son troupeau aux autres, et pendant quelques minutes, ce fut un nouveau combat. La Lionne, le mufle baveux, avait trouvé une adversaire à sa taille et ne voulait pas lâcher prise; on décida de les séparer, afin qu'elles conservent toutes leurs chances au grand combat de la montagne.

Il faisait grand jour lorsque les transhumants atteignirent Argentières. Les cafés étaient déjà ouverts; au passage, les paysans s'arrêtaient pour boire la goutte, tandis que les filles continuaient leur marche, et à mesure que l'heure avançait, la vallée s'emplissait de cris et de sonnailles. On eût dit un branle-bas général; les centaines de cloches se mêlaient pour se fondre en une harmonieuse symphonie, couvrant la voix sauvage du torrent qui sourdait du glacier d'Argentières.

Lorsqu'on quitta la grande route au viaduc de Montroc, plusieurs centaines de vaches se suivaient sans interruption, et l'on en voyait d'autres qui montaient en file indienne les lacets serrés des alpages de Charamillon et de Balme. Par contre, derrière, on eût dit que la vallée s'était vidée de tous ses troupeaux, et les quelques bêtes qui restaient — une par famille pour le lait quotidien — meuglaient tristement, attachées à un piquet dans un coin du verger.

Cornes hautes, les bêtes semblaient prendre des forces nouvelles à fouler la glaise humide de l'alpage. Les vieilles reconnaissaient la route et marchaient sans hésitation, entourées des jeunes génisses qui gambadaient, toutes grisées par l'air de l'altitude.

Au village du Tour, le dernier de la vallée, écrasé sous ses toits de lauzes, au milieu des prairies fleuries de lis martagon, d'arnicas et de gentianes, Fernand, Pierre et Georges dégagèrent leur bétail de la masse des troupeaux et le menèrent dans un enclos de pierres sèches, où, lassées par les quinze kilomètres de route, les bêtes se mirent à brouter paisiblement sans se chercher querelle.

Paul Mouny les attendait au seuil de sa demeure. Il était joyeux, et ne pensait qu'aux réjouissances de l'après-midi; il ne put s'empêcher de taquiner Fernand :

— Ta reine est-elle en forme, Fernand ? Elle aura du fil à retordre; j'ai vu déjà passer la Boucle, la fameuse bête à Napoléon du Lavancher; il lui a ferré les cornes, le démon! Oui, mon vieux! cerclées d'acier pour qu'elles ne se brisent pas, et il a dû la droguer, car elle avait les yeux déjà rouges et bavait légèrement; aussi la menait-il sagement à la corde.

— La mienne ne craint pas les autres, ronchonna Fernand; quant à la droguer, c'est trop tôt, je lui donnerai de l'avoine et du vin à Charamillon, juste avant le combat.

— En attendant, venez vous droguer à la maison, conclut Paul.

Il avait préparé un casse-croûte copieux avec de la saucisse de choux et de la viande séchée, et un bon vin blanc sec des bords du Léman. Ils prirent place autour du pétrin recouvert d'un solide plateau de mélèze qui tenait lieu de table. Aline, tout naturellement, s'était placée à côté de Pierre, et prétextant la fatigue laissait aller sa tête sur son épaule. Les autres ne prêtaient guère attention à ces manigances d'amoureux, et Fernand plaisantait Alice dont c'était la première sortie au milieu des garçons et qui rougissait à chaque phrase un peu leste que lui décochait le jeune montagnard.

Il fallut pourtant continuer.

La montée par le chemin de Balme fut longue et sans histoire; les bêtes arrachaient avidement des touffes de fleurs et d'herbe au bord du sentier, et il fallait les presser pour qu'elles consentissent à avancer. Le carillon vainqueur de la vallée, rythmé par la marche allègre sur la route plane, s'était mué en une symphonie plus douce, pleine de tintements grêles, heurtés, confus, soulignés par instants des coups de battant plus sourds des grosses cloches bronzées des reines à cornes.

On arriva dans la matinée sur le plateau de Charamillon.

Le fruitier de Balme et les consorts de la Montagne réceptionnaient le bétail sur un gros registre à couverture de toile noire, qu'ils avaient posé sur une table rustique, dehors, à même l'alpage. Chaque propriétaire déclarait ses bêtes qui étaient immédiatement enregistrées et marquées. Puis les vachers les attachaient dans les longues étables

232

accotées l'une à l'autre dans un repli de la montagne, en dehors des coulées d'avalanches, et si intimement mêlées au sol qu'elles faisaient corps avec la pente.

Il fallait laisser au troupeau le temps de récupérer les dix heures de montée. On ne sortirait les bêtes qu'au début de l'après-midi, et alors ce serait le grand combat où de ces deux cents et quelques vaches sortirait la reine du troupeau.

★

Cette tradition, qui consiste à laisser le troupeau se choisir une reine, est vieille comme le granit de la montagne.

Que ceux qui ne connaissent des vaches que les lourdes bêtes idiotes et ruminantes des plaines, aux mamelles rasant terre, n'aillent pas se faire la même idée des vaches de montagne. Dans tous ces alpages qui vont du Mont-Blanc jusqu'au Mont-Leone, tout près du Simplon, est élevée une race spéciale, issue du terroir et qui dans les temps anciens devait sans doute vivre à l'état sauvage au pied des glaciers. Une race solide, à la robe noire tranchée de feu sur les reins et sous le ventre, aux puissantes cornes bien ouvertes comme celles des taureaux de combat; elles en ont d'ailleurs l'allure avec leur encolure courte, leur garrot musclé, leurs jambes fines et nerveuses comme celles des coursiers de race et leurs sabots petits et ramassés, faits pour courir dans les éboulis, sur les gazons raides et sur les corniches vertigineuses de la montagne.

Chaque été, lorsque des quatre coins de la vallée les bêtes se rassemblent à l'alpage, leur première rencontre est marquée par des combats épiques, des combats au « finish », où les vaches se choisissent entre elles une reine. Et l'élue conduira désormais le troupeau au pâturage, combattra les nouvelles venues des troupeaux voisins, rassemblera ses compagnes pour les mener à l'abreuvoir, le long du torrent qui cascade joyeusement au milieu des ardoisières; c'est elle également qui, l'automne venu, et les premières neiges tombées, prendra la tête du long cortège qui reviendra en carillonnant dans les vallées.

De ces mœurs bien spéciales est née, dans le canton du Valais, une passion extraordinaire qui oppose les propriétaires en des paris homériques et leur fait dépenser de fortes sommes pour le seul orgueil de posséder dans leur écurie la reine à cornes de l'alpage. Cette passion s'est infiltrée dans la vallée de Chamonix, et les combats de vaches de chaque début d'été attirent la foule des amateurs sur la montagne.

★

Laissant leurs troupeaux aux soins des vachers valaisans, Pierre et sa bande allèrent se restaurer à la buvette de Charamillon. C'était un simple petit chalet d'un étage, construit en enfilade au bord d'un raide talus herbeux, et qui dominait toute la vallée de Chamonix. A portée de canon, l'Aiguille Verte et les Drus brillaient de toutes leurs glaces au-dessus des mélèzes de Lognan; plus loin, on devinait partiellement le long fleuve gelé de la Mer de Glace qui contournait les Aiguilles dressées en suppliantes sous la coupole majestueuse du Mont-Blanc. On apercevait également une bonne partie de la frontière italienne avec la Dent du Géant, sentinelle menaçante en bordure des champs de neige du col. Au nord-ouest, s'étalait la chaîne, plus modeste, des Aiguilles Rouges, dépassant les forêts de la Flégère, haussant ses gazons ras, tavelés de névés jusqu'aux chicots rougeâtres de ses schistes décomposés, et, comme toile de fond, par-delà la conque très douce de Chamonix, s'amenuisait la ligne régulière et plane du plateau de Bellevue, derrière laquelle semblait s'ouvrir un nouveau monde avec des chaînes de montagnes étagées en amphithéâtre et à peine distinctes dans les lointains bleutés.

Tout proche du chalet, s'épandait la lande monotone de l'alpage, véritable tapis de verdure qui craquait par endroits pour laisser apparaître à nu la noirceur des ardoisières et les ravines en éventail creusées par les sources de l'Arve. La frontière suisse passait là, à portée de fusil, suivant la courbe parfaite du Col de Balme, au centre de laquelle s'érigeait, comme une forteresse, l'hôtellerie suisse.

Au nord, d'immenses croupes verdoyantes, au sein desquelles dormaient les chalets de Balme, formaient les alpages de Balme. Là-bas aussi les troupeaux s'assemblaient à cette heure en vue du combat final. Les cimes de Vallorcine, noirâtres et dramatiques, pointaient leurs sommets arides au-dessus des prairies. Vers le Col des Montets une forêt partait à l'assaut des gazons, et quelques mélèzes avancés en estafettes poussaient tout rabougris bien au-dessus des limites courantes des arbres, triomphe de la nature, qui ne voulait pas mourir, en dépit de l'inclémence des lieux.

★

La petite salle du chalet était pleine à craquer, et déjà le ton des conversations montait. Une épaisse fumée planait à mi-hauteur et l'on ne distinguait que des têtes penchées en avant, des bérets jetés de travers sur les têtes, et des hommes rudes ponctuant de grands coups de poing sur la table les débats qui les passionnaient. Les touristes, qui d'habitude font usage des guides pendant la saison d'été, auraient avec peine reconnu, en ces lourds paysans engoncés dans le velours et le gros drap de Séez, les fins escaladeurs de cimes qui les accompagnaient. Ils avaient cessé d'être guides, et par là même policés, pour redevenir des montagnards têtus, lourds d'allure et volontairement paysans. Une seule chose les passionnait désormais : le combat. On pariait sur les vaches connues, et principalement sur la Boucle, la terrible reine à Napoléon du Lavancher. C'était une vache ni plus lourde ni plus vive qu'une autre, mais qui depuis cinq ans était reine à Charamillon, et cela tenait à son encornure spéciale. Ses deux puissantes cornes se rabattaient devant le frontal jusqu'à se toucher presque des pointes, formant ainsi une boucle non fermée qui protégeait la reine contre les attaques adverses. De magnifiques bêtes de combat amenées tout exprès de Martigny n'avaient pu en venir à bout; à chaque choc, l'adversaire heurtait du frontal les deux pointes acérées qui la blessaient sans qu'elle puisse réussir à crocher solidement sa rivale.

Napoléon pérorait haut et clair. C'était un petit homme sournois et vindicatif que se considérait comme le maître de la montagne et ne voulait pas en démordre.

— Y a toujours mille francs sur ma vache! Qui tient le pari?

Personne ne le relevait, persuadé de l'invincibilité de sa reine. Mais, par contre, chacun misait sur la Boucle comme on ferait d'un placement sûr. Seuls les propriétaires de reines supputaient leurs chances et faisaient rouler les paris pour la seconde place, tant il semblait impossible à tous que la Boucle fût vaincue.

Fernand s'avança en provocateur au milieu de la salle. Il pouvait bien avoir vingt ans de moins que Napoléon mais chacun connaissait déjà sa passion et sa science du bétail, et, à l'étable, les connaisseurs avaient admiré la belle allure de sa vache.

— Je tiens le pari, Napoléon, dit-il, ma vache fera crever ta bourrique encornée!

Napoléon le regardait d'un air goguenard et les autres s'interposaient déjà.

— Arrête, Fernand! t'es pas fou, miser une somme pareille, lui dit Paul.

Napoléon l'arrêta du geste :

— Laisse-le, ce gamin! il mérite une bonne leçon. (Puis, se tournant vers Fernand :) A ton aise, si tu as envie de perdre ton argent.

— Ta Boucle ne me fait pas peur! lança Fernand, même avec ses cornes cerclées de fer. Si tu les as cerclées, c'est qu'elles risquent de se briser, pas vrai? Seulement, je te préviens, j'ai regardé, il y a un boulon qui dépasse, faudra le limer, sans ça je refuse.

— Je ne limerai rien du tout! gueula Napoléon, et c'est pas un gamin comme toi qui viendra me donner des leçons.

Les autres s'excitaient, et Napoléon, qui avait déjà un peu trop bu, s'entêta :

— Je tiens les mille francs sur la table; on va les confier au fruitier; prends-les, Hyacinthe!

Le gros fromager suisse s'empara placidement du billet de mille et le glissa dans son gilet, mais il crut bon de conseiller Fernand qui lui tendait le sien :

— T'as tort, Fernand! Sa vache est imbattable, voilà cinq ans qu'elle tient le coup, et la tienne, c'est la première fois qu'elle vient ici; elle sera dépaysée, elle devra se battre trois fois plus, car les autres vaches connaissent la Boucle et ne s'y frottent plus; tu comprends, elle est déjà leur reine! Ta Lionne devra fournir peut-être dix ou douze combats, et quand elle en arrivera à la Boucle elle sera fatiguée.

Pierre à ce moment intervint :

— Prends son argent, Hyacinthe, et pour bien prouver que je ne crains pas sa vieille bique rabibochée de fil de fer, je parie mille francs sur la vache de Fernand. Tu tiens le pari, Napoléon?

Les autres se regardaient, tout éberlués de l'audace de ces deux gamins, et déjà deux clans s'affrontaient. Chacun souhaitait en dedans de lui la victoire de Fernand, il y avait trop longtemps que l'autre crânait avec l'invulnérabilité de sa reine; mais cependant personne n'osait soutenir Fernand, c'était trop risqué. Napoléon était cramoisi de fureur.

— Je tiens, cria Napoléon.

Et il versa un nouveau billet de mille entre les mains du fruitier. Il aurait vendu son bien pour parier sur sa vache.

Pierre s'esquiva par une porte de derrière; il en avait assez de ces discussions et cherchait Aline qui, un peu inquiète de la tournure que prenaient

238

les événements, était revenue à l'étable et surveillait son troupeau.

— Tu montes la garde, Aline? lui dit-il en riant.

— Je crois qu'il est préférable de ne pas laisser la reine toute seule. Napoléon est capable de tout après ce que vous lui avez dit. Vous êtes fous, Fernand et toi; miser des sommes pareilles! Si jamais maman apprend cela...

— Qu'est-ce que ça peut bien lui faire? C'est sur notre argent qu'on a misé. Fernand et Paul vont nous remplacer; allons nous promener, dès qu'ils auront pris la garde à l'écurie.

Fernand et Paul arrivèrent presque aussitôt, encore excités par les paris, les enjeux et la discussion. Boule les avait rejoints, ainsi que Georges à la Clarisse. Paul portait un grand ciselin tout plein d'avoine mélangée de vin; ils en firent absorber le contenu à la Lionne qui ruminait paisiblement devant son râtelier et qui se jeta sur cette excitante nourriture.

Ensuite, les quatre compères se hissèrent jusqu'au galetas rempli de foin qui dominait l'étable et d'où ils pourraient mieux surveiller leur bête sans être vus. On ne sait jamais!

## 7

Pierre et Aline laissèrent les garçons, sortirent et gagnèrent, au-dessus des chalets, un petit replat couvert de rhododendrons d'où l'on dominait toute la vallée. Aline s'étendit sur les branches entrecroisées qui formaient une couche élastique et, toute joyeuse, sourit au soleil en s'étirant comme une jeune chatte. Ses cheveux bruns, dénoués, flottaient, mêlés aux fleurs écarlates. Elle attira Pierre à ses côtés. Ils rêvèrent ainsi, tendrement enlacés, et Pierre goûtait paisiblement son bonheur. Ses idées noires avaient fui comme des nuages chassés par le vent. Il ne songeait qu'à l'heure présente, et son regard errait sur les cimes sans que celles-ci ravivassent ses blessures cachées; elles s'intégraient à l'euphorie du moment, et lui ne pensait qu'à serrer plus fort sa fiancée contre son cœur et à mêler ses lèvres aux siennes. Le soleil, haut dans le ciel, traversait parfois un nuage d'ouate; un pan d'ombre passait sur l'alpage et courait rapidement à travers champs, poursuivant la lumière; il semblait alors que tout devînt plus froid sur terre. Les amoureux courbaient instinctivement la tête et se serraient davantage encore. Puis le soleil triomphait, et tout riait à nouveau dans la montagne. Aline arrachait des touffes de rhododendrons, s'en couvrait par jeu, et ses lèvres étaient aussi vivaces que le rouge des fleurs. Pierre songeait qu'elle était plus belle et plus désirable qu'il ne l'eût jamais souhaité, sans doute parce que dans la minute présente la montagne et l'amour se rejoignaient pour le combler et le griser. Et tous deux fermaient les yeux pour mieux sentir le violent parfum des herbages, et percevoir l'invisible caresse de la brise sur leurs visages bronzés de soleil.

Un carillon furieux les tira de leur songerie.

— Pierre!

— Aline!

— Les troupeaux sortent, redescendons avant qu'on nous cherche!

— Dommage, on était si bien ici!

Il lui prit un nouveau baiser.

— Tu es heureux, mon grand ?

— Très heureux.

— Finies ces idées noires ?

Pierre ne répondit pas. Aline conclut pour les deux :

— Il ne faudra plus qu'il y ait des nuages sombres, désormais; tant que nous serons réunis tous deux, nous serons heureux, n'est-ce pas... chéri ?

Il caressa une fois encore la belle chevelure dénouée toute pleine de pétales de fleurs et d'herbe sèche.

— Viens ! Descendons !

Ils se relevèrent d'un bond de cabri. Aline secoua les fleurs qui s'accrochaient à ses lainages, et tous deux dégringolèrent jusqu'au milieu du troupeau.

★

Les bêtes sortaient en rangs pressés des étables; elles mugissaient d'une façon saccadée, nerveuse, et dressaient leurs cornes en se bousculant. Déjà quelques-unes s'affrontaient, et les vachers les séparaient, tout en poussant le grand troupeau jusque sur le plateau fleuri, dégarni de pierres, où devait se faire le choix de la reine.

Ensuite, les hommes se retirèrent sur une petite butte et laissèrent les bêtes procéder elles-mêmes à l'élection de leur souveraine. Une grosse majorité du troupeau, à vrai dire, ne se souciait que de brouter à plein museau les herbes fortes en senteurs de l'alpage, et fuyait toute menace qui se précisait contre elle; mais une vingtaine de reines allaient et venaient, meuglant, cherchant le combat, reniflant leurs rivales, et bientôt, au milieu du troupeau, ce fut une bagarre générale. Une par une, les combattantes s'affrontaient. C'était une courte lutte qui durait à peine une minute; le choc de deux masses dans un bruit mat, puis la vaincue rompait le combat et fuyait, poursuivie par son vainqueur qui lui labourait les côtes de brefs et rapides coups de cornes. Au bout d'une heure, il ne restait plus en lice que cinq ou six combattantes, la robe maculée de sueur et de terre, le mufle baveux, les yeux injectés, de véritables vaches de combat, inquiètes et trépidantes.

Les parieurs s'étaient rassemblés, et le ton de la discussion montait.

On approchait de la fin et la Boucle paraissait ne pas vouloir, cette année encore, se laisser ravir son titre de reine. On pouvait la voir aller fermement d'une combattante à l'autre, provocante et hargneuse, et chaque fois c'était la même tactique : l'autre prenait son élan, la Boucle attendait le choc, bien ramassée sur ses quatre pattes, et laissait l'adversaire s'épuiser et se blesser à chaque charge nouvelle sur les dangereuses cornes. Elle semblait enracinée dans l'argile et attendait son heure; puis, d'un seul coup de tête, elle prenait l'autre à revers et lui tordait le cou jusqu'au sol. Alors, tandis que la vaincue fuyait et se perdait dans le troupeau, la Boucle restait immobile, tête basse, cornes horizontales, et son large poitrail se gonflait et se dégonflait au rythme précipité de sa respiration. Puis elle grattait sauvagement la terre de ses sabots de devant, petits et droits; les mottes d'herbe volaient à distance, et dans sa rage destructive, comme un buffle sauvage dans la brousse, elle s'agenouillait, creusait le sol avec ses cornes, se recouvrait de boue, mêlait son sang à la glaise.

Sa cloche bourrée de terre pendait comme un grelot, vide de sons.

Toutes ses rivales ayant été mises hors de combat, le magnifique fauve se promenait parmi le troupeau, affirmant sa puissance, corrigeant l'une d'un coup de cornes, chassant l'autre d'un coin d'alpage où l'herbe était plus grasse, ne rencontrant aucun obstacle à sa velléité de commandement. On eût dit que les autres l'avaient déjà désignée. Aussi, quel ne fut pas son étonnement, en arrivant à l'extrémité du plateau, d'apercevoir deux vaches qui combattaient encore dans ce coin retiré, bordé par un ravin profond où coulait un filet d'eau claire sur des schistes noirâtres.

La surprise de la reine fut sans limite; elle la marqua en s'immobilisant sur place et en jetant un bref appel de gorge. Puis elle se mit à creuser de ses deux pieds de devant pour témoigner de sa réprobation et attendit que le combat en cours fût terminé. Les deux autres, dont l'une était la Lionne, la vache de Fernand, luttèrent avec acharnement.

Son propriétaire, entouré des parieurs, vit surgir la terrible lutteuse. Un beau combat en perspective, et décisif celui-là ! Les montagnards poussèrent des cris de joie, car ils avaient tous suivi les combats remportés par la Lionne et admiré ses réelles qualités de lutteuse et sa résistance extraordinaire. Ce serait en vérité un dur morceau pour la Boucle.

— Oh! Napoléon, crièrent-ils, tu risques tes billets !

— Rien à craindre! rien à craindre! fit l'autre, moins optimiste qu'il essayait de le paraître.

Fernand surveillait sa reine qui, depuis dix minutes déjà, et bien qu'elle fût placée en contrebas de son adversaire, tenait tête à une forte vache noire, vive et rageuse; le combat fut indécis jusqu'à la fin, mais, d'un dernier coup de collier, la Lionne terrassa sa rivale qui s'agenouilla dans l'herbe et demanda grâce en beuglant.

Une clameur salua la victoire, puis l'attention se concentra sur la Boucle qui s'approchait à petits pas, secouant la tête, mugissante et baveuse. La Lionne releva ses cornes, flaira à distance la vieille lutteuse aux défenses cerclées de fer, mais, à la stupéfaction des spectateurs, elle ne chercha pas le combat, descendit jusqu'au bord du ruisseau et but longuement, relevant la tête à chaque goulée, soufflant des naseaux, la queue battante, relevée sur les reins.

Napoléon triomphait.

— Elle caponne, ta reine, elle caponne!... Je te l'avais bien dit, tu as tort de l'opposer à la Boucle!

Fernand, stupéfait de la défection de sa bête, voulut la ramener au combat, mais les autres s'interposèrent :

— Non! Laisse, Fernand! Faut pas t'en mêler. C'est aux vaches de décider, pas à nous. D'ailleurs, ne t'inquiète pas, c'est pas terminé; tu vois bien qu'elle est astucieuse, ta vache; elle se repose, elle boit, elle reprend des forces.

La Lionne remonta paisiblement du ravin jusqu'à l'alpage et là, comme une vulgaire vache laitière, se mit à brouter. Cela ne faisait pas l'affaire des parieurs qui l'encourageaient de la voix.

— Allons, Lionne, vas-y! Allez! Kiss! Allez... au combat!

La Boucle, toute surprise, observait cette inconnue à la montagne de Charamillon qui semblait la dédaigner, elle! la reine de cet alpage, et broutait sans se gêner à quelques pas. Elle résolut de lui

244

donner une sévère correction pour ce manque de respect et cette atteinte à sa dignité.

Passant derrière, elle décocha traîtreusement un grand coup de cornes dans les reins. Surprise par cette attaque imprévue, la Lionne s'était retournée d'un bloc, dans une volte-face incroyable de rapidité et, le museau à ras de terre, soufflait bruyamment en piétinant sur place.

— Elle attaque! elle attaque!... bravo! hurlaient les étranges aficionados de la montagne.

Ayant flairé une adversaire digne d'elle, la Boucle se prépara au combat; tête basse, elle chercha à se placer selon sa tactique dans la pente, au-dessus de sa rivale.

— C'est pas juste! la pente est trop raide ici, cria Boule, conduisez vos vaches sur le plat, que les chances soient égales.

— Laisse, dit Fernand, le combat a lieu là où les vaches se cherchent. Laisse faire, j'ai confiance!

Pierre, trop passionné, s'approchait jusqu'à moins d'un mètre des deux bêtes qui s'observaient, et restaient face à face sans bouger leurs cornes, à peine distantes de quelques décimètres.

— Recule-toi, Pierre! hurla Napoléon, tu vas déranger l'engagement.

— Ça va, ça va, crâne pas, je me recule.

L'air paraissait chargé d'électricité, et les hommes étaient plus énervés peut-être que leurs bêtes.

Le combat commença.

La Boucle poussa un petit meuglement bref comme un défi, et, sournoise, attendit le premier choc.

Novice à l'alpage et ne connaissant pas les roueries de la vieille combattante, la Lionne se précipita de tout son poids sur l'autre, cherchant à emmêler ses cornes; le choc des deux frontals fut terrible et rendit un bruit sourd et creux. La Boule accusa le coup les reins arqués, l'encolure plissée, les pattes de derrière arc-boutées dans la terre. La Lionne s'était heurtée aux deux extrémités acérées des cornes et de son frontal déchiré coula une large traînée de sang, qui dégoulina dans ses naseaux; elle poussa un beuglement de douleur, presque un râle, rompit le contact une seconde et revint à l'assaut. La Boucle supporta le second coup de boutoir sans fléchir, et l'autre parut décontenancée par cette impassibilité apparente. Elle chercha une nouvelle tactique, avançant tout doucement, la tête de travers, cherchant à forcer la terrible défense de sa rivale. Sans charger, la Lionne pesa de tout son poids sur les cornes adverses, mais vainement; d'un léger revers, la Boucle lui ouvrit une large estafilade sous l'oreille. Courageuse, la Lionne ne lâcha pas prise et, bien que le sang inondât son mufle, elle accentua sa pression, cherchant à faire lâcher pied à l'autre. Ses quatre pieds enracinés dans la glaise, la Boucle subissait sans broncher cette poussée gigantesque. Elles restèrent ainsi cornes liées pendant plus de vingt minutes, sans désunir une seule fois leur terrible effort; elles se fatiguaient visiblement, mais la Boucle semblait la plus fraîche. Le pelage noir et fauve de la Lionne se marbrait de sueur; une mousse blanchâtre coulait de ses fanons et de son poitrail épais; ses yeux exorbités étaient entourés de plis concentriques, et de sa queue elle se fouettait nerveusement les flancs. Le combat n'en finissait plus.

Les parieurs haletaient d'émotion.

Napoléon du Lavancher, surexcité, encourageait

sa reine de la voix, allait et venait tel un fou en gesticulant, et comme un vieux paysan de Servoz s'était permis de douter de l'issue du combat, il l'empoigna dans un farouche corps à corps; les deux hommes allèrent rouler dans l'herbe, aux pieds des deux reines. Il fallut les séparer.

Cependant le combat entrait dans une nouvelle phase. La Boucle, en apparence immobile, faisait reculer imperceptiblement la Lionne; elle utilisait son encornure particulière pour appuyer des pointes sur les blessures de sa rivale, devinant l'endroit de cette chair à vif qu'il fallait tarauder davantage encore. Et puis, appuyée sur les plaies saignantes, d'un bref coup de tête elle vissait ses longues cornes sur le frontal meurtri.

Le combat était devenu inégal, quelques spectateurs intervinrent :

— Arrête ta vache, Fernand! conseillaient-ils; tu vas l'estropier définitivement.

Mais l'autre, entêté, ne voulait rien savoir.

A force de peser de tout leur poids sur le sol spongieux de l'alpage, les deux bêtes piétinaient maintenant dans une boue glaiseuse qui les entravait jusqu'aux jarrets; à chaque coup de sabot, la terre humide éclaboussait les combattantes et les caparaçonnait de boue. Insensiblement, la Boucle, augmentant sa poussée, cherchait à faire reculer sa rivale jusqu'au bord du ravin où l'autre, prise à revers, perdrait pied immédiatement. Les hommes, saisissant la manœuvre, suaient d'angoisse en notant chaque phase de ce combat de mastodontes.

Tout à coup, alors qu'on la croyait vaincue, d'un suprême effort, la Lionne, cambrée sur son arrière-train, força de toute sa masse sur les cornes de la Boucle, et en une passe rapide comme l'éclair réussit à engager l'une de ses cornes sous l'oreille de sa rivale. Dans une lente torsion de tout son être qui la faisait frissonner du museau aux jarrets, elle réussit à visser, à tordre méthodiquement, le cou de l'autre; alors, tout changea. Prise à son propre piège, enferrée par son encornage défectueux, la Boucle n'arrivait plus à se dégager et subissait en renâclant, en beuglant à mort, cette attaque imprévue. Ses vertèbres tordues craquaient et se distendaient; elle dut plier les genoux, et l'autre poussait toujours, les yeux vitreux; d'énormes veines se gonflaient sur l'encolure et le poitrail, à croire qu'elles allaient éclater, la sueur coulait de la robe en traînées visqueuses. Il y eut un craquement bref, les spectateurs virent une corne déchaussée voltiger en l'air, tandis qu'un flot de sang jaillissait et inondait le front mutilé de la reine déchue.

Une longue clameur monta de la foule à laquelle répondit le beuglement de joie de la Lionne, un beuglement long et irrité comme celui d'un taureau au moment du rut.

La Boucle, rompant le combat, secoua sa tête où se figeait en gros caillots noirâtres le sang répandu, partit honteusement au petit trot, et se perdit au milieu du troupeau.

La nouvelle reine, épuisée, sanglante et les flancs secoués de soubresauts convulsifs, se dressa de toute sa hauteur sur un tertre, lança de brefs meuglements pour appeler ses compagnes et leur affirmer sa souveraineté; puis elle traversa le troupeau en galopant, alla d'une bête à l'autre, flairant et renâclant. Mais partout le vide se faisait devant elle, et, ayant délogé quatre vaches qui paissaient le meilleur coin de l'alpe, elle se mit à brouter paisiblement.

Le fromager remit le montant des enjeux à Fernand et à Pierre, et les spectateurs vinrent féliciter l'heureux propriétaire de la nouvelle reine. Puis, comme il se faisait tard, les montagnards, le parapluie en bandoulière, le bâton à la main et le sac au dos, dévalèrent à grands pas le sentier de l'alpage pour regagner la vallée.

Napoléon, ayant retrouvé sa bête, lui passa un licol et disparut pour la conduire à l'abattoir.

Pierre, réunissant ses camarades, donnait le signal du départ, mais Fernand l'arrêta :

— Attends! Attends! Pierre, ne te presse pas; il faut arroser notre victoire et, puisque nous sommes tous ensemble, c'est l'occasion ou jamais; commandons à souper au chalet, et demain on ira faire une balade, qu'en dis-tu?

— Riche idée, approuva Georges à la Clarisse.

Pierre aurait bien voulu refuser, mais le souvenir des heures très douces du début de l'après-midi lui revint en mémoire. « Ce serait merveilleux, songea-t-il, d'avoir deux grands jours à passer en vrais amoureux. » Il interrogea :

— Restes-tu avec nous, Aline?

— Naturellement, répondit Fernand, j'ai prévenu la maman avant de partir; c'est permis.

— Seulement, moi je n'ai pas prévenu chez nous, dit Pierre, et je ne voudrais pas que ma mère s'inquiète comme le jour où j'ai été faire l'imbécile dans les rochers du Brévent. Et puis, il y a Alice?

— Écoute, Pierre! pour une fois que tu prends du bon temps, il te faut rester avec les autres, proposa gentiment la petite sœur. Je vais redescendre et j'expliquerai la chose à la maison.

— Vrai! ça ne t'ennuie pas de faire la route toute seule? Il est vrai qu'il fait nuit très tard — et puis tu dois pouvoir attraper un train à Montroc. Alors, entendu! Dis à la maman que toute la bande se promène... Mais, à propos, où ira-t-on demain? interrogea-t-il avec un peu d'inquiétude.

— Si nous traversions des Posettes sur le Col des Montets? proposa Georges. C'est une belle promenade, la vue est superbe.

— Dans ces conditions, ça va, conclut Pierre, rassuré.

— A r'vi à tous! fit Alice.

Elle passa son léger sac et, prenant son élan, dégringola comme un cabri à travers les rhododendrons, en vraie fille de la montagne; les autres la suivirent du regard jusqu'au rebord de la croupe qui plonge sur le village du Tour et masque le haut de la vallée. Avant de disparaître à leurs yeux, elle se retourna, agita son foulard à bout de bras, et poussa un gai jodel.

## 8

Le souper fut joyeux. Le tenancier du chalet avait préparé une magnifique potée de viande fumée; chacun buvait et mangeait de bon appétit et les propos fusaient librement. Ils étaient seuls dans la petite salle et le silence relatif contrastait avec l'animation inusitée de cette première journée de l'alpage.

Ayant terminé leur repas, ils sortirent sur l'alpage désert. Tout était calme et silencieux. Et cette paix n'était troublée, de loin en loin, que par quelques tintements de clochettes assourdis, s'échappant des étables où ruminaient les troupeaux.

Sur la montagne passait un souffle puissant venu de l'est, qui ployait au passage les herbes hautes et faisait vibrer en ondes alternées, claires et sombres, les alpages du plateau. C'était comme la moirure d'un calme étang toute en verts tendres et violents, poussée par la brise et sans cesse renouvelée. L'alpe était transformée en un immense tapis mouvant et chatoyant.

Les jeunes gens gagnèrent l'arête toute proche du chalet qui domine la combe de Varmène; de ce point, la vue s'étendait, illimitée, sur la haute chaîne. Georges à la Clarisse et Fernand, repris par leur véritable passion, discutaient déjà courses nouvelles et bambées impressionnantes.

— Pourras-tu vraiment grimper? s'inquiéta Fernand. As-tu essayé?

— Oui! aux Gaillands, ça marche très bien. Évidemment, je n'ai pas la souplesse que me donneraient mes bouts de pieds si je les avais encore, mais je peux te dire que lorsque j'ai casé un clou sur une prise, ça tient. Et puis, je me sers beaucoup plus des mains et je crois qu'avec de l'entraînement je vais acquérir une force extraordinaire dans le bout des doigts; quand ma main croche, rappelle-toi que je ne suis pas près de dévisser.

Changeant le sujet de la conversation, Fernand interrogea Georges :

— Dis-moi, sais-tu pourquoi nous sommes restés ici ce soir?

— A cause de Pierre. J'ai bien deviné. Il me paraît d'ailleurs avoir meilleur moral depuis aujourd'hui. L'amour peut très bien guérir le vertige. Non, mais! regarde ces tourtereaux!

Pierre et Aline continuaient leur tête-à-tête amoureux. Ils s'étaient assis un peu à l'écart des autres et disaient à voix basse des choses qui devaient être bien douces à entendre, à en juger par l'éclat plus vif des yeux de Pierre et la joie pétillante d'Aline.

— Oui, continua Fernand, il s'est repris et je crois qu'avec l'aide de ma sœur, il trouvera goût à la vie. Faudrait qu'ils se marient à l'automne. Seulement, si en attendant on pouvait lui redonner confiance... aussi, motus! (Et Fernand mit un doigt sur sa bouche.) J'ai un plan : demain on passera au pied de l'Aiguillette d'Argentières et tu prétexteras que tu veux essayer ta forme. Ton exemple le stimulera, et ce serait bien le diable si on ne réussit pas à le faire grimper. Bien encadré, il aura confiance. Qu'en dis-tu ?

— Hum, il est têtu, le bougre.

La fatigue de la nuit précédente passée presque tout entière à pousser le bétail se faisant sentir, ils regagnèrent le chalet. Avant de quitter la crête, Boule, dressé sur ses courtes jambes, jeta un joyeux refrain tyrolien dans l'air du soir.

Les lumières de la vallée scintillaient déjà dans le crépuscule interminable, et le vent frais s'était levé, qui sifflait dans les encoignures de la cabane.

— Je vais vous conduire à la grange, leur dit le gardien, faites bien attention à ne pas mettre le feu.

Ils montèrent en riant, un bougeoir à la main, l'étroite échelle qui conduisait au fenil et chacun fit son trou dans le foin.

Personne ne voulut remarquer que Pierre creusait le sien tout près d'Aline, et lorsque Boule eut soufflé la bougie, le bruit des respirations, mêlé au bruissement du vent sous les ardoises de la toiture, peupla la soupente, pleine de courants d'air.

Rendu hardi par l'obscurité, Pierre se rapprocha d'Aline qui, confiante et heureuse, reposa sa tête sur l'épaule de son fiancé. Il l'embrassa tendrement et la sentant s'endormir pelotonnée dans ses bras comme pour y chercher protection, devina le sourire qui se dessinait sur les lèvres entrouvertes; et comme elle paraissait heureuse ainsi, il la rejoignit dans son rêve.

## 9

— Debout! debout! crie Georges à la Clarisse, en secouant la poussière de foin qui lui rentre par le cou, par les manches, et saupoudre ses cheveux. Vite en bas! Fait déjà grand jour!

En un clin d'œil, la troupe est debout et descend comme une avalanche le raide escalier de bois. Après une rapide collation, ils s'élancent comme des collégiens en vacances à travers les alpages; ils vont et viennent sans discipline, Georges à la Clarisse en tête, raidi sur ses pieds-bots; il marche bien, et semble prendre plaisir à forcer l'allure.

— Qu'est-ce que ça serait si on ne t'avait pas coupé les pieds! remarque judicieusement Boule; on ne pourrait pas te suivre. T'as mangé du lièvre à la clinique, pas possible!

Lorsqu'ils atteignent les vacheries de Balme, les

troupeaux sortent dans un halo de buée et l'immense carillon alpestre reprend possession de la montagne en fête.

Ils montent à travers landes et rocailles jusqu'au signal des Posettes.

Bien qu'ils soient tous un peu blasés par l'habitude, ils ne se lassent pas de contempler l'inoubliable panorama des cimes. Aline, qui sort très rarement, laisse fuser son admiration et sa joie; elle bondit au bras de Pierre et lui répète comme une petite fille qu'on emmènerait pour la première fois à un spectacle espéré :

— Je suis heureuse! Pierre, je suis heureuse! J'aime tant la montagne! Lorsque nous serons mariés, tu ne me laisseras pas à la maison, tu m'emmèneras en course?

— Certainement, chérie! répond Pierre, comme pour se persuader lui-même de la chose.

Quittant les gazons ras des alpages, ils pénètrent sous les mélèzes habillés, vert tendre, de leurs fraîches pousses printanières; les chants d'oiseaux s'élèvent de toutes parts. Incorrigibles chasseurs, Boule et Paul cherchent à dénicher les coqs de bruyère qui gîtent sous les basses branches des vernes. En face se dresse, rougeâtre et déchiquetée, la chaîne des Aiguilles Rouges.

La petite bande déboule maintenant dans l'ombre de la forêt et atteint rapidement le Col des Montets, ce couloir dramatique, où tout l'hiver roulent des avalanches, lieu sauvage tranché par un courant d'air violent qui s'y engouffre et déferle sur la Vallorcine.

Après une brève halte à l'hôtel du Col, Pierre et ses compagnons reprennent la montée sur le versant des Aiguilles Rouges. Un court sentier, à peine visible, se faufile à travers les buissons, contourne un énorme bloc erratique surmonté d'un coquet moëntieu de mélèze bruni, et monte en écharpe le long de la montagne. Après un court passage dans un berceau de mélèzes, le sentier, devenu raidillon, vient buter contre d'immenses dalles de rocher poli qui barrent l'horizon au-dessus des têtes. Il semble à première vue qu'on ne puisse franchir l'obstacle, et cependant il existe dans ces falaises des gorges cachées, de petits couloirs gazonnés très raides, par lesquels la piste gagne l'alpage supérieur des Chéserys.

La montée en plein soleil est pénible, les fronts se mouillent de sueur et la caravane fait halte au pied de la grande paroi. Là se dresse, comme par hasard, un énorme chicot de roc détaché de la masse principale de la montagne.

Haut de trente mètres sur sa face nord et plongeant de près de cent mètres vers la vallée, il pointe fièrement vers le ciel une cime tronquée. Sur ses flancs s'accroche, ainsi qu'une épine sur le tronc d'un rosier, une méchante petite canine de quinze mètres à peine, hauteur calculée depuis la brèche qui sépare les deux sommets. Ce hérissement de roc est un terrain d'entraînement favori pour tous les grimpeurs; divers passages ont été ouverts par de jeunes guides audacieux et l'on y trouve une grande variété de difficultés, depuis la classique voie normale jusqu'au terrible surplomb de la minuscule face nord. Et voilà qu'en posant les sacs au pied de l'Aiguillette, Georges à la Clarisse déclare négligemment :

— Puisqu'on est là, si nous en profitions pour nous faire un peu les muscles ? Bonne occasion, qu'en dites-vous ?

— D'accord! répondent tous les autres, sauf Pierre.

— Chic! fait Aline, j'ai tant envie de grimper.

Pierre trouve la chose peu à son goût, il commence à s'inquiéter.

— Montez si vous voulez! dit-il d'un air dégagé. Je vous regarderai d'en bas; je vous ai déjà dit que ça ne me disait plus rien.

— Laisse-toi faire, Pierre! sollicite Georges à la Clarisse; tu sais bien qu'on avait décidé de recommencer ensemble.

— Commencez d'abord!

Fernand, Boule, Paul, Georges sortent des sacs les cordes, mousquetons, anneaux et pitons. En voyant apparaître tout ce matériel savamment préparé, Pierre devine la conspiration amicale.

— Vous m'avez eu! dit-il. Bon! je vais essayer. (Puis il ajoute tristement :) Mais si par hasard ça me prend, ne vous payez pas ma tête.

— Bravo, Pierre! j'étais sûre de toi, tu verras! ça ira tout seul. Tiens! voilà ta récompense, je paie d'avance. (Et Aline plaque sur ses joues un gros baiser sonore.) Es-tu content?

— Hum!...

— Par où commence-t-on? s'informe la jeune fille.

— Par la voie la plus facile, déclare Georges, et c'est moi qui monte en premier; tu vas voir, Pierre, un cul-de-jatte peut encore se débrouiller quand les doigts tiennent bon.

Paul s'inquiète un peu :

— Fais attention, Georges! Tu devrais laisser passer l'un de nous en tête pour tes débuts.

— Non, mes amis, non! Si je voyais quelqu'un en haut, j'aurais la certitude d'être assuré et ça me donnerait trop confiance; je veux voir ce que je peux faire. D'abord, ajoute-t-il, méprisant, la voie normale c'est de l'enfantillage.

Il s'attache à trente mètres et commence l'escalade; il monte avec précaution, tâtant solidement le rocher de ses gros doigts nerveux, et plaçant ensuite comme il le peut ses moignons de pieds sur les prises. Il tâtonne et n'arrive pas à les trouver. Comme ces amputés d'une jambe qui ont toujours froid aux deux pieds, il éprouve la sensation d'avoir un pied normal. Mais quand il croit le poser sur les rebords du rocher, il ne rencontre que le vide.

Cependant il s'élève, et le voici qui sort par un grand pas vers la droite, sur l'arête de l'Aiguillette. Ses mouvements se font plus précis; il commence à s'éloigner davantage du rocher, à moins se coller contre la paroi, la confiance renaît en lui et c'est par un cri joyeux qu'il annonce fièrement :

— Arrivé!... pouvez monter.

Fernand, prenant Pierre par le bras, lui désigne la voie d'ascension :

— Tu as vu? Quel type, hein! Presque aussi bon qu'avant... Toi aussi tu redeviendras comme avant... tiens!... attache-toi!

Pierre s'encorde avec répugnance. Un sourd malaise s'empare de lui; il hésite visiblement, mais Fernand l'a précédé et tire la corde.

— Viens! suis-moi.

Et derrière, sans attendre d'ordre, Boule s'est collé à ses talons pour prévenir toute défaillance. On dirait qu'ils encadrent un petit enfant, ou bien un client à la vie précieuse qu'on leur aurait recommandé tout spécialement. Pendant les dix premiers mètres, cela va tout seul; Pierre se colle au rocher et comme il n'a pas, à proprement parler, de vide sous lui, il monte lentement mais avec assurance, tâtant les prises, et Boule, qui vient buter de la tête contre ses pieds, lui lance des encouragements :

— Tu vois ! ça va tout seul.

— Tout seul, tout seul, si on veut !... grogne Pierre; avec Fernand qui me tire comme un paquet, sans me permettre de déraper même d'un centimètre, et toi qui me poses les pieds dans les marches, il faut bien que ça aille... Mais si j'étais en tête ?

— Ça viendra !... ça viendra... si tu nous écoutes; ne cherche pas à vouloir tout manger à la fois.

Les trois hommes abordent la petite traversée. D'un bond, Fernand chevauche l'arête et s'élève de quelques mètres pour assurer sa corde autour d'un petit bec rocheux; il tend ensuite la ficelle et incite Pierre à venir. A son tour, Pierre fait le grand pas qui l'amène sur la petite crête aérienne et l'enfourche machinalement. Il appuie sa tête sur ses mains crispées sur le rocher, tout à coup repris par l'inquiétude; quelques mètres seulement le séparent du sommet, quelques mètres aériens, car l'Aiguillette s'est effilée, et Pierre domine la face sud, assez vertigineuse; il fait un terrible effort de volonté pour se reprendre. Placé au-dessus de lui, Fernand l'observe, le voit pâlir et fermer les yeux; il ne dit rien, mais fait signe à Boule de grimper rapidement à côté du malade. Boule, suspendu par les mains dans une invraisemblable position, masque de tout son corps l'à-pic qui trouble son ami. Pierre ne bouge pas; on dirait un lézard collé sur un rocher surchauffé de soleil.

— Tu roupilles, Pierre ? l'apostrophe Boule.

— Ça me reprend !

— T'en fais pas ! L'Aline est en bas et elle ne te voit pas.

258

Sur la cime, on entend chanter joyeusement le mutilé :

> *Là-haut sur la montagne,*
> *L'était un vieux chalet...*
> *Murs blancs, toits de bardeau,*
> *Devant la porte un vieux bouleau.*

— Prends confiance ! dit doucement Boule, ne te presse pas ; la corde est tendue, je suis à tes côtés, ouvre les yeux et regarde par en haut ; nous sommes arrivés.

Pierre entrouvre les paupières et s'accroche comme un désespéré. Il lui semble être un naufragé réfugié sur une épave bercée par la houle. Toute la montagne s'est mise en mouvement et tourne, tourne autour de ce sacré piton de rocher ; glaciers, forêts, alpages dansent une ronde effrénée et même on dirait que l'Aiguillette oscille légèrement sur sa base. Atroce sensation qui le fait blêmir et se cramponner. Courageusement, il décide de poursuivre jusqu'au bout de l'expérience ; la présence de ses camarades le rassure :

— J'y vais ! dit-il brièvement.

Rapidement, Fernand s'est élevé en quelques bonds jusqu'à l'étroite plate-forme du sommet, pour y engager la corde dans un anneau fixe. Boule, derrière, se colle aux talons de Pierre. Pauvre Pierre !... Il oscille comme un homme ivre, tâtonne, et ses pieds se posent parfois à côté des prises, mais Boule d'un coup de main les remet en bonne place. Ces quelques mètres d'escalade lui paraissent interminables. Enfin sa tête dépasse le sommet et d'un dernier rétablissement, il se couche sur la petite plate-forme. Boule lance un appel joyeux.

— Ça y est, Aline! Il est en haut, tout a très bien marché.

Fernand ne dit rien. Il songe que le vertige est une bien terrible chose qui peut transformer en fantoche l'homme le plus courageux. Jamais il n'a compris aussi fort qu'en ce moment l'immense détresse de son compagnon.

Guidée par Paul, Aline est venue les rejoindre; elle grimpe comme un chat, et son visage est transfiguré par la joie.

— Regarde la frangine, une vraie fille de guide! dit Fernand à Pierre. Au besoin, plus tard, tu pourras l'emmener comme porteur.

Pierre sourit tristement sans répondre.

Avant d'entreprendre la descente, Georges veut tenter une expérience :

— Dresse-toi sur le sommet, Pierre... oui! debout!

L'autre fait un effort de volonté, se met à genoux, essaye de se relever sur l'étroit piédestal; en vain... Voici que tout tourne à nouveau et que l'infernale sarabande du paysage recommence... Il renonce.

— Non! Pas encore; c'est trop pour un début.

— Il a raison, déclare Paul, faut aller doucement, très doucement!

On lance le rappel sur le surplomb nord. C'est une descente d'un seul jet de plus de vingt-cinq mètres et dans le bas surplombante; on tourne alors comme une araignée au bout du fil.

Boule descend le premier, agile comme un singe dans les cordes; puis Fernand fait signe à Pierre.

Pierre passe avec des gestes d'automate le rappel autour de son corps et se laisse glisser le long des cordes.

— Tu y es?

260

— Allons-y.

Il ferme les yeux presque tout de suite, dès qu'il sent le vide fuir sous ses pieds; il descend ainsi sans rien voir, faisant coulisser la corde par habitude, se heurtant aux surplombs, se déchirant les doigts au contact de la roche; il préfère ces petites misères à la vision effrayante du carrousel des cimes. Il atterrit brutalement dans une touffe de rhododendrons où il enfonce comme dans un duvet, et il lui semble revivre au contact de la terre ferme. Il ouvre les yeux comme s'il sortait d'un mauvais rêve, se débarrasse des cordes, et pousse un soupir de soulagement.

— Arrivé!

C'est au tour d'Aline. Elle n'a jamais fait de rappels de corde; Paul et Georges lui donnent des conseils. Elle est fâcheusement impressionnée à l'idée de se lancer ainsi dans le vide; cependant elle surmonte sa répugnance et s'élance, mais si maladroitement qu'elle rebondit et pendule le long du rocher, crispée sur la corde qui lui scie les reins.

— Je n'aime pas ça! crie-t-elle, dégoûtée.

D'en bas, Pierre la surveille; il a repris son sang-froid et c'est le guide qui parle en lui quand il crie des conseils :

— Allons, petite! desserre tes doigts; laisse filer la corde. (Il se fâche :) Veux-tu la laisser coulisser! (Puis il encourage :) Là! très bien... renverse-toi en arrière... le corps en équerre... fais comme si tu dansais... (Il s'impatiente et piétine :) Mais regarde en dessous de toi, sacrée gamine, détache ton corps du rocher à grands coups de pied... Oui, c'est mieux; au deuxième rappel, tu seras parfaite.

Aline roule dans l'herbe à ses côtés, et encore

un peu inquiète et tout emmêlée dans les cordes, elle se jette dans ses bras.

— J'ai cru que ça n'en finirait plus ! (Puis revenant à une idée qui lui tient au cœur :) Tu vois, chéri ! tu peux très bien grimper, toi... Qu'en dis-tu ?

— Bien encadré comme je l'étais, ça peut aller, mais nous n'avons pas fait le plus difficile.

Georges à la Clarisse descend le dernier de l'Aiguillette, avec une assurance de vieux coureur de cimes.

— Pierre, dit-il gravement, si toi et moi nous ne regrimpons pas comme avant, c'est que nous n'avons aucune volonté... aucune !... t'entends ?... Ça serait trop facile de se dire fichus au moindre bobo.

— Tu as raison, Georges, mais tu sais, sans les autres je n'aurais pas été capable de grimper ! Déjà, j'ai eu un moment bien pénible.

— La forme reviendra, mon grand ; si tu veux, on fera des sorties de ce genre jusqu'à ce que tu te sentes sûr de toi. N'y a pas de meilleur remède !

Assis en cercle sur les dalles, au pied du rocher, les voici qui déballent les provisions, sortent les gourdes de vin, mangent, boivent et devisent gaiement. Le soleil a tourné la chaîne du Mont-Blanc ; un manteau d'ombre s'étend sur la montagne. Le courant d'air du Col des Montets vient lécher la grande paroi au-dessus de leurs têtes. Dans le lointain, sur l'autre versant, on entend comme en sourdine les carillons des alpages, couverts par la voix plus grave des torrents qui s'élève et domine toute cette pastorale, ponctuée par les fracas des glaciers craquant un peu partout aux flancs ravinés de la haute chaîne.

Grisés d'air et de joie, les jeunes gens se sont

mis à chanter. Boule a commencé, et tous les autres ont suivi, chacun tenant sa partie. Du chœur des voix mâles et graves se détache le timbre frais et cristallin d'Aline; au refrain, le jodel triomphant de Boule s'élève en surimpression musicale sur l'ensemble, comme un lied à la montagne qui se perd dans le murmure du vent.

Mais ces heures euphoriques ne peuvent pas durer. Georges à la Clarisse, toujours passionné, interrompt les chants, enroule ses cordes, fait activer les autres qui se prélassent.

— A la petite Aiguillette! dit-il... ce sera une expérience décisive.

— Tu es fou, Georges? s'inquiète Paul, pas pour un début, c'est trop difficile... on reviendra.

— Non! tout de suite, pendant que nous sommes dans le feu de l'action.

La petite Aiguillette... Un chicot d'érosion accoté contre les flancs de la grande. Un simple roc : quinze mètres d'un côté, soixante mètres sur son plus haut versant. De la brèche qui sépare les deux Aiguillettes, il n'y a guère qu'une quinzaine de mètres d'escalade, mais si escarpés, si exposés, que peu de guides osent s'y lancer en premier; on compte sur le bout des doigts les alpinistes qui ont forcé le passage, et au tableau des courses on l'a tarifé cent cinquante francs.

— Pour quinze mètres, c'est bien payé, déclare Boule.

— Ce n'est pas assez payé, répond Fernand. Cent cinquante francs pour risquer de se casser la gueule, c'est trop peu. A mon avis, on aurait dû laisser ce bout de rocher tranquille; libre à ceux qui s'en croient capables d'y grimper, mais pourquoi exciter les jeunes, attirés par un gain rapide, à se lancer dans une telle aventure?

— Tu as raison, Fernand, dit Pierre.

— Tu sais, reprend Georges, en ce qui me concerne, je l'ai gravi déjà trois fois; c'est pourquoi vous pouvez me laisser faire.

— Moi, plusieurs fois, mais jamais en premier! dit Fernand.

Ils se glissent dans une faille souterraine, une curieuse cheminée en forme de puits, qui ressort par une ouverture juste au pied de la petite Aiguillette. Vu de cet endroit, le passage est d'une nudité effrayante.

Une dalle lisse vient mourir sous un surplomb; il s'agit de tourner ce surplomb par un pas très délicat et de se hisser, par une arête peu marquée, jusqu'au sommet. Quelques minutes pour un bon grimpeur; on passe ou on ne passe pas!

Sous le surplomb est fixé à demeure un piton de fer; c'est l'unique assurance du premier de cordée, mais qui ne l'empêcherait pas, en cas de chute, de faire un énorme pendule sur l'à-pic, dans une position d'où il serait bien difficile de le retirer. Quelques timorés préfèrent adopter une autre solution : d'un ressaut de la grande Aiguillette, ils jettent une corde par-dessus le sommet et se hissent en toute sécurité; mais ce procédé, peu élégant, nos gaillards le réprouvent.

Georges s'est dressé contre la dalle comme un lutteur qui examine son adversaire; il passe l'extrémité de sa corde d'attache à Fernand, qui l'assurera du mieux qu'il pourra, sans grande efficacité d'ailleurs. Avant de se lancer dans le passage, il tape contre le roc ses bottes ridicules, toutes rondes comme un large sabot et qui lui font des pieds d'éléphant; au couteau, il dégage la terre et l'herbe qui adhèrent contre les clous, aspire un grand coup d'air et part. Les autres le suivent du

264

regard avec beaucoup d'inquiétude, mais ils reprennent confiance en voyant comme il s'élève en grand seigneur du rocher, utilisant au maximum les rares prises minuscules, ses gros doigts recroquevillés sur les petites anfractuosités, se reculant en équilibre pour mieux placer ses pieds mutilés sur les légères nodosités de la roche. Il gagne très rapidement le surplomb. Il lui faut maintenant le contourner par un pas excessivement délicat qui conduit à l'arête. On le voit hésiter un instant, puis, ayant calculé tous ses gestes, commencer la périlleuse traversée; la moitié de son corps disparaît à la vue, cachée par la convexité de la paroi; sa main gauche, qui seule est visible, est crispée solidement sur une prise.

Fernand, s'épaulant contre la montagne, surveille la corde qui a cessé tout à coup de filer entre ses doigts. Que se passe-t-il? Il ne peut rien voir d'où il est, mais Aline, qui a pris un peu de recul et surveille la progression du leader, avertit tout à coup ses compagnons :

— Pierre! Pierre! crie-t-elle, il est en difficulté; son pied ne tient pas, le soulier dérape comme s'il ne pouvait pas réussir à accrocher une prise!

Un souffle rauque, haletant, parvient jusqu'aux autres et souligne un effort désespéré, qu'ils ne peuvent que deviner. Ils observent anxieusement cette main qui s'accroche et qui est prise tout à coup d'un tremblement spasmodique.

— Nom de bleu! fait Pierre.

Et avant qu'on ait pu prévenir son geste, il s'élance sur la plaque, sans corde, sans être assuré. Aline retient au fond de sa gorge serrée le cri d'angoisse qui allait lui échapper. Fernand, conscient de son impuissance, transpire à grosses gouttes, et s'arc-boute sur la corde. Les autres,

265

muets de surprise, attendent le drame inévitable.

En quelques bonds précis, Pierre s'est élevé jusqu'au surplomb. Il attrape la corde d'attache de Georges, et la noue au piton, puis il se lance dans la traversée, et le voici qui appuie de toutes ses forces sur la main de Georges pour l'empêcher de lâcher.

— Tiens bon! Georges, je suis là, vas-y! tu es assuré!

Il sent cette grosse main rugueuse toute crispée dans ses doigts et l'accompagne, tandis qu'elle disparaît. On entend comme un grand soupir et bientôt une voix, entrecoupée par l'émotion, crie :

— Passé!... Ouf!... Bon sang, reprend Georges, je ne pouvais pas faire tenir mes clous sur la petite prise, tu sais, de l'autre côté de l'arête. J'étais écartelé contre la paroi et je me fatiguais; si tu n'étais pas venu, j'aurais lâché...

— Monte vite! dit fébrilement Pierre, monte vite! je ne suis pas attaché.

Et Georges pense subitement que son camarade est en plein mauvais pas, sans être attaché, et que le vertige pourrait bien le reprendre; il escalade fiévreusement les derniers mètres, et, sans prendre de repos, lance sa corde à Pierre.

— Attrape.

L'autre saisit avec soulagement le filin, s'attache et continue l'escalade. Le voici à son tour aux prises avec le passage délicat. Le vide est sous lui, et pour la première fois, il regarde son adversaire bien en face; il ricane même... il lui semble que, dans l'émotion du sauvetage, quelque chose s'est dégagé dans son crâne, comme un voile qu'on aurait retiré... Oh! miracle... les mélèzes ne tournent plus, le carrousel s'est arrêté, le paysage est immobile, et l'Aiguillette qu'il étreint à plein corps est solidement massive et n'oscille plus de droite à gauche, lentement, sans arrêt, comme ce matin.

Il exulte et lance, comme un trille vainqueur, un perçant jodel qui s'épanouit et claque dans l'espace, et les autres, qui ne l'ont plus entendu chanter depuis si longtemps, restent tout choses... Dans sa petite niche de rocher, semblable à une petite madone italienne, avec son foulard noué sous le menton, Aline pleure doucement, mais ce sont des larmes de bonheur qui perlent le long de ses joues et qu'elle n'essuie même pas.

Fernand cligne de l'œil à Boule.

— Hein! on l'a eu, le docteur.

Seul, Paul Mouny, le sage de la bande, grommelle et ronchonne :

— Bandes de fous!... vous casser la figure, oui!... et ça a bien failli arriver... On n'a pas idée de faire des rochers pareils quand on n'a plus que des moignons en guise de pieds! Et l'autre qui fiche le camp comme ça dans la dalle sans se faire assurer! sans précautions... et ça viendra vous dire après que ça craint le vertige... Jamais vu ça!... jamais!...

— Tu viens, Paul, dit Fernand, on leur porte une bouteille au sommet, ils l'ont bien méritée.

— Fais-toi lancer une corde.

— Jamais de la vie! crie Fernand. Boule, prends le sac; moi, je m'en vais... adieu donc!

Et le voici qui grimpe en chantant, trouve miraculeusement les prises, et disparaît derrière le surplomb. On l'entend chanter sans arrêt, il chante encore lorsque, cinq minutes après, il se redresse sur le sommet, et donne une grande claque dans le dos de Pierre.

— On l'a eu... on l'a eu, le toubib!

Maintenant que le feu de l'action est passé, que son camarade est hors de danger, Pierre est envahi par un nouveau malaise. Voici qu'à nouveau tout se met à tourner autour de lui; il ferme les yeux, un profond dégoût lui monte aux lèvres; il se pelotonne dans un petit creux de rocher et plaque sa tête contre la roche toute chaude de soleil. Les autres le regardent. Il est pâle. Du geste, il leur impose silence.

— Ce n'est rien... le dernier coup... ça va passer.

Boule fait sauter le bouchon, verse le crépy pétillant dans les quarts, et comme il se croit obligé de porter un toast, il ajoute :

— Aux prochaines grosses bambées, les gars !

En bas, Aline réclame :

— Alors ? Vous m'oubliez ?

— Reste ! Aline, c'est trop dur pour toi, on te rejoint.

Ils dévalent par le rappel et reprennent pied sur la plate-forme. L'ombre est maintenant très fraîche, et Pierre sent comme par enchantement s'apaiser tous ses tourments; un calme profond, une sérénité sans égale l'envahit.

— Vois-tu, Georges, sans toi je n'aurais jamais pu réagir; mais quand je t'ai vu si courageux, je me suis forcé; je ne suis pas encore guéri, mais je sais maintenant que je pourrai à nouveau grimper; alors, si tu veux ?... on continuera...

Georges lui donne une amicale bourrade dans les côtes.

— Quand tu voudras !... Je te dois bien ça, tu viens de me sauver la vie.

— T'inquiète pas... tu auras tout le temps de me rendre le même service. Dans notre métier de guide, c'est chose courante.

Ils ont repris le chemin de la vallée. Le soleil se

retire lentement de la terre, quelques nuages flottent sur les flancs de la haute chaîne. Au-dessus, tout est doré et brûlé de soleil; en bas, c'est un crépuscule bleuté dans lequel se confondent les prairies et les rocs, les forêts et les glaciers, et que tranche le fil d'argent du torrent à travers les sapinières.

## 10

Tout ce versant de la montagne semble plongé dans l'ombre. Le soleil, dans sa course immuable, a tourné les contreforts de la forêt; alors qu'il éclaire crûment les glaciers et les Aiguilles, seuls quelques rayons tamisés, éparpillés comme une gerbe d'étincelles, parviennent dans cette conque humide et moussue où le lac des Gaillands épanche ses moirures d'huile. Les ramures des trembles friselisent dans le couchant de tout le clinquant de leur vif-argent. Parfois, une truite bondit sur le calme de l'étang transparent, gobe une mouche et disparaît dans un remous; quelques cercles s'élargissent alors et vont se perdre en ondes minuscules sur la berge à pic où s'inclinent de hautes herbes. Une grenouille se détend et se plaque dans les gazons perlés.

L'immense falaise, envahie par une exubérante végétation s'élève, tourmentée, creusée de fissures et de cheminées jusqu'au paisible accueil de la grande forêt. Les dernières branches des sapins se penchent comme une frange sur ses à-pics décharnés.

★

Pierre Servettaz replie avec lenteur ses cordes et les vérifie minutieusement avant de les passer à Georges à la Clarisse, qui les range bien en ordre sur son sac. Tous deux viennent de s'entraîner sur les passages les plus difficiles des rochers des Gaillands. Les espadrilles de Pierre sont terreuses et effilochées, et lui-même est encore tout saupoudré de terre et de feuilles mortes, récoltées en luttant contre les surplombs encombrés de ronces. Georges à la Clarisse vient d'essayer une nouvelle paire de chaussures spéciales, exécutées tout exprès pour lui et comportant, en guise de clous, un épais bourrelet de caoutchouc. « De vrais pneus ! » lui a dit Pierre. Ils sont las et heureux tout à la fois d'avoir forcé des passages excessivement difficiles : le Grand Surplomb, la cheminée Steiger, le Grand-Dièdre rouge. Pierre s'est tiré à son honneur de toutes ces difficultés. Ce n'est plus le fantoche d'il y a deux mois; il a retrouvé le contrôle de ses nerfs, et si parfois un vague malaise l'inquiète encore, il acquiert à chaque nouvelle escalade un peu plus de confiance en lui-même. Cependant, tous deux n'ont pas encore osé se lancer dans une grande course en altitude.

Ce soir, ils se sentent fin prêts, comme on dit par ici. Assis parmi les gazons humides qui bordent le lac, dans ce cadre romantique du petit étang blotti contre la montagne et invisible de la route, ils devisent calmement.

— Regarde les Aiguilles, Pierre, dit Georges. Elles sèchent rapidement; les couloirs de neige n'ont jamais été en aussi bonnes conditions. Faut se décider... Le temps s'est stabilisé au beau, les jours sont longs, je me sens en forme, et pour ta part, tu peux désormais passer partout.

— Pas sûr, Georges, pas sûr!... Je me demande comment je me comporterais dans un véritable couloir de glace, avec la pente qui fuit en dessous sur plus de mille mètres? Déjà, quand j'étais normal, j'appréhendais de m'y aventurer... alors, maintenant?

— Pour le savoir, faut y aller, reprend Georges. Que dirais-tu d'une grande, grande course? Tiens! par exemple, la face nord de l'Aiguille Verte? Le couloir d'Argentières doit être en excellentes conditions; il a juste été fait une ou deux fois... Si nous réussissons, nous sommes bons pour recommencer les courses.

— Ne crains-tu pas que ce soit un morceau trop dur à abattre? Et puis, il n'y a pas de rochers difficiles, c'est de la neige!

— Raison de plus! C'est la vraie grande course, avec de la glace et de la neige; un effort prolongé, une pente vertigineuse sur plus de mille cinq cents mètres de hauteur, avec des rochers verglacés, des marches à tailler et un retour difficile par la voie normale. Une belle traversée, tu sais! Ça ne te tente pas?

— Si! Mais j'éprouve comme une sorte d'angoisse à l'idée de m'y lancer.

— Faut vaincre ça! Inutile de chercher le rocher. Maintenant, tu as fait tes preuves; je sais que tu passeras partout, et de mieux en mieux à mesure que tu avanceras dans la belle saison... Mais une vraie montagne... Un beau quatre mille... Il faut que nous en tâtions!...

— D'accord! Si tu veux, on pourrait le dire à Fernand et à Boule.

— Non! c'est justement ce qu'il ne faut pas faire. S'ils venaient, on compterait trop sur eux; moi avec mes guibolles amochées, toi, avec tes oreilles qui bourdonnent. Tandis que si on fait ça tout seuls, livrés à nous-mêmes, on prouvera ce dont on est capable.

— Tu as raison; il faut en finir. On va coucher au Jardin d'Argentières?

— Oui.

— Quand?

— Demain soir. Mais surtout ne dis rien aux autres.

Ils reprennent la route de Chamonix, et la démarche souple et féline de Pierre, chaussé d'espadrilles, contraste avec l'allure saccadée de Georges, qui trottine sur ses moignons. Ils se quittent comme des conspirateurs à l'entrée du bourg.

— A demain, Georges!

— A r'vi, pas!

## 11

Le lendemain.

Pour ne pas éveiller les soupçons, ils sont partis séparément : Pierre à bicyclette, Georges par le petit train électrique qui ronronne à heure fixe dans la vallée.

Ils se sont donné rendez-vous sur la moraine du glacier d'Argentières, à cette grosse pierre qui constitue le premier jalon du sentier de la montagne de Lognan. Pierre y arrive le premier, en

272

pleine heure chaude de l'après-midi. Son sac est pesant; il le laisse glisser à terre avec soulagement et s'accote contre le bloc erratique, scrutant les lacets du sentier tout en épongeant son front ruisselant. Bientôt, il reconnaît, à quelques lacets au-dessous de lui, la silhouette de Georges courbé sous une énorme taque. Ils s'abordent sans rien dire. Georges s'assied à côté de Pierre, souffle, remonte les manches de sa chemise sur ses bras musclés, puis, désireux de rompre le silence, lance un lazzi qui retombe dans le vide.

— Mince de sirocco, Pierre! Mais ça tiendra, le vent vient d'est.

Pierre juge inutile de répondre pour l'instant; il vide son sac et en fait l'inventaire.

— J'ai pris une fine cordelette de soixante mètres, dit-il, au cas où on aurait une mauvaise rimaye à franchir à la descente. Pour l'attache, as-tu pris ce qu'il faut?

— Oui! Quarante mètres en onze millimètres.

— Ça va! Et les pitons à glace?

— J'en ai douze. Même que ça pèse rudement, et avec ça quatre mousquetons, plus la cagoule, plus les crampons, les mitaines, les lunettes, quel barda!

— J'ai tout ça, moi aussi. On pourra bivouaquer s'il le faut.

— Faut tâcher d'éviter le bivouac. La nuit doit être glaciale à quatre mille.

— Baste!... bien habillés...

Ils repartent à pas très lents, longent la rive gauche du glacier. Le sentier monte à travers des mélèzes clairsemés et se faufile entre deux gorges étroites par où cascadent de furieux torrents grossis par la fonte des neiges.

Les voici qui dépassent une fois encore la lisière

supérieure des forêts. Seuls quelques mélèzes rabougris s'essayent, mais en vain, de gagner de l'altitude. Tourmentés, rachitiques, brisés par les neiges et les gels des hivers, ils ont l'air de suppliants invoquant les divinités des cimes. L'alpage de Lognan étale ses landes de genévriers, de rhododendrons, très haut dans la montagne; c'est un parterre de fleurs qui se perd dans les moraines croulantes ou vient mourir sur les glaciers; d'énormes torrents blanchâtres sortent de ces derniers et déferlent en écumant dans les gorges étroites et cascadantes, et, vers l'est, le glacier d'Argentières s'écroule en une grandiose chute de séracs, où pilastres, colonnettes et corniches semblent d'ivoire fragile aux reflets de saphir.

Le chalet de Lognan, solide construction à deux étages, domine l'énorme chaos glaciaire; c'est le gîte d'étape le plus rapproché pour entreprendre les ascensions dans le Bassin d'Argentières, mais Pierre et Georges ne feront qu'y passer. Dommage! car la halte est accueillante et forte la tentation de rester là cette nuit, bien au chaud. Pierre, surtout, hésite :

— Si nous couchions ici, Georges? suggère-t-il. Au fond, ça ne nous ferait perdre qu'une heure et demie de marche, et ça serait autrement confortable que cette affreuse cabane du Jardin, à moitié croulante et qui doit être, à l'heure actuelle, encore pleine de neige.

— Non! Une heure et demie de retard, c'est capital, Pierre, et tu le sais bien. Si nous voulons trouver une neige en bonnes conditions dans le haut du collu, faut partir. Reposons-nous! Restaurons-nous. Mais ensuite, quittons ces lieux.

Pierre n'insiste pas, il sait que Georges a raison et parle d'expérience. Ce qu'il n'avoue pas, c'est qu'il a maintenant très peur de s'aventurer là-haut. Ici, c'était encore la vie, la civilisation. Il y a un excellent gardien; il y a des chambres, des lits, et du chalet, où la vue plonge directement sur la vallée, on peut même voir les prairies et les cultures et les petits chalets essaimés le long de l'Arve.

Et tout ça est bien rassurant pour un débutant, car Pierre se sent aujourd'hui une âme de débutant. Il lui semble qu'il fait connaissance avec la haute montagne. D'avance, il frémit en songeant à la raideur des pentes qu'ils auront à grimper demain; il frissonne par anticipation en pensant à la nuit solitaire qui les attend au fond du glacier silencieux comme une terre inconnue. Son angoisse morale se traduit par une gêne physique qui le rend plus lourd, presque maladroit. Georges s'en aperçoit; il connaît suffisamment cet état d'âme pour savoir que dans un instant le sens du confortable aura triomphé du goût de l'aventure, aussi abrège-t-il le séjour tentateur à l'hôtellerie.

— Allons! filons... Rester ici serait tout juste bon à nous faire boeller cette nuit.

Lui, par contre, se sent plein d'entrain. Une joie sauvage l'anime à l'idée d'aller combattre à nouveau sur les cimes.

Par le sentier qui commence au-dessus de l'hôtel, ils gagnent la grande moraine gauche du glacier. La piste court sur la crête même de la moraine; d'un côté, c'est la masse tumultueuse des glaces qui se brisent et s'entrechoquent dans une invraisemblable débâcle; de l'autre, le sourire et la douceur des prairies émaillées de gentianes, d'arnicas, de primevères... Contrastes!... Ici, la riante perspective de l'alpage, bordé par les candélabres compliqués des mélèzes, où les ruisseaux tissent des fils de nacre, où les perdrix chantent sous les vernes baignés de soleil; là, un monde polaire, fait de glaces et de granit, sur lequel souffle un vent glacial. Et ces deux natures si différentes se côtoient pendant presque une heure de marche, jusqu'à ce que la crête de la moraine s'amenuise au point de n'être plus qu'un petit renflement de cailloux gris qui se perd d'un seul coup dans l'énorme bastion de roc.

Prenant pied sur le glacier, ils marchent rapidement sur la glace vive damée de pierres brisées, puis bientôt réapparaissent les neiges anciennes, toutes jaunies par les fontes et ciselées par les eaux courantes. Georges va devant, suivi d'un Pierre Servettaz hésitant et silencieux. Déjà ce dernier se prend à regretter l'aventure; seul, un amour-propre terrible l'empêche de faire demi-tour, de tout lâcher et de courir vers la vallée. Il songe qu'en se dépêchant, il pourrait encore atteindre Argentières avant la nuit, mais il a honte de sa défaillance et rythme son allure sur la foulée brève de Georges; ce faisant, il aperçoit les pieds mutilés qui lui tracent la route comme on indique son devoir à un cœur faible. Comment songerait-il à fuir alors que Georges, là devant lui, montre l'exemple?

Peu à peu, la pente du glacier diminue. On dirait qu'il cesse brusquement un peu plus haut; une banquise de glace se dresse contre le ciel, tranchée nette, blanc sur bleu, comme le seuil d'un monde nouveau. Les deux alpinistes se coulent le long des rochers brisés, contournent quelques larges crevasses et, par une croupe de neige, prennent pied sur un plateau supérieur. Il se peut qu'il existe de par le monde des glaciers plus longs, plus élevés, plus tourmentés que celui d'Argentières. Il est impossible de ne pas frissonner d'émotion lorsqu'on débouche sur cette haute vallée glaciaire et presque horizontale, de sept kilomètres de profondeur, bordée d'une muraille de rocs et de glaces unique en France. Le contraste est si brutal entre la douceur maligne du plateau tout taraudé de fissures invisibles, et recouvert d'une nappe éblouissante de blancheur, et les à-pics d'un kilomètre, qui se poursuivent comme une barrière infranchissable sur toute la rive gauche du glacier! Et, dans le fond, une autre paroi, tout aussi redoutée, sépare la France de l'Italie et de la Suisse. Jamais triple point frontière ne fut choisi dans un endroit d'une pareille grandeur. Le Mont-Dolent qui sert de borne-frontière dresse sa mitre de glace à plus de mille mètres au-dessus du glacier.

Sur la rive droite, un peu plus de douceur s'offre au regard, c'est-à-dire des lignes moins verticales, moins inexorables; mais là aussi se dresse une barrière de rocs rouges, tourmentée, découpée, creusée de profondes gorges, où se faufilent de petits affluents glaciaires. Le regard revient sans cesse, comme hypnotisé, sur les faces nord, qui se succèdent, toutes plus énigmatiques les unes que les autres. Des audacieux s'y sont frayé des voies nouvelles; un à un, tous les piliers d'angle, toutes les pentes de glace, tous les glaciers suspendus ont dû capituler devant l'homme et livrer le secret de leurs abîmes aux alpinistes que rien n'effrayait. Mais il reste encore des lieux jamais foulés et qui narguent, des mille reflets de leur carapace de glace, les hommes qui s'aventurent sur la plaine glaciaire. On évoque, en les admirant, des régions très lointaines : le Groënland, le Spitzberg, ou bien encore ces glaciers mystérieux de l'Himalaya, ou ces vallées désertes du Caucase! C'est aussi beau et aussi grandiose, et, lorsqu'on prend pied, après la pénible montée le long de la montagne de Lognan, sur la haute vallée de glace, on éprouve la sensation toute neuve de rentrer dans un effondrement secret de la terre; le glacier n'est qu'un cañon sans issue, barré sur trois côtés par des rocs et des glaces, et qui semble s'ouvrir dans le vide, du côté de la vallée. On ne distingue plus rien du paysage environnant. On devine vaguement par-delà la banquise qui se casse sur le néant, un grand trou au fond duquel vivent les hommes; quelques cimes modestes dentellent très loin l'horizon brumeux, mais tout ce qui pense et songe est accaparé ici par les parois verticales qui dominent, écrasent, submergent et semblent devoir, d'un instant à l'autre, s'écrouler sur l'aventureux qui ose violer leur mystérieuse solitude.

Les deux guides ont fait halte sur le rebord glaciaire du plateau et se sont assis sur leurs sacs à même la neige. Georges, d'un regard connaisseur, inspecte les hautes parois et laisse filtrer à travers ses lèvres un sifflement d'admiration.

— Regarde ce couloir, Pierre! Quelle ligne directe! Vu d'en face, il paraît d'une raideur incroyable. Un beau morceau à tailler demain, surtout vers le bombement du milieu où brille la glace; la rimaye a l'air assez mauvaise! Bref, c'est acceptable comme conditions. Qu'en dis-tu?

— Hum!...

Pierre ne trouve rien à dire. Il ose à peine lever les yeux pour examiner l'itinéraire risqué qu'ils emprunteront demain et à la contemplation duquel se délecte Georges. Il eût préféré se trouver là en pleine nuit, de façon à ne rien voir et à se lancer immédiatement à l'attaque sans avoir eu le temps de réfléchir à ce qui les attendait.

Maintenant, c'est sûr, il sera obsédé toute la nuit par la vertigineuse apparition de ce mince sillon de neige tranchant d'un seul jet la montagne depuis le sommet de l'Aiguille Verte, à 4 121 mètres d'altitude, jusqu'au plateau du glacier! Mille deux cents mètres à grimper d'un même souffle! sans un emplacement de repos! sans que l'inclinaison de la pente diminue! sans un rocher bien chaud auquel s'accrocher des deux mains! Pendant des heures, peut-être même des jours, il leur faudra se tenir sur les petites marches glissantes, risquant de perdre l'équilibre au moindre mouvement. Dans ces cas-là, il le sait, il est inutile de compter sur l'assurance de la corde, presque illusoire! Que l'un d'eux vienne à déraper, et c'est la chute de la cordée! La corde n'est plus qu'un lien moral entre les grimpeurs.

Pierre, obsédé par ces craintes, veut fuir ses pensées dans le mouvement; il se lève et boucle rapidement son sac.

— Viens, Georges! Ne restons pas là! il commence à faire froid.

Mais ses paroles ne sont qu'une piètre excuse pour dissimuler son malaise. Passant en tête, il trace une piste rectiligne à travers l'immense glacier; la neige est profonde et lourde, car le soleil a chauffé tout l'après-midi. Pierre peine énormément, mais se refuse à céder sa place à son camarade, car cette fatigue salutaire agit comme un narcotique sur son âme inquiète. Il souhaite d'arriver au refuge complètement éreinté; il sera plus sûr ainsi de bien dormir. Les deux hommes pataugent jusqu'au ventre dans une boue liquide;

leurs chaussures sont détrempées. Quelle complication! il leur faudra passer la nuit ainsi : gare le gel!

Après deux heures de traversée fatigante sur ce glacier qui n'en finit plus, ils atteignent la petite moraine du glacier des Améthystes, toute coiffée de gros blocs gris, parmi lesquels se confond le refuge, à moitié enfoncé dans l'arête. Pauvre cabane délaissée! Elle est en bien piteux état. Les mouvements du glacier et de la moraine l'ont fendillée, fissurée; les petites fenêtres disjointes ne s'ouvrent plus.

Une énorme congère barre l'entrée, et il leur faut la déblayer au piolet pour dégager la porte.

Après bien des efforts, ils réussissent enfin à l'entrebâiller juste le nécessaire pour pouvoir pénétrer dans le refuge.

Il y règne une obscurité glaciale. Le vent a soufflé par toutes les fissures et bat-flanc et couvertures sont pleins de neige; les paillasses humides sentent la pourriture. Le refuge est condamné, il est déjà presque abandonné. On parle d'en ériger un nouveau, plus haut dans les rochers, mais l'étude de l'emplacement dure depuis plusieurs années. Il faut en effet l'abriter des avalanches, et tous les automnes des spécialistes construisent de petites pyramides-témoins, qu'ils viennent reconnaître au printemps. Généralement, tout leur travail a été balayé par une coulée imprévisible. Il faut recommencer la même manœuvre pour un autre emplacement. C'est un travail de patience et d'expérience, que l'on mènera avec beaucoup de persévérance. En attendant, la vieille cabane agonise, toute disloquée par le sol mouvant de la moraine. Le vent s'y engouffre en miaulant, et, tout autour, des choucas, attirés par la venue de la cordée, criaillent lamentablement dans le vent du soir.

Les deux hommes s'organisent, nettoient la cabane, sortent quelques couvertures pour les faire plus ou moins sécher. Ensuite, sur le petit réchaud à alcool, Pierre fait fondre de la neige pour la soupe du soir. Cela prend beaucoup de temps, mais ils peuvent enfin manger une vague soupe chaude qui réchauffe leur corps tout imprégné de l'humidité glaciale du refuge. La nuit vient sans qu'ils s'en aperçoivent, trop affairés qu'ils sont aux préparatifs de leur grande expédition. Ils font du thé, en remplissent leurs gourdes, quittent leurs chaussures mouillées et les bourrent de paille, tordent leurs bas de laine qu'ils présentent timidement à la flamme du réchaud pour les sécher. L'heure avance et le froid se fait plus pénétrant; une gouttière égrène l'eau de fusion de la toiture sur un coin de la table et le refuge est tout rempli de ce bruit monotone qui cessera bientôt, lorsque le gel aura suspendu ses stalactites translucides qui étincellent comme des cierges pailletés d'argent, sous le toit disjoint.

Le silence et le calme de cette soirée sont extraordinaires. Envoûtés par la montagne qui de toutes parts les écrase, les deux grimpeurs parlent peu, échangent les simples mots indispensables, en petites phrases hachées :

« Passe-moi la bouilloire !... Vérifie les lanières des crampons !... Faut encore de la neige pour demain matin !... On devrait se coucher... roupiller un peu !... Crois-tu qu'on bivouaquera demain soir ? »

Questions qui restent généralement sans réponse.

Leurs pensées les obsèdent. Pierre sent un nouveau malaise l'envahir! Il est trop tard pour reculer maintenant; il lui faudra partir à contrecœur pour cette course disproportionnée avec ses qualités actuelles. Il revoit en pensée le sinistre couloir bosselé de glace noirâtre, et ce dernier lui paraît encore plus droit, plus interminable, comme s'il allait se perdre très haut sur la terre, à la limite des étoiles.

L'état d'âme de Georges est bien différent. Il se sent guilleret, léger, joyeux, il brûle d'impatience de repartir. S'il ne savait pas toute l'importance que pourront avoir par la suite deux heures de sommeil et de repos, il s'élancerait tout de suite dans la nuit, à la lanterne; ce serait une folie! Il faut qu'il se raisonne, qu'il se repose surtout, qu'il calme ses nerfs. La lutte qui les attend demain sera sévère, très dure même, c'est leur vie qu'ils vont jouer... et ils n'ont le droit de la jouer qu'en mettant de leur côté tous les atouts.

La raison triomphe enfin.

— Allons nous coucher, Pierre. Faut reprendre des forces!

Ils ont choisi la place la moins humide du bat-flanc pour s'y rouler dans des couvertures. Ils ont revêtu tout ce qu'ils possédaient : leur cagoule, leurs chandails, et cependant ils ne parviennent pas à se réchauffer; ils se serrent l'un contre l'autre pour unir la chaleur de leurs deux corps. Ils ont soufflé la bougie, mais ne dorment pas; ils savent qu'ils ne le pourront pas, trop obsédés par la veillée tragique dans cette cabane déserte et croulante. Alors, ils s'astreignent à ne plus penser, et, parfois, rompus de fatigue, ils s'assoupissent lourdement. Quelques minutes après, ils se réveillent en sursaut, persuadés d'avoir dormi des heures. Ils se retournent, cherchent une meilleure position, puis, la fatigue prenant le dessus, ils s'endorment d'un seul coup, comme s'ils perdaient connaissance.

## 12

A minuit, Georges rejette les couvertures, allume la bougie, et secoue Pierre qui se lève machinalement. Tout est silencieux dans la cabane, silencieux et froid. Ils contemplent bêtement leurs chaussures à moitié gelées, les pétrissent longuement avec les mains avant de pouvoir les mettre. Malgré cette précaution, ils devront forcer, car les chaussettes humides ne glissent pas dans le cuir durci; c'est comme s'ils chaussaient des sabots trop petits. Sur le petit réchaud, un peu de thé commence à fumer. Ils essaient de manger, mais l'heure est trop inusuelle et leur estomac se rétracte. Tant pis, cela eût été nécessaire, car, une fois engagés dans la pente de glace, ils ne pourront plus s'arrêter jusqu'au sommet, et d'ici là !...

Le refuge est nettoyé, la porte soigneusement refermée et les sacs bouclés. Vers 1 heure du matin, ils abandonnent la cabane. La lanterne éclaire un petit cercle de cailloux enneigés, et c'est tout. La nuit est d'encre, avec à peine quelques traînées livides du côté des grandes murailles : les couloirs de glace. Un craquement formidable éveille d'un seul coup la nuit maléfique; quelque part, en face, un sérac a cédé d'un coup et est venu s'écraser en poussière sur le glacier.

En titubant sur les cailloux instables, ils gagnent le plateau, puis se dirigent et s'orientent comme ils le peuvent en direction du pied de l'Aiguille Verte. Bientôt, ils butent contre les premiers ressauts de la pente, les champs de neige se redressent. Ils montent d'interminables côtes, lentement, tête baissée, scrutant les crevasses qui surgissent tout à coup devant eux comme des lucarnes ouvertes sur les ténèbres. Ils contournent un petit chaos de séracs : déjà une vague lueur leur permet d'identifier le paysage, et l'aube glaciale les rejoint au bord de la rimaye.

Il y a trois heures qu'ils marchent; ils font une dernière halte.

Au-dessus, le couloir est si redressé qu'ils sont obligés de se tordre le cou pour en voir la fin. Une petite corniche insignifiante le barre vers le haut; elle semble toute proche vue dans ce raccourci saisissant. Ils ne se laissent pas tromper par cette déformation due à la perspective; une lutte sévère les attend, car ils auront à gravir douze cents mètres sur cette pente rectiligne, qui se redresse par endroits jusqu'à vouloir se retourner. Pierre ne peut détacher son regard de la cime. La petite corniche blonde le fascine, l'envoûte. Il a peur et il ne renonce pas; il a conscience des difficultés qui l'attendent, mais, loin de vouloir éviter le combat, il n'a plus qu'une idée : s'élancer à l'assaut ! Le véritable courage ne consiste-t-il pas à triompher de la peur ?

Georges est plus calme et plein de bon sens.

— Mangeons un morceau ! Faut conserver ses forces ! Après, tu sais, faudra plus compter sur une halte ! La pente est trop raide et, jusqu'à la calotte, il faudra tailler et monter sans même reprendre son souffle.

Ils se forcent pour avaler quelque chose : des biscuits, du chocolat, une pomme. Ils remplissent leurs poches de pruneaux et de morceaux de sucre, chaussent les crampons et en lacent minutieusement les courroies.

Georges n'a même pas posé la question de savoir qui marcherait en tête; il prend la direction de la cordée que Pierre ne lui dispute pas, s'attache à cinquante mètres de longueur, accroche quelques pitons à glace et des mousquetons à sa ceinture, vérifie le serrage de la lanière de son piolet sur son poignet, et, enfin, songe à étudier le passage. La rimaye est très haute, s'ouvre largement et sa lèvre supérieure surplombe de plusieurs mètres la lèvre inférieure.

Le rocher n'est visible nulle part, sauf à l'extrême droite, mais s'ils attaquaient cet éperon ils seraient déportés en dehors du couloir, et ils se sont assigné de suivre l'itinéraire le plus élégant, une ligne directe de la base au sommet.

Ils vont et viennent le long de la crevasse, cherchant le point d'attaque le plus facile; un fragile pont de neige peut leur permettre de gagner une petite cheminée de glace qui fendille la lèvre supérieure. Escalader cette fissure est l'unique moyen de triompher du surplomb.

— Va y avoir une sacrée taille, fait Georges, mais ça doit passer, c'est une question de patience ! Fin prêt, Pierre ?

— Fin prêt ! Allons-y.

Georges éprouve du piolet la solidité du pont de neige. C'est une arche mince et solide qui chevauche un gouffre dont on ne voit pas le fond. Pierre prend un peu de recul, plante son piolet dans la neige profonde, et se prépare à assurer la montée de son compagnon.

La passerelle de neige vient buter contre la paroi de glace; Georges se met au travail, creuse des encoches dans la glace vive, des marches solides pour les pieds, de petites prises pour les mains, et s'élève très lentement, car il est obligé de tailler d'une main, travail épuisant auquel vient s'ajouter le froid qui raidit les doigts à travers les gants de laine. Il gagne cinq à six mètres de hauteur, puis, comme il atteint la base surplombante de la cheminée de glace, il plante un long piton et passe sa corde dans l'anneau; elle coulisse à merveille.

— Et d'un! dit-il.

Il se laisse glisser le long de la corde, retraverse le pont de neige et vient se reposer à côté de Pierre. Ayant quitté ses gants, il souffle sur ses doigts et les frotte vigoureusement pour rétablir la circulation; puis repart à l'attaque, monte rapidement jusqu'au piton en utilisant les marches déjà taillées, et engage précautionneusement le haut de son corps dans la fissure de glace. Celle-ci est trop étroite pour tailler normalement; il glisse son piolet dans sa ceinture, prend son couteau et creuse de petites prises pour les mains, puis il ramone en faisant mordre les petites pointes de ses crampons dans les parois, exactement comme s'il escaladait une fissure rocheuse. Sa montée est très lente, il se fatigue, mais gagne ainsi une dizaine de mètres. Il surplombe maintenant le gouffre béant de la rimaye, qui se perd dans les profondeurs bleutées. Il utilise une petite plaque de glace pour y prendre pied et se reposer. Un deuxième piton, mince comme une lame de couteau, est enfoncé dans la glace. En levant la tête, il distingue à quelques mètres de hauteur la fin de la cheminée et aperçoit le ciel comme du fond d'un puits.

— Encore un effort, et j'y suis ! crie-t-il joyeusement à Pierre.

Sans répit, il poursuit son ascension, se colle contre la glace, fait opposition des mains et des pieds sur les parois; la fissure s'élargit et il continue à grimper, le corps arqué au-dessus du vide, les mains crispées dans de minuscules encoches qui se remplissent d'eau glaciale. La sortie de la fissure nécessite une dernière manœuvre plus délicate. Il s'arc-boute sur ses pointes de crampons qui déchirent et écaillent la glace bleue, et, reprenant son piolet, réussit à l'enfoncer sur la lèvre supérieure; alors, très doucement, il se hisse dessus et, dans un dernier effort, sort en rampant sur la pente de neige supérieure. Le soleil vient le frapper juste comme il se redresse et jette un joyeux jodel de victoire. C'est comme s'il était baigné de chaleur, ses muscles jouent plus librement, son sang coule plus chaud. Après la lutte obscure dans le froid terrible de la fissure de glace, il croit renaître à la vie.

En dessous, Pierre, étreint par le froid, claque des dents. Mais la peur, l'ignoble peur, s'est envolée miraculeusement en présence des difficultés. C'est un autre homme qui entend le joyeux appel de Georges, un homme impatient de lutter. La corde file rapidement dans la cheminée de glace. Pierre assure son piolet à sa ceinture, vérifie une dernière fois l'ajustage de ses crampons et s'élance avec joie. Au passage, il arrache à coups de marteau les précieux pitons, qu'il enclenche dans sa ceinture; à son tour, il étreint furieusement la glace, et poursuit sa reptation ascendante vers le soleil. Sur sa tête, un coin de ciel très bleu lui indique le chemin; encore tout essoufflé par cet effort rapide, il se retrouve assis à côté de Georges.

Sous eux, c'est la coupure de la rimaye, puis le glacier qui déferle, moutonne et craque comme une pâte en fermentation.

Alors les deux hommes tournent leurs regards vers le haut.

Le passage de la rimaye leur a pris trois heures, sans qu'ils gagnent rien en altitude. Debout contre la pente, ils s'appuient contre le glacis qui fuit vertigineusement dans l'espace : rien ne distrait la vue de la monotonie étrange de ce couloir, si ce n'est une longue rigole d'avalanche sculptée sur l'uniformité de la pente. Tout, d'ici, est vu en raccourci : plus aucun repère pour indiquer les dimensions et souligner la verticalité de l'ensemble, plus rien que ce mur blanc strié et buriné par les pierres qui en écaillent la surface, et souillé sur ses bords, tout contre les arêtes rocheuses mantelées de verglas, par de petites traînées noires : les traces des glissades de pierres aux heures rares du dégel.

Au début, le couloir est en neige dure; à la rigueur, on peut y enfoncer le bout des pieds, et se creuser une marche d'un bon coup de semelle. Pierre a pris la tête, car Georges, avec sa mutilation, ne pourrait pas remplir cet office, et il avance droit en haut dans la pente, longeant le bord de la rigole qui se creuse comme un petit canal aux bords de marbre poli; il croit escalader une gigantesque échelle qui conduirait dans un monde étrange et nouveau pour lui. Il grimpe des quatre membres, son piolet bien en main fixé solidement par la pointe dans la neige, l'autre main restée libre posée à plat et assurant l'équilibre; les pointes de ses crampons s'incrustant dans la neige dure, il s'élève ainsi à longueur de corde. Le vide fuit sous ses jambes, mais un vide comme il n'en a jamais vu, une immense glissoire qui va s'amenuisant avec la distance pour se terminer par un goulet étroit sur le vide : la rimaye. Quand il a grimpé ses cinquante mètres à toute allure et sans se reposer, il fiche solidement son piolet dans la neige, passe la corde derrière le manche, et la ramène doucement au fur et à mesure que Georges monte. Le moindre faux mouvement, la moindre rupture d'équilibre seraient fatals; il s'en moque éperdument. Jamais il ne s'est senti aussi solide, et ses appréhensions de la veille se sont envolées comme un mauvais rêve; pour l'instant, il ne songe qu'à assurer la progression de son ami. Leurs deux vies sont solidement liées par cette corde qui les rend solidaires des mêmes dangers. Il aperçoit, en se penchant contre la pente, Georges qui s'encadre entre ses jambes écartées et qui monte, le nez contre la neige, observant la règle immuable de l'alpinisme : avoir toujours trois points d'appui : deux jambes et un bras solidement accrochés avant de déplacer l'autre bras, ou bien encore, deux bras et une jambe, mais évitant ces manœuvres audacieuses où l'on se rattrape *in extremis* avec des sueurs froides par tout le corps.

Georges est près de lui maintenant. A son tour, il fiche son piolet et file de la corde à son camarade. La montée continue; le soleil tape dur sur la pente de glace et ils rabattent sur leurs yeux les lunettes bordées d'aluminium; la réverbération est telle que, même à travers les verres fumés, ils sont éblouis par tant de lumière. Les rayons ultraviolets brûlent durement et, pour se rafraîchir, ils prennent de grandes poignées de neige qu'ils se passent sur la figure.

Ils oublient la fatigue; il arrive toujours un moment où la fatigue disparaît, où la machine humaine apparaît si merveilleusement réglée, qu'on peut marcher des heures, des jours, des nuits et encore des jours sans rien ressentir.

L'inclinaison de la pente augmente encore, et à cause d'un imperceptible changement d'orientation dans la paroi, voici que la neige dure, la bonne neige où l'on pouvait cramponner en toute sécurité, s'est transformée en une poudreuse sournoise, qui recouvre la glace noire.

Ils sont à peine à mi-chemin du couloir et pourtant il leur semble toucher de la main le sommet écrasé par la perspective; ils se repèrent sur les arêtes rocheuses voisines, et jettent de rapides coups d'œil sur l'immense paroi où ils sont accrochés comme des mouches sur une vitre lisse. Pauvres petits d'hommes aux prises avec la plus inhumaine des montagnes!

Ici, chaque geste garde sa valeur, chaque mouvement compte, chaque réflexe peut tuer ou sauver; il ne s'agit plus de surmonter avec aisance un passage difficile mais court comme il s'en présente si souvent dans le rocher. Il faut concentrer son attention et sa volonté, s'astreindre à répéter inlassablement les mêmes mouvements; jusqu'ici tout allait bien, et, si les conditions de neige s'étaient maintenues, Pierre espérait bien toucher dans une heure ou deux la coupole de neige du sommet, mais voilà que la glace sourd de la couche aimable et les menace.

« Ça n'est plus pour rire, cette fois! » songe-t-il.

Son piolet refuse de s'enfoncer dans la pente; il

l'a senti rebondir sous quelque dix centimètres de neige poudreuse sur le marbre de la glace noire. Il surveille attentivement la pente au-dessus de lui, et lentement ses yeux s'élèvent, cherchant à reconnaître le passage.

Il y aurait bien une solution : traverser horizontalement jusqu'à l'éperon rocheux de la rive gauche du couloir; c'est bien tentant! Une heure de taille tout au plus et il pourrait se reposer sur des rochers solides, et ensuite frayer sa route aisément vers la cime; mais c'est un procédé peu honnête que celui qui consiste à tourner la difficulté. Ils ont décidé en partant de remonter le couloir; il faut aller jusqu'au bout, et lui qui tremblait par anticipation à l'idée d'avoir à tailler sur une pente à soixante-dix degrés se complaît maintenant à examiner la difficulté. Il se taille à grands coups de piolet une confortable plate-forme pour les deux pieds : ce n'est plus une marche, mais une baignoire, comme on dit dans le métier; puis, saisissant un piton à glace, il l'enfonce à coups de marteau. Voilà qui est fait; il peut disposer d'un peu de liberté et fait signe à Georges de monter. Lorsque celui-ci l'a rejoint, il lui montre la suite :

— Tu vois?

— On est bien coincés! fait Georges. Regarde la plaque de glace qui brille, il faudrait longer le couloir sur la droite.

— Inutile! c'est encore plus mauvais! C'est tout en poudreuse et ça cache la glace; j'aime autant attaquer l'obstacle franchement.

Georges, à son tour, regarde la fuite éperdue du couloir entre ses jambes.

— Mince de raideur! Si on venait à tomber, quel saut!

— Si on venait à tomber, on glisserait et on

sauterait la rimaye comme sur un tremplin de ski, fait Pierre, optimiste. Peut-être qu'on s'en tirerait?

— Bourrisson s'en est bien tiré en débaroulant de six cents mètres au Col de la Tour des Courtes!

— Et l'Anglais du Col de Miage!

— Et Fernand des Praz-Conduits, au glacier de la Thendia!

Ils passent en revue tous les accidents miraculeux de ces dernières années où des alpinistes, servis par la chance, se sont retrouvés vivants après des dégringolades sensationnelles.

— Pour l'instant, s'agit pas de tomber, fait Georges, mais de continuer. Laisse-moi passer en tête; tu dois être fatigué!

— Non, Georges, c'est trop en glace dure, là-dessus; tu pourrais être gêné par tes panards!

— Et ton vertige?

— Regarde!

Et Pierre se tourne face au vide et crache dédaigneusement.

— Écoute, vieux, reprend-il, je ne sais pas si on réussira, mais tout ce que je sais c'est que le vertige, c'était de la rigolade! Je suis en forme, laisse-moi filer!

— A ta guise!

Pierre vérifie d'un geste discret la disposition des pitons à glace qui hérissent sa ceinture, puis il assure son piolet bien en main et commence le fastidieux travail de taille. La glace vole en éclats sous les coups de piolet; lui, va avec assurance, montant la pente, en biaisant légèrement, aménageant de petites encoches pour les mains, et de belles marches étroites et bien allongées pour les pieds; il taille sa voie en pleine montagne, et avance lentement. En dessous, Georges le surveille et, comme il se sent tout à coup très las de cette inaction forcée, il s'appuie de tout son long sur la paroi et baigne sa figure brûlante à même la neige.

Pierre est aux prises maintenant avec la couche de glace bleue qui brillait si fort sous le soleil; elle est tellement dure qu'elle se brise en écailles et qu'il lui faut ciseler chaque marche à petits coups de piolet précis; ses pointes de crampons mordent à peine sur les marches, et la pente devient si raide que, lorsqu'il lui faut changer de pied, il est obligé de se tailler une encoche supplémentaire.

Tout absorbé par la taille des marches, il ne voit pas descendre en ricochant le long du couloir quelques cailloux détachés par le soleil. Georges l'alerte d'un cri :

— Cailloux ! attention !

Il a juste le temps de se coller contre la pente de glace et, comme il n'a pas fini de tailler sa marche, il reste ainsi en équilibre sur deux pointes de crampons; un projectile gros comme le poing siffle à son oreille, puis un autre et un troisième qui aurait dû, selon toute logique, lui fracasser le crâne, l'effleure et lui arrache son béret, égratignant à peine le cuir chevelu.

L'alerte a été chaude. Pierre, très lentement, reprend son équilibre; il y parvient avec peine, et continue la taille interminable.

— A bout de corde ! l'avertit Georges.

Flegmatique, il taille une nouvelle plate-forme, plante un nouveau piton, et fait monter près de lui son compagnon. Son bras se fait lourd comme s'il lui survenait un commencement de paralysie; il a peine à serrer des doigts le manche du piolet.

— Tu es fatigué, Pierre; laisse-moi passer en tête !

— Jamais! Je termine la glace! J'ai juré de passer. Tu me remplaceras pour le restant de la course.

Si seulement ils pouvaient boire! Mais ils n'y songent même pas; quitter le sac serait une manœuvre trop dangereuse... pas de faux mouvements!

Pierre colle ses lèvres contre la pente de glace et suce avidement l'eau de fusion. Il repart avec la souplesse d'une danseuse et, dès qu'il s'est élevé de quelques marches, Georges le remplace sur la plate-forme. La montée, d'une monotonie désespérante, se poursuit. Le soleil est déjà haut dans le ciel; ils calculent qu'il peut bien être midi, peut-être même 2 heures de l'après-midi; ils n'échapperont pas au bivouac! Le sac pèse très lourd sur leurs épaules et leur estomac crie famine; ils tirent hâtivement des pruneaux de leurs poches et les mâchonnent pour tromper la faim.

Pierre réussit à s'élever ainsi d'une centaine de mètres au prix d'efforts inouïs. Il aperçoit tout proche une pente de neige qui lui paraît plus accueillante; il taille en biais pour la rejoindre, et quelle joie lorsqu'il sent que la neige est mi-fondue et malléable! Il s'y enfonce des mains et des pieds. Dans son impatience, il voudrait escalader ainsi rapidement le passage, mais il oublie Georges qui, derrière, peine à l'endroit le plus dangereux.

Une traction de la corde, suivie d'un léger cri, le rappelle à ses devoirs.

— Doucement! tu vas me faire basculer!

Il se retourne pour surveiller son compagnon, et, tout à coup, de le voir accroché ainsi du bout des doigts et des crampons sur cette invraisemblable paroi de glace, le vertige le prend! Tout tourne; le couloir se tord en spirale, comme s'il voulait se visser sur le glacier en contrebas. Dans un effort de volonté, il chasse cette vision atroce et s'incline tout de son long sur la pente de neige. Georges est tout près qui lui crie d'avancer; il repart, fait une grande longueur de corde simplement en plantant dans la neige les pieds et les mains, puis, comme il lui semble avoir atteint un léger replat, il s'y accroupit. Ce n'est qu'une simple bosse, mais l'inclinaison n'est plus maintenant que de quarante à quarante-cinq degrés, et, comparée au gouffre vertigineux qu'ils viennent de gravir, la pente leur apparaît plate et accueillante.

Ils sortent la gourde de thé du sac et boivent une longue goulée. Oh! la fraîcheur du liquide qui imprègne délicieusement leurs muqueuses desséchées! Ils boiraient sans arrêt, mais il faut qu'ils se modèrent, car ils auront une nuit encore à passer à la belle étoile. Et quelle nuit!

A coups de piolet, Georges égalise une sorte de banc dans la pente de neige; ils peuvent enfin se reposer! La chaleur devient suffocante; ils nouent leur foulard rouge sur la tête et cela leur donne un faux air de bandits calabrais, bien étrange dans ce lieu perdu. Sous leurs pieds, la pente fuit comme si elle était sans cesse renouvelée. De lourdes avalanches roulent sans arrêt, et bientôt ils voient partir à cent mètres plus bas une coulée qui efface, comme d'un coup de gomme, leurs traces de montée.

— Faut pas moisir ici, fait Georges; on est encore en plein dans la trajectoire des coulées; tirons un peu sur la rive droite!

Ils repartent, et Georges, qui a pris la tête, fait sa trace sur une sorte de croupe très raide; enfin, la neige lourde cesse et fait place, juste sous le sommet, à des champs de neige redressés jusqu'à toucher l'énorme corniche qui barre la route à cet endroit. Sur leur droite, vers le nord, l'arête déchiquetée des Grands-Montets, hérissée de tours et de remparts rocheux, pointe ses dents de scie au-dessus des pentes de glace.

L'ascension se continue et leur semble monotone, maintenant que la victoire est proche; leur force d'action s'est réduite et ils ressentent durement la fatigue, mais comme ils veulent atteindre à tout prix le sommet ils ne s'accordent aucun répit.

Pierre savoure la joie de la victoire remportée, double victoire sur la montagne et sur lui-même; son âme est en paix et il monte avec la sérénité de quelqu'un qui est sûr d'atteindre désormais le but qu'il s'est proposé. Déjà, il ébauche de grands projets; cette année, il sera porteur, mais dès l'an prochain il passera l'examen, et il se voit déjà avec l'insigne rond des guides accroché sur sa veste! « Tu seras guide, se répète-t-il, tu seras guide! » Et il laisse errer des regards de propriétaire sur le paysage tourmenté des cimes. Ce royaume est à lui! il a su le conquérir! Il a payé sa victoire très cher; pas autant cependant que son pauvre vieux copain qui enfonce devant lui à chaque pas ses moignons mutilés dans la neige. Il ne peut s'empêcher de lui crier sa joie :

— Georges! Georges! on a vaincu! on est bons!... tu sais, c'est dit! je rentre guide.

— Moi aussi, hurle frénétiquement Georges, sans se retourner. Moi aussi : et pas plus tard que demain, quand nous serons redescendus... et on leur montrera qu'on est des hommes! oui, mon vieux, des hommes!

Le plateau du glacier, tout en bas, brille comme un creuset de métal en ébullition; de lourdes volutes de fumée flottent vers le Col Dolent, et, tout à coup, ils s'aperçoivent qu'ils ont dépassé en altitude les cimes environnantes.

Vers l'est, les Alpes suisses s'étagent jusqu'à l'infini de l'horizon, comme des chaînons séparés par des mers de nuages. Voici le Grand-Combin, si proche et si gigantesque, qui monte la garde aux confins du Val d'Aoste, et, plus loin, le Weisshorn, magnifique de pureté, et la Dent Blanche, crochetée comme une canine, et la Dent d'Hérens, aux rochers noirs striés de glace, et, tout là-bas, le Cervin, aigu comme un défi, bosselé par son nez de Zmutt, tout bleu dans l'ombre des montagnes; et aussi les étendues polaires du Mont-Rose, qui flottent au-dessus de la terre, et, plus au nord, l'Oberland, tout entier ramassé et confondu avec son enchevêtrement de sommets, de pics et de glaciers et plus bas les ridicules collines bleutées du Faucigny et du Chablais, qui, vues d'ici, ne semblent plus que de simples rides sur la surface de la terre; et, tout près, si près qu'il semble qu'on pourrait y jeter une pierre, le trou profond de la vallée de Chamonix, dessinant ses sentiers et ses bois, ses villages et ses routes comme une immense carte géographique. Mais le paysage des lointains grandioses n'efface en rien la beauté des premiers plans extraordinaires, toutes ces cimes si proches et séparées par des couloirs infranchissables où roulent et tempêtent les avalanches, et toujours le regard revient vers la grande pente qui s'incurve vers le glacier, toute lisse et brillante. En

la contemplant gravement, Pierre ne peut s'empêcher de murmurer :

— On est monté par là !

Oui, ils ont triomphé ! Oui, ils ont pu passer ! et
maintenant ils rient de leurs terreurs et de leurs
appréhensions ; ils abordent en vainqueurs la corniche du sommet.

Elle surplombe de façon menaçante ; qu'elle
vienne à s'écrouler et ils seraient balayés comme
fétus jusqu'à la rimaye qui ouvre sa plaie au bas
de la pente. C'est le dernier obstacle et non le
moins délicat.

Alors, Pierre reprend la tête de la cordée.

— Laisse, dit-il à Georges, j'ai une revanche à
prendre depuis la corniche du Brévent.

Tandis que Georges le surveille et se tient prêt à
enrayer la chute, il attaque l'obstacle au piolet,
casse les stalactites de glace qui pendent dangereusement et se brisent sous ses coups comme du
verre filé, puis il travaille à petits coups de panne,
creuse une gorge dans la corniche, s'y engage,
enfonce le manche du piolet jusqu'à la garde et le
retire. Par le petit trou ovale qu'il vient de faire, il
aperçoit l'autre versant.

— Ça y est ! on passe !

Il achève sa destruction en quelques coups de
pique, puis se hisse sur la cime sous une rafale de
vent qui le fait chanceler, mais il se redresse et
hurle sa joie comme un fou.

Alors, tous deux, debout sur le faîte étroit
comme un pignon d'Alsace, s'étreignent, se serrent les mains ; pour un peu, ils s'embrasseraient !
Ils ne songent pas au retour. L'Aiguille Verte ne
possède aucune voie facile, et pour redescendre il
leur faudra affronter la verticalité du dangereux
couloir Whymper, tout buriné par les avalanches

et les chutes de pierres. Qu'importe! Ils s'en moquent, la nuit peut bien venir, et avec elle le bivouac; ils ont vaincu et ne veulent plus laisser aucune chance de triompher à la montagne.

## 13

Ils décident de la conduite à tenir :

— C'est trop tard pour descendre et la neige est trop molle dans le couloir, dit Pierre. Attendons ici le coucher du soleil; ensuite, on bivouaquera en contrebas de l'arête sur les premiers rochers. Qu'en dis-tu?

— Et si nous marchions toute la nuit? suggère Georges.

— Une folie! on est fatigués, nous n'avons presque plus de bougie; il n'y a pas de traces. Tôt ou tard, on serait forcés de coucher dehors; alors, autant le faire en lieu sûr.

— Et si le mauvais temps nous surprend ici?

— Regarde! on ne risque rien.

Non! Ils ne craignent plus rien; les éléments sont avec eux. Le coucher du soleil se prolonge indéfiniment; il fait déjà nuit noire dans les plaines, mais ici, sur cette crête, à plus de quatre mille mètres, ils dominent les ombres et sont encore caressés par les délicates lumières du jour qui s'achève.

Le crépuscule ensanglante le ponant; c'est un embrasement très fort, comme une aurore boréale, qui domine les vallées d'ombres, et c'est bien la sensation qu'ils éprouvent d'être échoués quelque part sur une banquise polaire, au bord d'un océan de ténèbres qui viendrait battre des récifs enneigés. Il n'y a plus que quelques points de lumière accrochés sur la terre : les sommets de plus de quatre mille mètres. Cela fait cinq ou six foyers lumineux qui semblent veiller comme des phares sur le repos des hommes, puis ils s'éteignent les uns après les autres; finalement, il n'en reste plus que deux : le Mont-Rose, à l'est, le Mont-Blanc, à l'ouest. Le Mont-Rose se met en veilleuse, puis disparaît dans la nuit; alors, l'invisible Gardien, jugeant que l'heure est définitivement au repos, éteint à son tour la dernière lueur irisant la coupole du Mont-Blanc.

Aussitôt, dans les vallées, pointillent les lumières des hommes. On reconnaît les agglomérations importantes au halo lumineux qui s'en échappe; ainsi, là-bas, cette rangée de feux qui miroitent, c'est Genève, et, tout au nord, cette fine couture de lumières, Lausanne. En dehors de ces foyers importants, de petites veilleuses tremblotantes s'allument et s'éteignent un peu partout dans la montagne, et jusque dans les solitudes. Cette lueur très pâle à cinq mille pieds sous eux qui veille solitaire en plein cœur du massif du Mont-Blanc, n'est-ce pas le feu du refuge du Couvercle? A l'abri de ses parois, des hommes terminent la veillée autour de la table commune; sans doute s'affairent-ils à préparer leurs sacs en attendant l'heure nocturne du départ. Demain, peut-être, en viendra-t-il jusque sur cette cime magnifique où Pierre et Georges vont bivouaquer.

Le froid les ramène à la réalité de l'heure présente. Ils font une longueur de corde sur le versant de Talèfre et se mettent à l'abri du vent du nord en contrebas de l'arête. Abri précaire! car la bise souffle à travers le Col de la Grande-Rocheuse, cette simple faucille de glace, ce passage impossible et délaissé entre Argentières et Talèfre.

Les premiers rochers pointent au-dessus du livide couloir Whymper. C'est là qu'ils descendront demain, avant que le soleil n'ait libéré les pierres de l'étreinte des glaces. Pour l'instant, ils dégagent et aménagent une petite plate-forme et creusent la neige jusqu'à s'y faire un trou presque confortable; ils en tapissent le fond avec des cordes qui formeront un précaire isolant contre le froid. Dans cette petite grotte, ils peuvent tout juste se remuer, mais le travail qu'ils viennent de faire leur a procuré une douce chaleur, et ils désirent la conserver. Pierre sort le réchaud à alcool et fait fondre la neige dans sa gamelle. L'eau se forme lentement et bout ensuite rapidement. Ils y jettent un peu de thé et de sucre : le restant de leurs provisions. Ce breuvage leur paraît divin. Ils se pelotonnent l'un contre l'autre, et résistent contre le sommeil qui les prend et les accable, car ils savent tout le danger qu'il y aurait à s'endormir par ce froid. Alors, ils s'occupent, délacent minutieusement leurs crampons dont les courroies commencent à geler, fourrent leurs pieds dans les sacs, remontent leurs cagoules jusqu'aux yeux, puis, n'ayant plus rien à faire, ils chantent.

Ils chantent à tue-tête dans la nuit brillante des quatre mille. Pierre entonne tout ce qu'il sait : chansons de montagne, chansons à boire! et même par moments un grand air d'opéra; Georges, qui chante faux, l'accompagne en seconde partie. Alors, quand ils ont bien chanté, ils s'arrêtent, épuisés, et s'assoupissent; pas pour longtemps, car le froid les réveille et les chansons reprennent; c'est meilleur que de claquer des dents !

Les nuits sont courtes à la fin juin et à quatre mille mètres d'altitude. Lorsque le jour se lève, ils commencent à souffrir réellement du froid. Ils allument le réchaud et se font chauffer un nouveau breuvage. Leur engourdissement de la nuit se prolonge, et ils espèrent le soleil qui ne va pas tarder ; déjà le Mont-Blanc scintille, et voici qu'un jet de chaleur les atteint, les baigne et les ranime. La neige, qui était livide et grise, scintille de tous ses cristaux. Ils sortent de leur tanière de glace, s'ébrouent au soleil et se donnent de grandes tapes dans le dos, jusqu'à ce qu'ils se jugent prêts à affronter la descente.

Le départ est très difficile ; le haut du couloir est en glace vive et il ne faut pas songer à se lancer sur la pente, car on perdrait un temps infini à tailler dans ces conditions défavorables. Ils décident de longer pendant un certain temps les rochers de sa rive droite ; Pierre part en premier, taillant d'excellentes marches dans une neige dure qui se laisse trancher facilement. Georges, qui vient derrière, descend plus lentement, plaçant avec précaution ses moignons de pieds, trop longtemps comprimés et qui lui font mal, dans les marches ; ils manœuvrent les cordes avec prudence. Au début, la paroi est très raide, presque aussi escarpée que le versant nord, mais ils peuvent aller de rocher en rocher, et s'assurer ainsi d'excellente façon. Cependant, ils envisagent le moment où il leur faudra traverser le couloir et gagner sa rive gauche, sous les à-pics de la Grande-Rocheuse. Cette traversée d'une centaine de mètres a été illustrée, hélas ! par plusieurs accidents.

— Après ce qu'on vient de franchir, convient Georges, il ne s'agit plus de dévisser! Plante un piton ici, un autre au milieu du couloir, et, comme ça, on sera tranquille!

Pierre attaque le passage délicat. La glace, lavée et durcie par les coulées incessantes, est noirâtre et dure comme le granit qu'elle recouvre. Le piolet rebondit parfois avec un son creux sans rien entamer; l'inclinaison de la pente oblige le grimpeur à tailler d'une seule main et le travail du leader en est rendu extrêmement dangereux. Au bout d'une heure d'efforts, Pierre, atteignant le milieu du couloir, enfonce un long piton à glace, et, désormais mieux assuré, continue sa progression. Il franchit délicatement quelques rigoles très lisses, puis sent avec soulagement que la glace devient moins dure sous le pied, et, peu à peu, cède la place à la neige; il remonte sur l'autre rive, s'aménage une bonne plate-forme et fait venir son compagnon.

Pauvre Georges! Il a peine à faire tenir ses sabots recroquevillés dans les marches allongées et peu profondes qu'a dû tailler Pierre. Il peste tout haut et maudit son état, mais il passe quand même; il veut essayer d'arracher le piton central, mais sa position est trop précaire et Pierre lui crie de l'abandonner.

— Laisse-le, vieux! ça ne vaut pas un dérapage.

Il déclenche son mousqueton et continue : le voici tout près de son camarade... encore une dizaine de mètres! Mais Pierre, en pleine forme, a taillé des marches trop espacées pour l'infirme. Georges est obligé de se creuser de nouvelles prises; il le fait avec calme, en jetant parfois un long regard sur le couloir qui se tord et fuit dans le vide.

— Tu parles d'une chute! dit-il; c'est presque plus impressionnant que de l'autre côté avec tous ces rochers qui pointent.

Très bas, s'incurve en lignes adoucies la cuvette supérieure du glacier de Talèfre, vasque de neige épaulant les clochetons de la Verte; quand ils l'atteindront, leurs peines seront terminées.

Et Georges de tailler encore plus énergiquement, mais son piolet, rebondissant sur un rocher caché, lui échappe des mains.

Heureusement pour lui, ses réflexes sont les plus forts et l'incitent à se cramponner sur sa marche sans chercher à rattraper le pic qui bondit et rebondit avec un bruit métallique, puis disparaît dans la pente.

— M...! fait-il.

Pierre ramène son compagnon, en tirant très doucement la corde jusqu'à lui.

Ils examinent la situation.

— Évidemment, fait Pierre, c'est embêtant! Il faudrait pouvoir tailler devant et assurer en dernier; c'est impossible à faire avec un seul piolet. Enfin, tant pis! vaut mieux que ça soit lui que toi! qu'en dis-tu?

— On ira plus doucement, c'est tout! La neige devient bonne.

La neige devenait excellente, en effet; n'eût été la raideur de la pente, on eût pu courir en plantant solidement les talons... Mais il y avait le vide... et les rochers... et les petites rigoles, par lesquelles commençaient à couler silencieusement les pierres.

— Faut cependant pas trop tarder! répond Pierre, sinon, en franchissant la rimaye, on recevra toutes les avalanches qui s'y donnent rendez-vous.

Le couloir Whymper n'est pas à proprement parler un véritable collu, bien délimité comme celui de la face nord. C'est plutôt un large cirque en éventail, une réunion de plusieurs collus, tous plus raides et plus pentus les uns que les autres, qui convergent vers le glacier et se réunissent pour sauter ensemble une énorme rimaye. Il en vient de l'arête du Moine, de la Grande-Rocheuse, du Col Armand-Charlet, de l'Aiguille du Jardin, et l'itinéraire de la Verte se développe à travers ce réseau très compliqué, passant de l'un à l'autre, variable suivant les années, les jours, les mois, l'état de la neige, etc.! Au début de l'été, le couloir n'est qu'une énorme pente de neige, et lorsque vient l'automne il se transforme en un gigantesque pierrier incliné à quarante-cinq degrés, et tissé d'un fin réseau de canules de glace. A cette époque, le couloir subit un bombardement continuel et il est inutile de s'y aventurer. La Verte n'est plus dès lors accessible que par ses arêtes, mais comme la nature fait bien les choses, celles-ci, à l'automne, sont dégagées de neige et permettent souvent une ascension facile.

Nos deux grimpeurs, forts de leur expérience, cherchaient leur voie à la descente dans ce dédale vertical, supputant par avance l'endroit où ils devraient quitter une coupe de neige coulant entre deux rigoles pour en gagner une autre plus aisée.

Ils allaient rapidement. Pierre, ayant passé le piolet à Georges, descendait en premier et à reculons, comme s'il dégringolait une échelle. Il tapait fortement ses pointes de pied pour casser la neige dure et former des pas pour son compagnon, et enfonçait ses mains dans la neige qui commençait à fondre légèrement en surface. Peu à peu, la pente devint plus douce et ils ne ralentirent pas leur allure. Ils négligeaient de s'assurer maintenant et descendaient l'un derrière l'autre, le visage contre la pente, sans rien voir, ni du paysage ni de l'à-pic; mais leurs oreilles exercées entendaient bruire dans les rigoles les petites coulées du début de la matinée. Dans quelques heures, ils le savaient, la neige risquait de se déclencher en une énorme avalanche qui balayerait tout le couloir jusqu'à la glace, et alors! malheur à celui qui s'y trouverait! Aussi se hâtaient-ils!

Ils atteignirent ainsi le rebord rocheux qui domine la rimaye; celle-ci n'est généralement franchissable que sur son extrémité est, là où s'amorce un petit couloir secondaire descendant de l'Aiguille du Jardin. Ils empruntèrent rapidement cet enfant de couloir qui s'élargit en une énorme pente de neige, et se trouvèrent tout à coup sur le bord supérieur d'une faille de plus de vingt mètres de hauteur; aucun passage n'était possible! Il eût fallu faire un immense détour dans les rochers. Allaient-ils se trouver coincés juste au terme de leurs peines? Au-dessous, c'était le calme serein des champs de neige fendillés d'énormes crevasses qui se boursouflaient et craquaient un peu partout.

Ils ne perdirent pas de temps.

— Taillons un champignon de glace! proposa Pierre.

Leur technique fut à nouveau mise en œuvre. Ils creusèrent la neige jusqu'à la glace dure sous-jacente, puis taillèrent dedans un énorme champignon, semblable à ces bittes d'amarrage utilisées dans la marine. Quand tout fut terminé, ils l'entourèrent de leur corde de secours, une mince ficelle de six millimètres de diamètre, et se préparèrent à descendre.

Georges passa le premier, assuré par Pierre. Tout de suite, il tourna dans le vide et n'aperçut plus au-dessous de lui que le gouffre velouté de la grande crevasse; des coulées de neige et d'eau dégoulinaient le long des cordes et le transperçaient. Il réussit, après bien des tentatives et en se balançant au bout de la ficelle, à prendre pied sur un mince pont de neige, puis à remonter jusque sur l'autre rive.

Pierre le rejoignit rapidement, sa tâche étant facilitée par Georges qui l'attira directement jusqu'à lui d'une traction de corde quand il passa à sa hauteur.

Ils s'affalèrent sur le plateau de neige.

Leur grande épreuve était terminée, et maintenant ils se sentaient très las. Leurs yeux, mal protégés par les lunettes, étaient rouges et larmoyants; ce soleil tropical qui leur renvoyait ses flammes en se réverbérant sur la neige les étourdissait comme au sortir d'un long rêve. Ils auraient voulu boire : ils n'avaient plus rien dans la gourde!

Ils plièrent le rappel, réduisirent leur intervalle de corde à une quinzaine de mètres, et repartirent sur le glacier.

## 14

La descente leur parut interminable; ils longeaient la base de l'immense arête du Moine toute crêtée de sommets secondaires, franchissaient des ressauts de glace, se faufilaient à travers un chaos magnifique, formé de grands séracs découpés géométriquement en cubes, en tours, en arcades. C'est avec soulagement qu'ils sortirent de ce labyrinthe où ils enfonçaient jusqu'à mi-jambes et retrouvèrent une pente plus raide, juste contre l'Aiguille du Moine. Alors ils se mirent à courir comme des fous dans de vieilles traces encore gelées et comme ils avaient oublié de quitter leurs crampons, ils marchaient, jambes écartées, comme des canards descendant à une mare. Une soif intense les dévorait. Bientôt, ils atteignirent avec les premiers gazons le Clapier du Couvercle. Le vieux refuge dormait paisiblement sous son énorme pierre, comme un coffret de bois précieux oublié dans la gueule entrouverte d'un monstre.

Sur la petite galerie de bois aux tons chauds, un vieil homme aux longues moustaches fumait sa pipe en examinant tour à tour les montagnes et le sentier du Montenvers par où apparaîtraient bientôt les premières caravanes de la journée. Au bruit qu'ils firent en arrivant, il se retourna vivement et sa stupéfaction fut telle qu'il retira précipitamment sa pipe des lèvres, et resta bouche bée sans rien dire.

— Bonjour, oncle! cria joyeusement Pierre.

— Salut, le Rouge! fit Georges.

— Vous deux!

Et le Rouge, tout stupéfait, songea enfin à les interroger.

— D'où pouvez-vous bien sortir à cette heure et dans cet état?

— Verte par la face nord! répondit laconiquement Pierre, mais avant tout, donne-nous à boire et à manger; à boire surtout, on crève de soif!

Ils pénétrèrent dans l'étroite cabane, accrochant leur piolet au râtelier, et, à cheval sur un banc, enlevèrent leurs crampons.

Tandis que le Rouge faisait chauffer le café, ils lui donnèrent des détails, et l'autre n'allait pas sans s'étonner davantage à chaque phrase du récit.

— Voyons! voyons! Pierre, il y a une chose qui me tracasse; on m'avait dit que tu avais le vertige, et même que... — le Rouge parut un peu gêné — et même que ça t'avait rudement changé! Quant à toi, Georges, celui qui m'aurait dit que tu recommencerais des bambées pareilles! Tiens, j'aurais, je crois, parié mes moustaches que ça n'était pas possible. Vrai! vous en avez des idées! et dans quel but cette grande course? tout seuls! sans monchus!

— Pour faire nos preuves, oncle, car c'est bien décidé, on va rentrer guides tous les deux... et justement, si tu as des clients à me passer...

— Tu ne m'étonnes pas, sacré gamin! j'étais persuadé que ça finirait comme ça!

— Voyez-vous, oncle, le vertige, les pieds gelés, les risques, ça a certainement été créé pour vous donner du goût à la vie. C'est seulement lorsqu'on est mutilé ou appauvri physiquement qu'on se rend compte de la valeur de l'existence.

— Somme toute, en suivant ton raisonnement, la vie ne vaut d'être vécue que du jour où on risque de la perdre?

— Presque! La vie doit être une lutte continuelle. Malheur à ceux qui ne combattent pas! qui se laissent aller aux choses faciles! J'ai bien failli devenir un de ceux-là, oncle! et quand je songe au bourbier dans lequel je m'enfonçais, j'en frissonne de dégoût. Il a fallu Georges et les autres pour me rappeler à tous mes devoirs; surtout

Georges qui, lui, n'a jamais cessé de lutter pour reconquérir sa forme!

— Pour ça, oui, mon Georges; ce que tu as fait là, c'est bien! T'es un homme à cran! Seulement, voyez-vous, mes enfants, combattre ne veut pas dire s'exposer inutilement. S'il ne faut pas craindre de risquer sa vie, il ne faut le faire qu'en mettant tous les atouts dans son jeu. Quand j'étais bien gosse, je me rappelle qu'un jour, avec un gamin de mon âge, on avait entrepris de se lancer dans je ne sais plus quelle course! Comme ça, sans préparation et sans expérience; on montait toujours! toujours! et lorsqu'on arriva au sommet, on s'aperçut qu'on avait oublié de prendre la corde de rappel nécessaire pour revenir. On passa une nuit terrible dans un trou de rocher. Nous n'avions pas de chandails et nous claquions du bec; presque pas de provisions. Bref, on s'était lancé là-dedans comme de véritables écervelés. Ce fut mon père qui, inquiet comme tu penses, nous découvrit après un jour de recherches et d'appels. J'avais seize ans à l'époque, mais je te jure que j'ai reçu la plus belle raclée de ma vie : « Et attrape ça! disait le vieux en me calottant. Attrape ça! gamin, pour t'apprendre à réfléchir! S'agit pas de grimper seulement, faut aussi savoir redescendre! Quand on fait quelque chose, faut le faire bien! faut le préparer! » Et vlan! ça pleuvait, les coups, de tous les côtés. Depuis ce jour, je te garantis que j'ai réfléchi à deux fois avant de me lancer dans une aventure : j'ai tout préparé minutieusement, et quand je me suis trouvé en face d'une difficulté j'étais paré pour la surmonter.

— Cependant, Joseph, reprit Georges, il faut bien risquer par moments! Il y a des passages dont on ne peut pas deviner ce qu'ils vous réservent, et si on ne s'y lançait pas de peur de tomber on ne ferait jamais rien?

— D'accord! d'accord! il faut savoir risquer à bon escient et pour quelque chose d'utile; ça peut arriver qu'on tombe quand même, mais alors, dans ce cas-là, à la grâce de Dieu qui règle nos destinées! Tiens, par exemple, lorsque vous vous êtes entêtés, l'année dernière, pour grimper aux Drus malgré le verglas et tout et tout! Si ç'avait été simplement pour réussir la course, je vous aurais donné tort, mais il y avait une chose sacrée à accomplir : ramener le corps de ce pauvre Jean. Dans ces conditions, vous avez bien fait de risquer votre vie; seulement c'est exceptionnel!

» Notre vie ne nous appartient pas, nous n'avons pas le droit d'en disposer, ce qui revient à dire que pas plus que nous ne pouvons nous suicider, nous ne devons hésiter à la risquer, lorsqu'on la réclame pour accomplir les destinées de la Providence.

» Une mort doit toujours servir à quelque chose. Les grands savants, les explorateurs, les soldats, les marins, les guides qui sont tombés pour une cause juste ou pour une œuvre utile aux autres hommes, ont droit à notre respect et à notre souvenir. C'est pour cela qu'il ne faut pas craindre la mort et qu'on doit tirer le maximum de la vie, le maximum en bien comme de juste.

» Tu comprends bien ce que je veux dire, Pierre, continua le Rouge. (Et les deux autres écoutaient gravement.) Il faut vous dépenser jusqu'à la mort, et considérer le repos comme un commencement de la mort. Travailler, lutter, agir, mener une vie rude. Et on y trouve plus de joie qu'à se laisser aller à fainéanter.

» Vous allez rentrer guides tous les deux. C'est un beau métier, dur et dangereux. Pour ma part, je ne l'aurais changé pour aucun autre. Faites bien attention, ce n'est plus de l'enfantillage. Vous ne ferez plus de courses entre camarades comme celle que vous venez de réussir. Vous aurez charge et responsabilité d'existences humaines; ceux que vous emmènerez se confieront à vous et vous demanderont de suppléer à leur inexpérience. Le travail sera deux fois plus difficile; au lieu d'avoir un compagnon qui peut vous aider et vous secourir, vous aurez neuf fois sur dix un type qui risquera de vous entraîner à chaque pas. Tiens! une fois, j'ai eu un client qui a bambé dix fois au bout de la corde en descendant le couloir Whymper! Et je t'assure qu'à chaque fois ça devenait moins drôle. Je me suis toujours demandé comment j'avais pu le retenir dans les marches!

» Dites-vous bien qu'un client, c'est sacré, et qu'en prenant votre tour au Bureau, vous contractez envers lui un engagement solennel de lui faire accomplir des choses dangereuses et de le ramener vivant.

» J'en ai assez dit; je discute, je discute, et je vous laisse à crever de soif!

» On va fêter votre guérison et trinquer tous les trois. La cabane est déserte, c'est encore trop tôt dans la saison; tant mieux, on sera entre nous.

Le Rouge apporta une bouteille; il était ému, ne voulait pas le laisser paraître et tout en versant le mousseux dans les quarts, il essuyait ses longues moustaches de ses doigts calleux.

Ayant bu, Pierre et Georges, très las, décidèrent de descendre sans plus attendre dans la vallée.

Ils s'élancèrent sur le sentier des cristalliers, dégringolèrent les rampes des Égralets et traversèrent la Mer de Glace sans prendre de repos; ils avaient repris l'allure d'hommes dont le métier est de gravir les cimes.

Le dernier train du Montenvers les amena à Chamonix dans la soirée. Leurs visages étaient brûlés par le soleil et la neige, et la fatigue des deux nuits blanches émaciait leurs traits. Une fois dans la plaine, il leur sembla étouffer.

Traversant la ville sans s'arrêter, ils pénétrèrent résolument dans le Bureau des Guides où Jean-Baptiste Cupelaz, assis à sa table, mettait en ordre ses registres. Le guide-chef leva la tête et manifesta, comme le Rouge, son étonnement en les apercevant.

— Ça par exemple! on dirait que vous venez de loin.

— On a fait la Verte par la face nord, tous les deux, pour s'entraîner!

— Ça, c'est quelque chose! (Et le vieux guide siffla d'admiration.)

— Inscris-moi pour l'examen, Jean-Baptiste! demanda Georges à la Clarisse.

— Tu rentres guide! Avec tes pieds mutilés... t'es pas fou?

— La preuve que non!... je viens de m'assurer que j'en étais toujours capable!

— Ben! ben! je vais constituer ton dossier, répondit lentement Jean-Baptiste. (Puis il sourit malicieusement dans sa barbe et ajouta :) Mais quelle tête ils vont faire ceux de la Commission!... Et toi, Pierre, tu t'inscris également?

— Moi? Je ferai cette année encore le porteur! Je n'ai pas l'âge, mais tu peux préparer mon dossier pour l'année prochaine.

— Ben, mes gaillards! ça fait mé pi pas pi! mais il n'y a rien à dire là-dessus, c'est régulier! Le règlement ne prévoit pas qu'il faille avoir ses deux jambes pour faire un guide; il demande seulement qu'on soit capable d'assurer le métier. C'est égal! quelle tête ils vont faire, ceux de la Commission!...

Jean-Baptiste Cupelaz ouvrit un gros registre, à feuillets détachables et numérotés; de sa grosse écriture maladroite, il écrivit : « Permis de circulation au guide Georges à la Clarisse. » Puis sur une autre souche : « Permis de circulation au porteur Pierre Servettaz. » Il détacha les cartes et les leur tendit.

— Voilà! ça fait cent sous chacun; vous êtes en règle pour prendre le tour.

Serrant précieusement le petit bout de papier dans leur portefeuille, ils sortirent.

— On va chez Gros-Bibi? demanda Georges à la Clarisse.

— Non, vieux, répondit gravement Pierre. J'ai encore une affaire à régler. Adieu, je te quitte, on se reverra souvent maintenant.

— Adieu donc!

Pierre coupa à travers la patinoire transformée par l'été en terrain vague, longea le bois du Bouchet et prit la route des Mouilles. La vallée était plongée dans l'ombre, mais le soleil caché par les coupes boisées du Prarion illuminait encore la montagne au-dessus des forêts. Le torrent de Blaitière cascadait et grondait dans sa gorge rocheuse; la brise du soir ployait les tiges hautes des avoines et des seigles verts.

Aline l'aperçut de loin qui montait par le sentier de chars. La joie transfigurait le visage de son fiancé; elle n'eut pas besoin d'explication.

Il lui prit doucement la main et demanda :

— Ta maman est là?

— Oui, dans la salle commune.

— Viens, nous avons des tas de choses à lui dire.

Ils franchirent le seuil exhaussé du vieux chalet et laissèrent la porte grande ouverte derrière eux.

On n'entendait plus dans le village que le murmure de l'eau courante qu'un chéneau de sapin déversait à pleins bords dans le bachal.

Et comme la nuit était venue, des lumières apparurent un peu partout dans la vallée.

Alger, 22 février 1941.

# *Littérature*  <small>extrait du catalogue</small>

*Cette collection est d'abord marquée par sa diversité : classiques, grands romans contemporains ou même des livres d'auteurs réputés plus difficiles, comme Borges, Soupault, Goes. En fait, c'est tout le roman qui est proposé ici, Henri Troyat, Bernard Clavel, Guy des Cars, Alain Robbe-Grillet, mais aussi des écrivains étrangers tels que Moravia, Colleen McCullough ou Konsalik.*

*Les classiques tels que Stendhal, Maupassant, Flaubert, Zola, Balzac, etc. sont publiés en texte intégral au prix le plus bas de toute l'édition. Chaque volume est complété par un cahier photos illustrant la biographie de l'auteur.*

| | |
|---|---|
| **BREILLAT** Catherine | *Police* 2021★★ |
| **BRENNAN** Peter | *Razorback* 1834★★★★ |
| **BRISKIN** Jacqueline | *Les sentiers de l'aube* 1399★★★★ & 1400★★★★ |
| **BROCHIER** Jean-Jacques | *Odette Genonceau* 1111★ |
| | *Villa Marguerite* 1556★★ |
| **BURON** Nicole de | *Vas-y maman* 1031★★ |
| | *Dix-jours-de-rêve* 1481★★★ |
| **CALDWELL** Erskine | *Le bâtard* 1757★★ |
| **CARS** Guy des | *La brute* 47★★★ |
| | *Le château de la juive* 97★★★★ |
| | *La tricheuse* 125★★★ |
| | *L'impure* 173★★★★ |
| | *La corruptrice* 229★★★ |
| | *La demoiselle d'Opéra* 246★★★ |
| | *Les filles de joie* 265★★★ |
| | *La dame du cirque* 295★★ |
| | *Cette étrange tendresse* 303★★★ |
| | *La cathédrale de haine* 322★★★ |
| | *L'officier sans nom* 331★★ |
| | *Les sept femmes* 347★★★★ |
| | *La maudite* 361★★★ |
| | *L'habitude d'amour* 376★★ |
| | *Sang d'Afrique* 399★★ & 400★★ |
| | *Le Grand Monde* 447★★★★ & 448★★★★ |
| | *La révoltée* 492★★★★ |
| | *Amour de ma vie* 516★★★ |
| | *Le faussaire* 548★★★★ |
| | *La vipère* 615★★★★ |
| | *L'entremetteuse* 639★★★★ |
| | *Une certaine dame* 696★★★★ |
| | *L'insolence de sa beauté* 736★★★ |
| | *L'amour s'en va-t-en guerre* 765★★ |
| | *Le donneur* 809★★ |
| | *J'ose* 858★★ |
| | *De cape et de plume* 926★★★ & 927★★★ |
| | *Le mage et le pendule* 990★ |
| | *Le mage et les lignes de la main... et la bonne aventure... et la graphologie* 1094★★★★ |
| | *La justicière* 1163★★ |
| | *La vie secrète de Dorothée Gindt* 1236★★ |
| | *La femme qui en savait trop* 1293★★ |

Impression Brodard et Taupin à La Flèche (Sarthe)
le 29 juillet 1986
6459-5 Dépôt légal juillet 1986. ISBN 2 - 277 - 11936 - 9
1er dépôt légal dans la collection : avril 1979
Imprimé en France

**Editions J'ai lu**
**27, rue Cassette, 75006 Paris**
936
★ ★ ★
*diffusion France et étranger : Flammarion*